D1406808

Su cuerpo puede sanarse por sí mismo

Más de 87 alimentos que todos deberían comer

Nota del editorial

Los editores de FC&A han tomado medidas cuidadosas para asegurar la veracidad y utilidad de la información en este libro. Aunque se tomaron medidas para asegurar su precisión, algunos sitios Web, direcciones, números telefónicos y otra información pudieron haber cambiado desde la impresión del libro.

Este libro es para información solamente. No constituye consejo médico. No podemos garantizar la seguridad ni eficacia de ningún tratamiento o asesoramiento mencionado. Se les urge a los lectores a consultar con sus proveedores de cuidado médico y recibir su aprobación antes de comenzar las terapias sugeridas por la información de este libro, teniendo en cuenta que en todas las publicaciones pueden ocurrir errores de texto y que hallazgos nuevos pueden reemplazar información más antigua.

"Acercaos a Dios, y Él se acercará a vosotros."

Santiago 4:8

Título original: *Your Body Can Heal Itself: Over 87 Foods Everyone Should Eat*
© 2008 por FC&A Publishing.

Su cuerpo sanarse por sí mismos: Más de 87 alimentos que todos deberían comer y todo el material que contiene están protegidos por derechos de autor. Copyright © 2011 por FC&A Publishing. Todos los derechos reservados. Impreso en Estados Unidos de América.

FC&A Medical Publishing®
103 Clover Green
Peachtree City, GA 30269

Producido por el personal de FC&A

ISBN 978-1-935574-00-2

Tabla de contenido

20 tácticas de control para lograr una súper salud

Anote en grande con vegetales llenos de vitaminas

Frutas: golosinas dulces con grandes recompensas

Coseche los beneficio de los granos integrales

Aumente sus proteínas con frijoles y legumbres

Frutos secos y semillas: pequeños pero poderosas

Poder anti envejecimiento desde el mar

Mejore su dieta con productos lácteos bajos en grasa

Guía rápida: nutrición para condición

20 tácticas de control para lograr una súper salud

1 Separe los buenos carbohidratos de los malos

Es hora de dejar de privarse. "Carbohidrato" no es una mala palabra. Ellos son el combustible que su cuerpo necesita para funcionar. La clave para mantenerse saludable y para reducir su peso no está en eliminarlos de su dieta, sino en comer los correctos.

Los carbohidratos llenan su tanque con la mayoría de la energía que necesita cada día, sin mencionar las vitaminas, los minerales y la fibra. De hecho, muchos de los alimentos saludables, incluyendo los cereales, las frutas, los vegetales ricos en fécula y aún la leche contienen carbohidratos.

Los científicos clasifican los carbohidratos como complejos o simples. El almidón, o fécula, y la fibra son complejos. Los azúcares, tales como la lactosa en la leche y la fructosa en las frutas, son simples. Por mucho tiempo, las personas pensaban que los carbohidratos simples eran malos para la salud y que los carbohidratos complejos eran buenos. Ahora todos los carbohidratos están recibiendo una mala reputación debido a la moda de las dietas bajas en carbohidratos. Ninguna de las dos es cierta. ¿Confundido? No se preocupe—encontrar los carbohidratos "buenos" es tan fácil como 1-2-3.

Coma alimentos densos en nutrientes. Algunos alimentos altos en carbohidratos son más nutritivos que otros. Un Twinkie tiene la misma cantidad de carbohidratos que un vaso de jugo de naranja fresco, pero adivine ¿cuál es mejor para usted?

Cuando usted toma jugo de naranja, usted no solamente consume carbohidratos vacíos. También está recibiendo vitamina C y potasio, además de las vitaminas B: folato y tiamina. Los Twinkies, sin embargo, no son densos en nutrientes. Éstos le llenan de azúcar y grasa pero prácticamente de ninguna vitamina, mineral o fibra. Elija alimentos que contengan carbohidratos que le provean muchos nutrientes y recibirá más valor por su dinero.

Escoja alimentos no procesados. No piense en carbohidratos complejos contra simples. En cambio, piense en refinados contra no refinados.

- Los alimentos que contienen carbohidratos refinados han pasado por más procesamiento, lo cual tiende a removerle sus nutrientes. Y mientras más refinado un carbohidrato, más rápido sus azúcares entran a su torrente sanguíneo. La harina blanca, el pan blanco y el arroz blanco son ejemplos de carbohidratos refinados.

■ Mientras menos procesado el alimento, menos refinados son los carbohidratos. Los panes de trigo integral, el arroz integral, los frijoles enteros y los vegetales frescos son procesados mínimamente, así que son tan cerca de lo natural como puede ser. Esto significa que ellos mantienen más de sus nutrientes originales y son digeridos más lentamente, así que sus azúcares entran gradualmente en su torrente sanguíneo en vez de hacerlo en forma rápida.

¿Por qué importa si el carbohidrato es refinado o no? Ésta es la razón. Muchos estudios relacionan los carbohidratos refinados con el desarrollo de enfermedades crónicas, tales como la diabetes tipo 2 y la enfermedad cardiovascular, la cual incluye enfermedad cardiaca, apoplejía y paro cardiaco. Comer muchos carbohidratos refinados tiende a aumentar sus triglicéridos, reducir su "buen" colesterol HDL y causa estragos en los niveles de glucemia e insulina en la sangre.

Coma granos integrales. Cuando coma alimentos no procesados, asegúrese que sean de granos integrales. Un grano de trigo tiene tres partes comestibles.

■ El germen, la pequeña semilla de trigo, está en el centro del grano y es rico en vitaminas y minerales.

■ El endospermo es la parte blanca y blanda que rodea el germen. Éste contiene almidón y proteína.

■ El salvado es la capa protectora alrededor del grano, parecido al cascarón de una nuez. Éste está repleto de fibra y nutrientes.

Los alimentos de granos integrales están hechos con todo el grano de trigo—las tres partes comestibles. Esto significa que traen un golpazo nutricional. Los alimentos refinados, como la harina blanca, están hechos usando solamente el endospermo, así que contienen mayormente almidón y nada más.

Al menos la mitad de los granos que usted come todos los días deberían ser granos integrales. Al sumar la evidencia científica, usted descubrirá que éstos podrían reducir su riesgo de enfermedad cardiaca, cánceres digestivos, diabetes y diverticulosis. Usted aprenderá cómo detectar los alimentos de granos integrales leyendo *Entienda las etiquetas de los alimentos* de esta sección. Para ayuda al comprar panes saludables, lea las *Reglas básicas para comprar panes más saludables* en el capítulo de Granos.

2 *Siéntase mejor con fibra*

Si el comer una sola cosa pudiera reducir su colesterol, ayudarle a perder peso, protegerle de la diabetes y del cáncer de colon y regular su digestión, ¿no la comería?

La fibra puede hacer todo esto y más. Es la parte de la planta que su cuerpo no puede digerir. La misma les da a las hojas, los tallos y las semillas su forma y a los tallos de apio les da su rigidez. Lo mejor de todo es que contiene muchas propiedades sanadoras.

Hay dos tipos principales de fibra—la soluble y la insoluble—cada una con sus propios beneficios para la salud. Un alimento puede contener más de un tipo que de otro, pero la mayoría de los alimentos ofrecen una mezcla de ambas.

- Soluble. Este tipo de fibra se disuelve en agua, dónde forma una gelatina. Las fibras solubles incluyen la pectina en las frutas, que hace gelatinizar las gelatinas; las gomas, que espesan los aderezos de ensalada; las cáscaras de semilla de psilio, y el beta glucano en la avena y la cebada.

- Insoluble. Ésta es el tipo de fibra que usted se imagina cuando piensa en "forraje". Ella absorbe agua sin disolverse como lo hace la fibra soluble. Los lignanos en los alimentos integrales, la celulosa en los cereales de salvado, en las frutas y en los vegetales, y el almidón resistente en los frijoles, en las lentejas y en la cebada son todos fibras insolubles.

Estos dos tipos de fibras tienen efectos magníficos dentro de su cuerpo, dándole el poder para bajar de peso y ganar la batalla contra enfermedades mayores.

Pierda peso. Su cuerpo no puede digerir la fibra, así que usted no recibe energía de ella. Esto la hace el primer bocadillo de cero calorías. Porque añaden volumen, los alimentos ricos en fibra pueden ayudarle a sentirse más lleno con menos calorías, convirtiéndolos así en el sueño de las personas a dieta.

Baje el colesterol. Su hígado convierte el colesterol en su sangre en el jugo digestivo bilis. Las fibras solubles, tales como la pectina y el beta glucano, agarran esta bilis-colesterol en sus intestinos y la sacan de su cuerpo, junto con la excreta. Su hígado entonces tiene que tomar más colesterol de su sangre para crear más bilis. El resultado—una reducción en los niveles de colesterol en la sangre.

Calme los problemas digestivos. La fibra ablanda la excreta para que ésta pase más fácilmente por su sistema digestivo y le da más volumen, para que pase más rápido. En conjunto, la fibra alivia el estreñimiento, previene las hemorroides y reduce su riesgo de diverticulosis y apendicitis. La pectina también puede calmar los síntomas del síndrome del intestino irritable y de la enfermedad de Crohn, mientras que el psilio podría ayudar a disminuir las reincidencias de la colitis ulcerativa.

Evite la diabetes. La fibra soluble en los alimentos como los frijoles y la avena ayuda a prevenir y controlar la diabetes tipo 2 amortiguando el aumento de glucosa y de insulina en la sangre después de las comidas. La fibra soluble decelera su digestión de carbohidratos, para que usted absorba su azúcar más lentamente en el torrente sanguíneo.

Venza el cáncer. En general, la fibra insoluble acelera el movimiento de la comida a través de su sistema digestivo, lo cual saca los compuestos que causan cáncer fuera del colon antes que puedan hacer daño. Además, la descomposición del almidón resistente en su colon produce un compuesto anti-cáncer del colon, llamado ácido butírico. Los lignanos también reducen su riesgo de cáncer de la mama, del ovario, del colon y de la próstata al bloquear la acción que el estrógeno produce en las células de estos órganos.

La Academia Nacional de las Ciencias, la cual establece las ingestas dietéticas de referencia (DRI, por sus siglas en inglés) para nutrientes, dice que las mujeres mayores de 50 años deberían comer al menos 21 gramos (g) de fibra diariamente. Los hombres mayores de 50 años deberían intentar 30 g diariamente.

La mayoría de las personas consume sólo alrededor de la mitad de eso, aunque la fibra está por todas partes. De hecho, algunos de los alimentos más baratos, como los frijoles, están entre las mejores fuentes. La Asociación Dietética Americana dice que si usted come 2,000 calorías al día, usted puede cumplir su meta de fibra comiendo al menos:

- 4 1/2 tazas de frutas y vegetales al día.
- 3 onzas de alimentos integrales al día.
- 3 tazas de legumbres al día.

Añada alimentos ricos en fibra a su dieta gradualmente para darle tiempo a su cuerpo a ajustarse. Aumentar su consumo de fibra muy rápidamente puede causar gas y distención abdominal. Asegúrese de tomar líquidos en abundancia también, para ayudar a mover toda esa fibra a través de su sistema digestivo.

3 *Satisfaga su gusto por lo dulce*

Los americanos comen, en promedio, casi media libra de azúcar cada día, mayormente de productos como las gaseosas hechas con azúcar añadido. Las personas reciben un 25 por ciento de sus calorías diarias de los azúcares como éstas, aunque los expertos advierten que sólo un 10 por ciento de sus calorías diarias debería provenir del azúcar.

Esto es algo serio. Demasiado azúcar parece causar estragos en su cuerpo, aumentando los triglicéridos y reduciendo su "buen" colesterol HDL. Entonces ¿qué puede hacer un goloso? No tema. Darse el gusto no tiene que significar hacerle daño a su salud.

Trate la miel. Azúcar de mesa, miel, melaza, azúcar moreno, azúcar integral—¿cuál es mejor para usted? Todas tienen aproximadamente las mismas calorías y carbohidratos por cucharadita, y algunas contienen vitaminas, minerales o fibra. La miel, sin embargo, posee compuestos vegetales saludables, incluyendo antioxidantes, que los otros no tienen. Además, es más dulce que el azúcar de mesa, así que puede usar menos y obtener el mismo gran sabor.

Mezcle miel en leche tibia, y obtendrá un delicioso remedio casero para calmar un dolor de garganta, detener la tos y ayudarle a dormir. Algunas personas dicen que la miel hasta alivia el dolor de la artritis. Y muchas clases de miel actúan como antibióticos naturales, luchando infecciones y sanando heridas menores.

Evite el azúcar añadido. Desde alimentos horneados hasta las gaseosas, tanto a los cocineros como a los fabricantes de alimentos les encanta añadir azúcar a las comidas. Desafortunadamente, las dietas altas en azúcar añadido contribuyen a la obesidad y aumentan su riesgo de cáncer pancreático y de caries.

Si usted es mayor de 55 años, la mayoría del azúcar añadido que usted consume probablemente proviene de galletas y pasteles, seguidos muy de cerca por el azúcar de mesa, el almíbar, los dulces, las conservas y las jaleas; las colas no de dietas, la gaseosa de jengibre, la cerveza de raíces; y los productos lácteos, incluyendo los helados, el yogur endulzado y la leche con chocolate. Verifique la lista de ingredientes en la etiqueta de los alimentos y evite aquellos donde el azúcar es el primer o segundo ingrediente.

Sanación acelerada con azúcar

La miel es un antiguo remedio casero para sanar cortes y rasguños, pero una pasta de azúcar y agua también puede funcionar. El azúcar funciona extrayendo el agua de la herida. Eso puede luchar contra las bacterias, ayudar a remover la suciedad, e incluso reducir las cicatrices. Use azúcar granulado regular y sólo suficiente agua para formar una pasta. Pero tenga cuidado—el azúcar puede afectar la habilidad coagulante de su sangre. Espere un día después que la hemorragia se detenga antes de tratar este remedio.

Encuentre alternativas a la fructosa. Este tipo de azúcar se encuentra naturalmente en alimentos saludables como las frutas y la miel, pero los fabricantes lo ajustan para hacerlo más dulce, luego añaden esta súper azúcar a los alimentos durante el procesamiento. El resultado—una receta para desastre.

Investigaciones conectan la fructosa añadida al síndrome metabólico, endurecimiento de las arterias, enfermedad cardiovascular y enfermedad hepática. Las golosinas horneadas, los alimentos congelados, las gaseosas no de dietas, las bebidas de fruta, los dulces, los almíbares y los condimentos son las mayores fuentes de fructosas enriquecidas. Verifique las etiquetas y limite los alimentos que contienen jarabe de maíz con fructosa enriquecida o aquellos con fructosa cristalina.

Cambie a lo artificial. Si usted no puede vencer sus antojos por las golosinas, considere aquellos hechos con edulcorantes artificiales.

- Los edulcorantes de calorías reducidas o los alcoholes de azúcar tienen alrededor de la mitad de las calorías y carbohidratos que el azúcar regular. Frecuentemente los verá en productos "sin azúcar" o "sin azúcar añadido", pero tenga cuidado—incluso éstos pueden elevar su glucemia. Este grupo incluye todos los "oles"—manitol, sorbitol, xilitol, lactitol, eritritol y malitol—al igual que la isomaltosa y los hidrosilatos de almidón hidrogenado.

- Los edulcorantes no calóricos no tienen calorías ni carbohidratos y no elevan su glucosa sanguínea. La sucralosa (SPLENDA), el aspartamo

(Equal, NutraSweet), la sacarina (Sweet'N Low, Sugar Twin) y el potasio acesulfamo (Sweet One, Swiss Sweet, Sunett) todos pertenecen a este grupo exclusivo.

Las dudas han acechado al aspartamo por su posible causa de cáncer. La Administración de Drogas y Alimentos ha observado a más de 100 estudios y lo ha declarado seguro para consumir. Éste, sin embargo, puede desencadenar dolores de cabeza en algunas personas. Si usted es una de ellas, considere endulzar con sucralosa (SPLENDA).

4 Coma alimentos de origen vegetal

Las frutas, los vegetales, las legumbres, las nueces, las semillas, los granos integrales, el té verde, el chocolate oscuro y el vino—todos estos alimentos de origen vegetal contienen compuestos especiales, llamados fitoquímicos, que combaten enfermedades. Su cuerpo no necesita los fitoquímicos para sobrevivir, de la forma en que necesita las vitaminas, los minerales y otros nutrientes, pero éstos pueden ayudarle a vivir por más tiempo y a luchar contra las enfermedades crónicas.

Descubra la raíz de sus malestares. A medida que sus células queman energía, ellas crean compuestos sobrantes llamados radicales libres; moléculas muy inestables que dañan el material genético, o el ADN, dentro de sus células. Como usted produce radicales libres constantemente, no es sorprendente la cantidad de daño que se produce. Los científicos estiman que las células sufren 10,000 ataques por radicales libres cada día.

En su mayoría, sus células se arreglan por sí mismas. Con el pasar del tiempo, ellas simplemente no pueden seguirle el paso al daño y el daño al ADN se acumula. Los radicales libres también atacan y oxidan el colesterol LDL, lo cual puede llevar a una acumulación de placa en sus arterias. En general, los expertos señalan al daño causado por los radicales libres como una de las causas principales de cáncer, la arterosclerosis, la enfermedad de Alzheimer, la enfermedad de Parkinson, el deterioro mental, las cataratas, la artritis, los problemas inmunes y la enfisema y otras enfermedades pulmonares.

Proteja sus células para evitar enfermedades. Aquí es donde llenar su plato con alimentos de origen vegetal entra en efecto. Algunos fitoquímicos actúan como antioxidantes, compuestos importantes que se unen con las defensas naturales de su cuerpo para evitar la formación de los radicales libres y desarmarlos antes que ellos puedan causar daño a sus células. Ciertos nutrientes, incluyendo el mineral selenio y las vitaminas A, C, E y beta caroteno, también actúan como antioxidantes en su cuerpo.

Años de estudios han demostrado que el comer bastantes frutas y vegetales le ayuda a prolongar su vida y a evitar enfermedades. Los expertos creen que los cientos de antioxidantes en estos alimentos, en adición a otros fitoquímicos be-neficiosos contenidos en ellos, tienen la clave.

Tomar estas sustancias como suplementos no tiene el mismo efecto. Por ejemplo, las investigaciones sugieren que el comer alimentos ricos en vitamina C podría reducir su riesgo de cáncer de mama y del estómago, pero los suplementos de vitamina C no. Usted necesita todo el paquete que el alimento le provee, quizás debido a la forma en que los fitoquímicos y los nutrientes trabajan juntos como un equipo.

Esta lista le da los nombres de algunos fitoquímicos bien conocidos, cómo los expertos creen que éstos ayudan a la salud y cuáles alimentos son buenas fuentes. Usted puede aprender más acerca de ellos leyendo los capítulos relacionados a los alimentos.

Fitoquímicos

isotiocianatos (sulforafan, otros)	previenen cáncer, parcialmente eliminando de su cuerpo compuestos que causan cáncer	brócoli, col de Bruselas, repollo, berro, rábano, rábano picante, mostaza
lignanos (enterodiol, enterolactona, otros)	ayudan a prevenir el cáncer del ovario y del endometrio, la enfermedad cardiovascular y la osteoporosis	semilla de lino, semilla de girasol, legumbres, granos integrales, salvado, bayas, brócoli, repollo, col de Bruselas
compuestos organosulfurado (alicina, otros)	evita que la sangre coagule y mejora los niveles de olesterol, puede proteger contra el cáncer del colon y del estómago	ajo, cebollas, cebollinos, chalotas, puerros
indol-3-carbinol	previene el cáncer destruyendo los radicales libres, cambiando el estrógeno a una forma que causa menos cáncer y bloqueando parcialmente los efectos del estrógeno en las células	vegetales crucíferos como el brócoli, col de Bruselas, repollo, col rizada, coliflor, hojas de berza, hojas de mostaza

Carotenoides

carotenos (alfa y beta carotenos)	reduce su riesgo de cáncer del pulmón y de enfermedad cardiovascular	espinaca, zanahorias, batatas, col rizada, berzas
xantofilas (luteína, beta criptoxantina, zeaxantina)	previene las cataratas y la degeneración macular relacionada a la edad	pimientos rojos, papayas, naranjas, espinaca, col rizada
licopeno	protege contra la degeneración macular relacionada a la edad, las cataratas, el cáncer y la enfermedad cardiovascular	tomates, toronja rosada, guayaba, sandía

Flavonoides (polifenoles)

antocianinas	alivia la artritis y la gota bloqueando el dolor y la inflamación, previene la acumulación de placa en las arterias	bayas rojas, azules y púrpuras, uvas rojas y púrpuras, vino tinto
flavonoles (catequina, epicatequina, proantocianidina)	ayuda a la pérdida de peso, protege contra el cáncer de la próstata, reduce el riesgo de enfermedad cardiaca, evita la diabetes tipo 2, bloquea las infecciones del tracto urinario	té verde, negro, oolong y blanco, chocolate, manzanas, bayas, uvas rojas, vino tinto
flavonoles (resveratrol, quercetina, kaempferol, miricetina)	reduce el riesgo de cáncer del pulmón y de la próstata, evita que las células cancerosas se multipliquen y las incita a morir, reduce la inflamación que conduce a arterosclerosis	piel y semillas de uvas, vino, té, cebollas amarillas, cebolletas, col rizada, brócoli, manzanas, bayas
isoflavones (genisteína)	previene el cáncer de la mama y del útero, protege contra la osteoporosis, alivia los bochornos de la menopausia	soja, productos de soja, legumbres

5 *Coma más grasa – la correcta*

"Grasa" no es una mala palabra. Los expertos están revisando las recomendaciones de comer una dieta baja en grasa, porque algunas grasas en realidad son buenas para su corazón. Cocinar con aceite de oliva en vez de mantequilla, o comer pescado en vez de una hamburguesa, es una forma sabrosa, fácil y sin dolor de cuidar su colesterol, combatir un ritmo cardiaco errático (arritmias), prevenir el endurecimiento de las arterias y evadir la enfermedad cardiaca.

La mayoría de los alimentos contienen un poco de grasa, lo cual es bueno porque usted necesita un poco de ella para funcionar. Una dieta sin grasa arruinaría su salud. Las grasas le ayudan a absorber nutrientes importantes como las vitaminas A, D, E y K. De hecho, los alimentos con estas vitaminas vitales so-lubles en grasa deberían comerse con grasa para que su cuerpo pueda absorber estos importantes nutrientes. Además, la grasa le da sabor a los alimentos y los hace suaves, cremosos y más satisfactorios.

Pero no todas las grasas son creadas iguales. Algunas grasas, como aquellas ricas en omega-3, en realidad ayudan a prevenir enfermedades y la obesidad. Las grasas saturadas y trans, de las cuales leerá más adelante, le hacen daño a su corazón. Las grasas no saturadas, como éstas, lo protegen.

Grasas monoinsaturadas (MUFAs). Los alimentos que contienen mayormente MUFAs son líquidos a temperatura ambiente—piense en el aceite de oliva o de canola. Esta grasa buena incita al cuerpo a producir más colesterol HDL o "bueno", mientras que a su vez reduce el nivel de ambos, el colesterol total y el "mal" colesterol LDL. Los aguacates y las nueces, incluyendo los cacahuates, también son buenas fuentes de MUFAs.

Grasas poliinsaturadas (PUFAs). Estas grasas amigables existen en dos tipos principales, ambos líquidos a temperatura ambiente.

- El omega-6 puede protegerle de enfermedades cardiovasculares, tales como paro cardiaco, apoplejía y enfermedad del corazón, al reducir sus niveles de colesterol total y LDL. Desafortunadamente, también pueden reducir su buen colesterol HDL. Los aceites de maíz, de soja y de cártamo están repletos de omega-6.

- El omega-3 ayuda a prevenir las arritmias y los coágulos de sangre, además de reducir su colesterol total y sus triglicéridos, todo lo cual reduce su riesgo de paro cardiaco y de muerte relacionada al corazón. Los expertos dicen que usted debería tratar de comer al menos una porción de un alimento rico en omega-3, como salmón, semilla de lino, nueces o aceite de canola, todos los días.

Busque un mejor equilibrio

Hace mucho tiempo las personas comían la misma cantidad de omega-6 y omega-3. Ahora, probablemente usted come 10 veces más omega-6 que omega-3, gracias a que cocina con aceite vegetal—rico en omega-6—y que no come suficiente pescado rico en omega-3.

Aunque estas grasas son buenas para usted, usted todavía necesita limitar su grasa total (grasas saturadas, insaturadas y trans) a un 20 a 35 por ciento de sus calorías diarias. Asegúrese que la mayoría de éstas sean en grasas poliinsaturadas y monoinsaturadas. Estas ideas le pueden ayudar a empezar.

- Deje la mantequilla y cambie a aceite de oliva. Es igual de bueno para sofreír vegetales y saltear pollo, y es mucho más saludable.

- Cree su propio aderezo de ensaladas con una base de aceite de oliva y un poco de vinagre balsámico o jugo de limón.

- Mejore una simple ensalada con nueces, semillas de girasol, aguacate rebanado y aceitunas, todas buenas fuentes de grasas insaturadas.

- Busque un puñado de cacahuates en vez de papas fritas de bolsa cuando necesita un crujiente bocadillo.

- Sirva pescado varias veces a la semana. Los pescados grasos, como el salmón, están repletos de omega-3.

- Escoja pollo en vez de carne de res cuando va de compras. El pollo tiene mucha más PUFAs que la carne de res, lo cual podría explicar por qué el comer pollo en vez de carne roja parece reducir su riesgo de enfermedad cardiaca.

- Cocine con aceite de canola, maíz, oliva, cártamo, soja, semilla de algodón o de girasol cuando pueda en vez de usar mantequilla o margarina.

- Verifique la etiqueta de Datos Nutricionales en los alimentos y compre aquellos con menos grasas saturadas y trans y más grasas insaturadas.

Tenga en mente que aún las grasas buenas tienen unas astronómicas 9 calorías por gramo, más del doble de la cantidad que tienen los carbohidratos y la proteína. Como su cuerpo almacena las calorías adicionales como grasa, el aumentar las grasas buenas sin reducir las grasas malas puede llevar a un aumento de peso, otro factor más para la enfermedad cardiaca. Así que no simplemente coma más grasas insaturadas. Úselas para remplazar las grasas saturadas y trans en su dieta cuando sea posible.

6 *Reduzca las grasas saturadas*

Pese a que algunas grasas son beneficiosas para usted, otras son perniciosas. Tome, por ejemplo, las grasas saturadas. Éstas le dan a los filetes, la tocineta y las chuletas de cerdo su sabor y a la leche y el queso su cremosidad, pero también le obstruyen sus arterias.

Las grasas saturadas aumentan la cantidad de colesterol que su hígado produce, especialmente la cantidad de colesterol LDL o "malo". A su vez, el tener un nivel de colesterol total y LDL alto aumenta su riesgo de enfermedad cardiaca, la primera causa de mortalidad en los Estados Unidos.

Reducir las grasas saturadas es una de las maneras más fáciles y más rápidas de tomar control del colesterol y protegerse de la enfermedad cardiaca. Pero su meta no es recortar toda la grasa de su dieta. Simplemente reemplace algunas de las grasas saturadas que usted come, como la carne de res, con alimentos que tienen mayormente grasas insaturadas, como los pescados.

¿Cuánta diferencia hace? Considere esto. Digamos que usted actualmente recibe un 15 por ciento de sus calorías diarias del comer grasas saturadas. Remplace un 5 por ciento de esos 15 con grasas insaturadas y los expertos dicen que usted reduce su riesgo de paro cardiaco o de morir de enfermedad cardiaca por un sorprendente 40 por ciento.

En términos reales, si usted come 2,000 calorías al día y recibe 300 de esas calorías de las grasas saturadas (15 por ciento), usted necesitaría cambiar solamente 100 de esas calorías (5 por ciento) a grasas insaturadas. Usted seguiría comiendo la misma cantidad de grasa cada día—sólo diferentes tipos de ellas.

Los expertos dicen que usted no debería recibir más de un 7 por ciento de sus calorías diarias de las grasas saturadas, alrededor de 140 calorías si usted come 2,000 calorías al día. Afortunadamente, usted puede hallar maneras fáciles de recortar la grasa y mantener el sabor de los alimentos que ama.

Clasifique sus grasas

Incluso las grasas saturadas vienen en tonos de gris. La clase en la mantequilla y otros productos lácteos le da el mayor aumento al colesterol LDL, seguido por la carne de res, y—la menos peligrosa—el cacao y el chocolate.

- Compre cortes magros de carne, como lomo o pierna.

- Recorte cualquier grasa visible de las carnes y remueva la piel de las aves antes de cocinarlas.

- Escoja versiones reducidas en grasa, bajas en grasa o sin grasa de los productos lácteos cuando sea posible. Usted recibirá la misma cantidad de calcio, pero mucho menos grasa saturada.

- Trate el aceite de oliva o de canola en vez de mantequilla cuando saltea la comida.

- Cubra las ollas y sartenes con aerosol vegetal antiadherente en vez de mantequilla, margarina o manteca.

- Añada mantequilla a los vegetales justo antes de servirlos, en vez de mientras los cocina. Así necesitará menos para obtener el mismo sabor.

- Hornee los aros de cebollas y las papas a la francesa en vez de freírlos.

- Reemplace la mantequilla en las recetas con mitad mantequilla y mitad aceite.

- Trate de sustituir la mitad de la margarina o mantequilla en las golosinas horneadas, tales como tortas, molletes, tartas de chocolate y panes, por compota de manzana, requesón o puré de bananas, de ciruelas pasas o de garbanzos.

- Añada un poco de azúcar a la leche evaporada, fría y libre de grasa y bátala. Sirva inmediatamente en lugar de crema batida o úselo en lugar de crema en sus recetas.

- Use yogur bajo en grasa en vez de crema agria en las salsas, papas asadas y en algunas salsas de crema. O trate una mezcla de mitad yogur bajo en grasa y mitad crema agria. El yogur bajo en grasa también puede reemplazar la mayonesa en la ensalada de col.

7 *Evite las grasas trans*

Si el cuco fuera un alimento, probablemente sería una grasa trans. Este tipo de grasa es la peor pesadilla para su corazón. Ésta aumenta los niveles de colesterol total y malo LDL, al igual que los triglicéridos, mientras reduce su buen colesterol HDL. Ni siquiera las grasas saturadas hacen eso. Además, las grasas trans hacen la sangre más espesa y más probable que forme coágulos.

Aún más, tendrá casi garantizada una panza más grande si sigue comiendo alimentos llenos de grasas trans. Éstas le añaden más grasa a su abdomen y mueven la grasa que ya tiene en otras áreas de su cuerpo a su abdomen. Aun si usted sólo come suficientes calorías para mantener su peso, el recibir algunas de ellas como grasas trans en realidad causará que usted gane peso y acumule grasa abdominal. La obesidad y las dietas altas en grasas también están relacionadas a la hipertensión. Comer grasas trans puede llevar a resistencia a la insulina, al igual que a un aumento de la glucemia y contribuye al desarrollo de diabetes tipo 2.

En conjunto, las grasas trans también aumentan extraordinariamente su riesgo de enfermedad cardiaca. Algunos expertos culpan a esta peligrosa grasa por al menos 30,000 muertes por enfermedad cardiaca al año. En el respetado Estudio de Salud de Enfermeras, las mujeres que comían la mayor cantidad de grasas trans—tan poco como un 3 por ciento de sus calorías diarias—tenían un riesgo 50 por ciento más alto para enfermedad cardiaca que aquellas que comían la menor cantidad.

Muchas grasas trans son más un caso del Dr. Jekyll y el Sr. Hyde. Ellas comienzan buenas, pero a través de un poco de química, se vuelven muy malas. Ellas empiezan su vida como grasas poliinsaturadas saludables, típicamente aceite de maíz, soja, cártamo, girasol o semilla de algodón. Cuando los fabricantes le añaden hidrógeno a ellas, en un proceso llamado hidrogenación, algunas de estas PUFAs se convierten en grasas saturadas y trans.

Pero hay buenas noticias. Cualquier persona—incluso las personas de la tercera edad—puede reducir su hipertensión, glucemia y grasa abdominal reduciendo las grasas trans y, por lo tanto, las grasas totales en su dieta. Comience ahora, cambie sólo unos cuanto hábitos de salud y vivirá más tiempo. Estos consejos le ayudarán a detectar y a evitar las grasas trans.

Lea las etiquetas de alimentos. No confíe en los paquetes que prometen "¡0 grasas trans!" Los alimentos pueden decir ser libres de grasas trans siempre y cuando tengan menos de medio gramo por porción. Desafortunadamente, una porción podría ser más pequeña de lo que piensa. Cómase tres o cuatro porciones de una vez, y sin darse cuenta se comerá varios gramos de grasas trans.

En cambio, verifique en la lista de ingredientes en las etiquetas de los alimentos la presencia de las palabras "aceite vegetal parcialmente hidrogenado" o "manteca vegetal"—señales de que el alimento contiene grasas trans hechas por el hombre.

Compre mejor mantequilla. La margarina suave en botellas comprimibles y en envases contiene menos grasas trans que la margarina en barra. Pero si usted está realmente preocupado acerca de su colesterol, considere cambiar a una mantequilla untable como Benecol hecha con estanoles vegetales, o Take Control, hecha con esteroles. Estos compuestos ayudan a reducir el colesterol. Usted puede usar Benecol al hornear y cocinar, medida por medida, en lugar de la mantequilla, la margarina, la manteca o el aceite, sin cambiar el sabor de la comida.

Quédese con líquidos. Cocine con aceites tales como el de canola, oliva, maíz u otros aceites vegetales donde quiera que pueda en vez de la manteca, la mantequilla o la margarina. ¿Por qué? Las grasas líquidas, como los aceites, son mayormente insaturadas, mientras que las grasas solidas son mayormente saturadas o trans.

Tenga cuidado de las comidas horneadas y fritas. Alrededor de un 70 por ciento de las grasas trans que usted come probablemente provienen de los productos horneados comprados en las tiendas, como las galletas y los molletes, y de las comidas fritas servidas en los restaurantes de comida rápida y en otros restaurantes.

Regrese a lo básico. Una vez que las investigaciones mostraron que las grasas saturadas eran malas para su corazón, los científicos desarrollaron las grasas trans para reemplazarlas en los alimentos. Ahora los científicos están buscando desarrollar nuevas grasas para reemplazar las grasas trans. Piense dos veces antes de apoyar esta idea. Controversia rodea a los reemplazos más prometedores, llamados grasas interesterificadas (aceites "altamente esterado" o "rico en ácidos esteáricos" en las etiquetas). En un estudio, éstas causaron un aumento súbito en la glucemia después de comer, mientras a la vez redujeron el colesterol HDL. Otros estudios dicen que son seguras.

Su mejor opción es comer más alimentos en su forma natural y fresca y limitar los alimentos procesados y pre empacados. Compre en el área de productos agrícolas, salte las golosinas fritas y horneadas y cocine con aceites saludables.

8 *Busque la sal oculta*

A través de la historia, la sal ha sido usada como un condimento, un preservativo e inclusive como dinero. Aún hoy día, ésta juega un papel importante en su vida, frecuentemente debido a las cosas malas que le hace a su cuerpo.

La sal contiene ambos cloruro y el mineral sodio. Su cuerpo necesita un poco de sodio para vivir, pero obtener suficiente cada día no es un problema; consumir demasiado sí lo es.

Las personas entre 51 y 70 años de edad necesitan solamente 1,300 miligramos (mg) de sodio al día, y los adultos mayores de 70 años necesitan menos, 1,200 mg. Aunque el comer más de 2,300 mg de sodio al día no es seguro, increíblemente un 95 por ciento de los hombres y un 75 por ciento de las mujeres hacen precisamente eso.

Reducir el sodio puede ayudar a detener la hipertensión y a reducir su riesgo de paro cardiaco y apoplejía. Y como la hipertensión crónica también afecta sus órganos, especialmente sus riñones, el limitar el consumo de sodio también ayuda a prevenir enfermedad renal. Usted también combatirá la osteoporosis, porque una dieta alta en sodio le hace perder calcio a través de su orina. También hace más poderosa a la bacteria *H. pylori*, la causa principal de las úlceras estomacales e intestinales. Reduzca su sodio y reducirá su riesgo para cáncer estomacal y gastritis, así como de inflamación del revestimiento de su estómago.

En conjunto, los expertos dicen que los adultos deberían limitar el consumo de sodio a 2,300 mg al día—y mientras menos, mejor. Si usted padece de hipertensión, usted necesita limitarlo aún más—no más de 1,500 mg al día.

Coma menos alimentos procesados. Un sorprendente 75 por ciento de la sal que usted come cada día viene de alimentos pre empacados, y no de la sal en su mesa. Los fabricantes añaden sal a los alimentos durante el procesamiento para mejorar su sabor y prolongar su vida de almacén. Cambie su dieta reemplazando alimentos procesados por frutas y vegetales frescos y automáticamente comerá menos sal.

Lea las etiquetas rigurosamente. Los panes y los pasteles que saben dulce—no salados—son en realidad algunos de los mayores contribuyentes al sodio dietético. Lea cada etiqueta de los alimentos para evitar sorpresas desagradables.

El panel de Datos Nutricionales le dice cuántos miligramos de sodio hay en cada porción del alimento. Verifique el tamaño de porción contra lo que usted planea comer de una sentada. La lista de ingredientes le dice si el sodio proviene de la sal o de un preservativo, como el benzoato de sodio.

Asalte su botiquín. Muchos medicamentos con y sin receta—desde antiácidos y laxantes hasta analgésicos y medicamentos para la gripe—también contienen sodio. Lea las etiquetas de los paquetes en los medicamentos sin receta y pídale a su farmacéutico que verifique el inserto que viene con los medicamentos recetados.

Coma en casa y no afuera. Los restaurantes y los establecimientos de comida rápida sirven enormes porciones de comida y de sal. La Asociación Médica Americana le ha reclamado a la industria de restaurantes que reduzca su uso de sal a la mitad en los próximos 10 años, pero no espere hasta entonces. Controle su tendencia de comer fuera y cocine con ingredientes frescos en casa.

Cambie a un sustituto seguro. Considere cambiar su sal regular por un sustituto de sal enriquecido con potasio hecho con mitad cloruro de potasio y mitad cloruro de sodio. Usted le dará un golpe doble a la enfermedad cardiaca al recortar el sodio y aumentar su consumo de potasio. Nuevas investigaciones muestran que este condimento podría reducir las muertes por enfermedad cardiaca, diabetes, hipertensión y apoplejía por un 40 por ciento.

El potasio puede ser dañino en grandes cantidades, especialmente si usted padece de enfermedad renal o toma ciertos medicamentos, incluyendo los inhibidores ACE y los diuréticos ahorradores de potasio, tales como la espironolactona. Hable con su médico antes de tratar los sustitutos de sal de potasio si usted encaja con esta descripción.

Defiéndase de enfermedades transmitidas por alimentos

Los Centros para el Control y la Prevención de Enfermedades han descubierto los seis alimentos más peligrosos en los Estados Unidos, y usted estaría sorprendido de cuáles son. Uno de ellos es un "alimento saludable", uno es una delicia gourmet y otro pudo haber estado en su plato de desayuno esta mañana. Pero usted no tiene que arriesgar su salud. Verifique esta lista de "más buscados" para hallar alternativas sabrosas.

Alimento inseguro	Sustituto saludable
pez crudo (sushi)	salmón horneado, asado o escalfado
brotes de alfalfa	lechuga romana o espinaca lavadas
ostras crudas	ostras cocidas al vapor
leche sin pasteurizar	productos lácteos pasteurizados
huevos aguados	huevos cocidos hasta que la yema esté firme
carne molida poco cocida	carne molida cocida hasta una temperatura interna de 160 grados Fahrenheit

9 Sea selectivo acerca de la proteína

Cuando usted piensa acerca de la proteína, quizás se imagina a los culturistas y los atletas. Aún así, usted necesita proteína también, y ningún otro nutriente juega tantos papeles importantes en su cuerpo. Ésta le ayuda a desarrollar los músculos, las células sanguíneas, el tejido de cicatrización, las hormonas, el cabello y las uñas—y más.

Las proteínas son filamentos largos de pequeñas partículas llamadas aminoácidos. Cada aminoácido es como una letra del abecedario, y las proteínas son las palabras que se forman cuando las une. Cambie las letras y usted crea diferentes proteínas. Su cuerpo puede crear algunos aminoácidos, pero otros no, así que estos últimos tendrá que recibirlos de los alimentos.

Afortunadamente, una dieta balanceada y variada le provee todos los aminoácidos y proteína que usted necesita para prosperar. La carne, el pescado, los huevos y los productos lácteos generalmente proveen proteína completa—esto significa todos los aminoácidos. La mayoría de los alimentos de originen vegetal, en cambio, le dan proteína incompleta porque le faltan algunos aminoácidos.

Aparte de los papeles esenciales que la proteína magra juega en su cuerpo, añadirla a su desayuno puede ayudarle a perder peso sin esfuerzo. En una investigación sorprendente pero cierta, mujeres que tenían sobrepeso y que comenzaban su día con panceta canadiense y queso americano en un panecillo inglés se sentían más llenas después y tenían menos ganas de ronzar. Los expertos creen que esta proteína temprano en el día podría ayudarle a comer menos durante el resto del día. En cambio el comer mucha proteína a través del día no redujo el hambre.

Eso es importante, porque el comer demasiada carne podría traer consecuencias serias. El problema para la mayoría de los carnívoros no es recibir suficiente proteína, sino consumir demasiada. Las dietas altas en alimentos ricos en proteínas están asociadas con la obesidad y pueden empeorar los problemas renales y aumentar la pérdida de calcio de sus huesos. El enfocarse en alimentos con proteína también puede excluir a otros nutrientes importantes, tales como la vitamina C y el folato. Además, la carne puede venir empacada con muchas grasas saturadas, calorías y colesterol.

La clave está en el equilibrio. Usted necesita proteína para vivir, pero no demasiada. Las mujeres solamente necesitan alrededor de 50 gramos de proteína al día, mientras que los hombres necesitan alrededor de 65 gramos. Usted también tiene que estar alerta de la fuente de la cual obtiene su proteína.

Cambie a pescado. Coma pescado en vez de carne de res dos veces a la semana y no solamente recibirá suficiente proteína completa, sino que también obtendrá grasas omega-3 poliinsaturadas, las cuales son saludables para el corazón.

Inclínese hacia las legumbres. Una taza de legumbres, tales como frijoles secos, guisantes o lentejas, provee alrededor de un 30 por ciento de su proteína diaria. Además, cosechará los beneficios de sus reservas de fibra y hierro, sin la grasa saturada que obtiene con la carne, la leche entera y otros productos lácteos llenos de grasas.

Cocine con calor húmedo. Esto hace la proteína más digerible para que pueda absorber más de ella. El freír, por otro lado, la hace más difícil de digerir.

Combine alimentos de origen vegetal. ¿Recuerda cómo los aminoácidos son como las letras del abecedario, con la mayoría de los alimentos de origen vegetal deficientes en algunos aminoácidos? Afortunadamente usted puede recibir todas las letras al unir diferentes alimentos vegetales. Los granos, por ejemplo, le proveen la mitad del abecedario, mientras que las legumbres le dan la otra mitad. Cómalos juntos y recibirá todo el abecedario de aminoácidos—en otras palabras, proteína completa. Los frijoles con arroz, mantequilla de cacahuate con pan y tofu con arroz integral son solamente algunas de las combinaciones complementarias. Usted no tiene que comerlas juntas en la misma comida, solamente en el mismo día.

10 *Beba más agua*

Se han luchado guerras por el agua y civilizaciones enteras han sido cons-truidas alrededor de ella, todo porque nadie puede vivir sin ella. En su libro *Coma, beba y esté saludable (Eat, Drink, and be Healthy)*, el experto en nutrición de Harvard, Walter Willet, lo pone de esta manera: "Si usted se seca, se muere".

Aún una deshidratación menor puede hacerle sentirse cansado, de mal humor y estreñido, puede nublar su concentración y aumentar su riesgo de cálculos renales y cáncer de la vejiga con el pasar del tiempo. La deshidratación extrema puede causar golpe de calor y muerte.

Su cuerpo es muy bueno conservando agua, pero aún así usted necesita reemplazar la que pierde a través de la orina, la respiración y el sudor. En promedio, los científicos dicen que las personas que comen 2,000 calorías al día deberían tomar ocho vasos de 8 onzas de líquido al día.

No es sorprendente que este número difiere entre las personas. Las personas de la tercera edad necesitan más líquidos, mientras que las personas que comen muchas frutas y vegetales, las cuales contienen mayormente agua, podrían necesitar menos. Generalmente usted debería tomar más agua durante ambos los tiempos más cálidos y fríos del año, cuando viaja en avión, cuando está enfermo, si está en una dieta alta en fibra y en los días cuando está activo. La regla básica para los días normales es tomar al menos un vaso de agua con cada comida y otro entre las comidas.

El agua hace más que evitar que usted muera, aunque esa es una buena razón para tomarla. Ésta le añade a su vida de otras maneras, también. Mire estos datos fascinantes.

- Beber dos vasos de agua mientras está sentado aumenta la presión sanguínea en las personas cuya presión normalmente baja cuando se ponen de pie.

- Por otro lado, el beber agua "dura" rica en minerales podría reducir la hipertensión, el riesgo de enfermedad cardiaca y su probabilidad de morir de un paro cardiaco. El fluoruro en el agua parece ofrecer la mayor protección contra la enfermedad cardiaca, mientras que el hierro y el cobre podrían aumentar su riesgo.

- Saber qué tomar podría aumentar su energía. La fatiga a veces es un síntoma del agotamiento por calor y no solamente una mala noche de sueño. El agua es la mejor bebida curativa. Y mientras que las bebidas con cafeína y con azúcar le dan un aumento pasajero de energía, usted volverá a sentirse cansado un poco tiempo después. Cambie a agua para un refrigerio más duradero, junto con otras bebidas favoritas como té verde, negro y herbal, todos sin cafeína.

- El agua que es apta para tomar limpia cortes y rasguños tan bien como las soluciones salinas o el agua destilada.

- Lavarse las manos con agua del grifo normal remueve más temido del norovirus, la causa principal de la gastroenteritis, que el lavarse con jabón antibacteriano o que el usar un desinfectante de mano con base de alcohol. El agua removió un 96 por ciento del virus, el jabón antibacteriano un 88 por ciento y el desinfectante apenas un 46 por ciento en un estudio reciente.

- Simplemente tomar cuatro o más tazas de agua al día puede ayudarle a perder 2 libras adicionales al año.

- Eliminar las bebidas azucaradas de su dieta y reemplazarlas con agua podría ayudarle a perder 5 libras adicionales al año.

- El tomar agua helada y carbonatada puede eliminar la sensación de tener algo estancado en la garganta, terminando así el ciclo de tener que aclararse la garganta continuamente.

Nada de esto importa si no puede soportar el sabor de su agua de grifo. El tratar el agua pública con cloro mata las bacterias y los virus y la hace segura para ingerir, pero le puede dejar un mal sabor. Mejore el sabor de su agua municipal enfriándola en una jarra destapada antes de tomarla, añadiéndole un poco de jugo de fruta sin azúcar o comprando un filtro barato para el grifo o una jarra Brita con un filtro.

11 *Redescubra el té*

Las personas asiáticas son unas de las personas más fumadoras del mundo, sin embargo ellas disfrutan de unas de las tasas más pequeñas de cáncer y de enfermedad cardiaca. Los científicos llaman a esto la "paradoja asiática", pero puede que no sea un misterio por más tiempo. Más evidencia apunta al té, la bebida principal de Asia, como la clave.

El té verde, el negro y el oolong vienen de la misma planta. El té verde es cosechado de las hojas de té maduras, y luego calentadas al vapor enteras. Las hojas para el té negro son fermentadas primero, lo que cambia sus compuestos químicos. Las hojas del té oolong son fermentadas sólo parcialmente, así que tienen los beneficios de ambos el té verde (sin fermentar) y el té negro (fermentado).

Todos los tipos de té contienen fitoquímicos llamados flavonoles. El té verde también contiene catequinas, otro tipo de fitoquímico con poderes potentes para combatir enfermedades. El fermentar las hojas forma nuevos compuestos, conocidos como teaflavinas y tearubiginas. El té verde tiene más catequinas que el té negro, pero el té negro es rico en teaflavinas y tearubiginas. El té oolong contiene los tres compuestos.

El té ofrece defensa seria contra las caries, en parte porque las hojas contienen fluoruro naturalmente. Además, estudios de laboratorio muestran que los extractos de té negro, verde y oolong evitan que las bacterias causantes de caries crezcan y produzcan el ácido que consume el esmalte del diente. Tenga cuidado del té instantáneo. Algunas marcas contienen más fluoruro que la Agencia Protectora del Ambiente y la Administración de Drogas y Alimentos consideran seguros.

Té verde. Esta bebida poderosa carga más antioxidantes que el té negro o el oolong. En estudios de laboratorios, éste muestra promesa para prevenir el cáncer del colon, de la mama, del estómago, del pulmón, del páncreas, del esófago y de la vejiga. También parece que reduce la propagación del cáncer de la próstata cuando se usa en conjunto con una clase de medicamentos llamados inhibidores de COX-2.

¿Necesita más razones para probarlo? El beber al menos dos tazas al día podría reducir su riesgo de cáncer de la piel al protegerle contra los rayos ultravioleta (UV). Además, el té verde podría prevenir la hipertensión, reducir la glucemia, aliviar la inflamación de la artritis y bloquear la inflamación de la vejiga. Y en un estudio reciente, adultos japoneses que tomaban seis o más tazas de té al día tenían menos probabilidad de desarrollar diabetes tipo 2.

Al igual que el resto de su cuerpo, hay alimentos que mantendrán su cerebro muy agudo. Por ejemplo, estudios de laboratorio en ratones sugieren que un par de tazas de té verde al día podría ayudar mucho para mantener su mente joven. Los científicos creen que las catequinas, los antioxidantes en el té verde, podrían proteger las células del cerebro del daño oxidante que se acumula con la edad. Esto a su vez ayuda a preservar su memoria y la capacidad para aprender hasta una edad avanzada.

El té verde es seguro como una bebida, pero los suplementos podrían hacerle daño a su hígado. El beber grandes cantidades de té verde—medio galón o más al día—podría hacer menos efectiva la droga warfarina (Coumadina).

Té negro. Si usted no puede deshacerse del estrés, tome al menos una taza de té negro. Evidencia sugiere que relajarse con una taza de té lucha contra las hormonas dañinas causantes de estrés. Dos tazas al día podrían reducir su riesgo de cáncer del ovario por un 30 por ciento y reducir su riesgo de cáncer del colon. No sólo eso, el té negro parece reducir su riesgo de enfermedad cardiovascular. La protección contra un ataque al corazón comienza con solamente tres tazas al día, mientras que cuatro a cinco tazas al día combate la enfermedad cardiaca relajando sus arterias.

Usted puede tomarlo incluso para reforzar sus huesos y combatir la osteoporosis. Numerosos estudios muestran que el té negro aumenta la densidad ósea y protege contra las fracturas de la cadera, especialmente si usted toma cuatro tazas o más al día. Añadirle leche también aumentará su consumo de calcio y protegerá aún más sus huesos.

Té oolong. Esta bebida con el nombre raro impresiona. Éste parece promover la pérdida de peso y reduce los triglicéridos, e investigaciones lo relacionan con una glucemia más baja en personas con diabetes tipo 2. Como los otros tipos de té, éste también contiene compuestos que previenen el cáncer—en especial cafeína, teaflavinas y tearubiginas.

Aún así, demasiado de algo bueno puede ser malo. Beber más de tres cuartos de galón de té oolong o negro al día puede llevar a hipopotasemia, una condición potencialmente mortal asociada con la toxicidad de la cafeína.

Consejos para la hora del té

Disfrute su té con un poco de leche. Antes, los expertos pensaban que la leche neutralizaba los antioxidantes en el té, pero nuevas investigaciones han demostrado lo contrario. Así que tenga un poco de leche con su té.

Los flavonoides naturales en el té negro, verde y oolong, sin embargo, pueden evitar que su cuerpo absorba hierro de los alimentos. Evite este efecto secundario tomando agua, y no té, con sus comidas.

---

12 *Haga la paz con el café*

El café ha tenido una historia de conflicto, con leyendas acerca de él tan antiguas como del tercer siglo. A los antiguos monjes les encantaba porque le ayudaba a ellos a mantenerse despiertos durante las noches largas de oración. En el siglo 17, algunos católicos devotos declararon al café como pecaminoso. El Papa Clemente salvó el día al bautizar la bebida, cementando su aprobación por la iglesia. Sin lugar a duda, los monjes somnolientos en todas partes del mundo se regocijaron.

El café estuvo en conflicto de nuevo hasta recientemente. Investigaciones tempranas asociaron esta bebida con cáncer de la mama, cáncer del páncreas y enfermedad cardiaca. Pero estos estudios no tomaron en cuenta el hecho que muchos bebedores de café también fumaban—el verdadero villano detrás de estas enfermedades mortales. Los científicos hoy día han visto la luz y exaltan, por lo menos la seguridad, del café consumido con moderación.

La cafeína recibe la mayor atención, pero el café contiene más de 1,000 compuestos, la mayoría de los cuales afectan su salud. Éste tiene más fibra soluble, la clase que se disuelve en agua, que el jugo de naranja y es una fuente principal de antioxidantes, incluyendo el ácido clorogénico. Basado en un estudio reciente, esto podría resultar en:

- menor riesgo para diabetes tipo 2 por tomar café descafeinado y un riesgo aún menor por tomar café regular. Los expertos dicen que usted podría tener que tomar más de cuatro tazas al día para obtener este beneficio, lo cual podría no ser seguro para algunas personas.

- menor riesgo de muerte por enfermedad cardiaca en personas mayores de 65 años que no tienen hipertensión severa.

- 40 por ciento menos probabilidad de desarrollar enfermedad de Parkinson, al menos en los hombres.

- protección de la enfermedad hepática, al igual que de cánceres del colon, del recto y del hígado.

- menos ataques de gota ya que el café parece reducir los niveles de ácido úrico.

- menos deterioro mental con la edad en personas que beben tres o más tazas de café al día.

- menor riesgo de tener cálculos biliares y cálculos renales.

Tenga en mente que el café—especialmente el café con cafeína—puede tener efectos secundarios indeseables si toma demasiado de él, tal como nerviosismo, irritabilidad e insomnio, por nombrar algunos. El tomar café que no pasa por un filtro de papel, como el café exprés o de prensa francesa, también puede aumentar su colesterol varios puntos. Quizás más alarmante es que el beber mucho café, alrededor de cuatro o más tazas al día, podría acelerar la pérdida ósea y ponerlo en mayor riesgo para fractura de la cadera. Los expertos dicen que mantener su hábito a tres tazas o menos de café al día debería ser seguro.

Salte esto para dormir mejor

¿Tiene problemas para dormir toda la noche? Puede que la cafeína no sea la culpable. En cambio, trate de reducir el consumo de alcohol en las tardes. Un ponche caliente puede ayudarle a relajarse al principio, pero el alcohol en realidad perturba sus ondas cerebrales, haciendo más difícil el dormirse y mantenerse dormido.

Las personas con diabetes no deberían comenzar a beber café si aún no lo hacen, porque la cafeína aumenta temporalmente la glucemia. Hay evidencia que también asocia al café con hipertensión así que quizás quiera evitarlo si ya enfrenta un riesgo mayor de problemas cardiacos.

13 *Añada variedad a las comidas*

Si toda la conmoción acerca de lo que come y no come le da ganas de dejar sus buenas intenciones y buscar la bolsa de papas fritas más cercana, sólo recuerde esta simple regla: coma una variedad de alimentos todos los días.

El alimento más importante que usted puede comer para obtener más energía, un cuerpo más joven y una vida más larga es cualquier alimento saludable que le gusta y que no ha comido hoy. El Departamento de Agricultura de Estados Unidos, el cual provee la Pirámide Alimenticia y otras guías nutricionales, ofrece estos consejos.

- Disfrute de algo de cada grupo alimenticio cada día—vegetales, frutas, granos, productos lácteos y carnes, frijoles y nueces.

- Coma cada tipo de vegetal varias veces al día—verduras verde oscuras (brócoli, espinaca), vegetales naranja (zanahorias, batata), legumbres (frijoles secos, garbanzos), vegetales con fécula (maíz, guisantes, papas blancas) y otros vegetales (tomates, coliflor, apio).

- Limite las cantidades de grasas saturadas y trans, colesterol, alcohol, azúcar añadido y sal que consume.

¿Por qué el énfasis en comer un poco de todo? Cada grupo alimenticio es la fuente principal de al menos un nutriente. Ningún grupo alimenticio provee todos los nutrientes que usted necesita. Esto significa que el quedarse corto en uno o más grupos alimenticios también le priva a su cuerpo de nutrientes. Es más, ningún nutriente puede estar solo. Todos ellos funcionan juntos en el cuerpo, así que una deficiencia de uno los afecta a todos.

Mientras le añade variedad a sus comidas, busque densidad nutricional, también. Los alimentos densos en nutrientes son aquellos que cargan muchas vitaminas, minerales, fitoquímicos y otros compuestos buenos para usted, pero relativamente con pocas calorías. Piense en fresas y melocotones frescos, espárragos y brócoli cocidos al vapor o un delicioso filete de salmón. Ahora evite la mantequilla, la salsa cremosa y el azúcar adicional y usted tiene una comida densa en nutrientes.

El enfocarse en alimentos nutritivos bajos en calorías con poco azúcar añadido le dará todos los nutrientes que usted necesita para mantenerse saludable y le permitirá disfrutar de bocadillos ocasionales sin aumentar peso. Lo mejor de todo es que usted no se sentirá como que se está privando.

14 *Entienda las etiquetas de los alimentos*

Usted ha visto la lista de ingredientes y la información nutritiva de los paquetes. Quizá usted los ha leído. Pero, ¿para qué sirven las etiquetas realmente? Para empezar, ellas pueden mostrarle el camino a alimentos más saludables; además le ayudarán a mantener un peso saludable, a proteger su corazón, a vencer la hiperglucemia y a evitar las reacciones alérgicas.

Cuente los números. Antes que usted coloque ese paquete en su carrito de compras, verifique el panel de Datos Nutricionales para información básica.

- *Tamaño de porción.* Ésta es la cantidad estándar establecida por el gobierno para que usted pueda comparar alimentos similares. Generalmente no es una cantidad recomendada. Preste atención en particular a este tamaño de porción. Ésta podría ser más pequeña de lo que usted generalmente come, así usted podría estar comiendo más calorías, grasa y azúcar que lo que la etiqueta sugiere.

- *Calorías.* La cantidad total de energía que usted obtiene del comer una porción. Estar pendiente de este número y elegir alimentos con menos calorías puede ayudarle a bajar de peso, lo que a su vez reduce su riesgo de enfermedades relacionadas a la obesidad, como la diabetes tipo 2.

- *Grasas.* Esto incluye la grasa total en una porción, al igual que los diferentes tipos de grasas y las cantidades de cada una. En general, elija alimentos con la menor cantidad de grasas trans y saturadas y más grasas monosaturadas o poliinsaturadas.

- *Valor Diario (VD).* Cuánto de sus cuotas diarias de fibras, grasas, vitaminas, minerales y otros nutrientes usted obtiene de cada porción. Desafortunadamente, los valores diarios no toman en consideración su género, edad o nivel de actividad. Están basados en el consumo de 2,000 calorías diarias, lo cual podría ser demasiado o muy poco para usted. Úselos como una guía nutritiva general.

Observe los ingredientes añadidos. La lista de ingredientes le dice todo lo que hay en un alimento, desde mayor concentración a menor, y le ayuda a detectar ingredientes adicionales que no son saludables. Evite alimentos que listan azúcar añadido, aceite hidrogenado, sodio u otro ingrediente no saludable entre los primeros tres en la lista—una señal segura de que el alimento tiene muchos de ellos. El azúcar añadido, en particular, se pasea bajo nombres engañosos, incluyendo sacarosa, dextrosa, jarabe de maíz rico en fructosa y jugo de fruta concentrado. Y si el alimento contiene MSG adicional, aspartame o sulfitos, los hallará en esta lista.

Detecte los alérgenos. La Administración de Drogas y Alimentos (FDA, por sus siglas inglés) ahora requiere que las etiquetas le digan en lenguaje claro si el alimento está hecho con leche, huevos, trigo, pescado, soja, cacahuates, frutos secos de árbol—tales como almendras, nueces y pecanas—o mariscos, tales como camarones o langosta. No se arriesgue si usted tiene alergia a estos ingredientes. Aún alimentos tales como la crema no láctea pueden contener proteína láctea. Verifique la lista de ingredientes para estos alérgenos o busque la palabra "Contiene", como por ejemplo "Contiene soja, trigo y leche".

Sea sabio acerca de reclamos de salud. La publicidad exótica como "Libre de grasas" y "Sin azúcar añadido" puede ayudarle a tomar decisiones más saludables acerca de qué coloca en su carrito de compras. Pero usted no puede depender de estas aseveraciones solamente. Algunos alimentos saludables a los que se les permite hacer estos reclamos, no lo son. Peor aún, estas declaraciones pueden ser engañosas. Los fabricantes pueden hacer que un alimento suene más saludable de lo que es a través de publicidad ingeniosa. Por ejemplo, un alimento "libre de grasa" puede tener tantas calorías como la versión llena de grasa si reemplaza el sabor perdido con mucho azúcar.

Vale la pena comparar el panel de Datos Nutricionales y la lista de ingredientes de diferentes marcas. En la siguiente página, usted hallará una tabla con algunas de las declaraciones usadas y qué significan en realidad. Todos los números son por porción.

Reclamo	Qué significa
libre de calorías	menos de cinco calorías
bajo en calorías	no más de 40 calorías
calorías reducidas	al menos 25 por ciento menos calorías que la versión regular
buena fuente de calcio	al menos 100 miligramos (mg) de calcio
buena fuente de (cualquier nutriente)	10 a 19 por ciento del valor diario recomendado para el nutriente
alto en, rico en o excelente fuente de (cualquier nutriente)	20 por ciento o más del valor diario para ese nutriente
ligero, liviano o "light"	un tercio menos calorías o la mitad de la grasa de la versión regular o la mitad del sodio de un alimento bajo en calorías y en grasas; también puede referirse a la textura o al color del producto, como "azúcar moreno claro".

15 Tome control de las porciones

El tamaño importa. El servirse una porción grande de comida en su plato puede incitarle a comer de más, porque la mayoría de las personas comen hasta que su plato está limpio. Cuando las porciones tamaño súper se vuelven lo normal, como ha ocurrido en los restaurantes de comida rápida y en otros restaurantes, usted puede despedirse de su cintura y darle la bienvenida a un mayor riesgo de enfermedades relacionadas a la obesidad.

La solución para vivir más y vivir mejor no es necesariamente una dieta especial sin grasa ni carbohidratos ni una dieta vegetariana. Es mucho más simple que eso.

Nuevas investigaciones muestran que comer una dieta baja en calorías puede extender su vida, mejorar cómo usted se siente cada día y quizás hasta evitar o retrasar el progreso del alzhéimer. Reducir las calorías también puede ayudarle a perder peso, lo cual a su vez puede reducir su hipertensión.

Afortunadamente, usted puede engañarse a sí mismo para comer menos y para sentirse lleno, no que se está privando. Comience con estos 10 consejos para comer saludable, perder peso permanentemente y reducir su presión arterial fácil y naturalmente.

- Use solamente vasos altos y estrechos para las bebidas altas en calorías, como las gaseosas y el alcohol. Las personas tienden a echar alrededor de un 30 por ciento más de líquido cuando usan vasos cortos y anchos.

- Sírvase la comida en platos más pequeños, en tazones más pequeños y con cucharas más pequeñas y automáticamente comerá menos. Los platos grandes hacen que una porción tamaño normal se vea pequeña, mientras que los platos pequeños la hacen ver más grande. Y esconda los utencilios súper grandes si se sirve con una cuchara grande, se servirá porciones extra grandes.

- Infle su comida para hacerla ver más grande y su estómago no notará que en realidad está comiendo menos. Añádale aire a los alimentos para hacerlos espesos y cremosos y añádale mucha lechuga y tomate y otros condimentos bajos en calorías a las hamburguesas pequeñas.

- Compare las porciones con objetos comunes. Una taza de pasta es del tamaño de una bola de tenis, 3 onzas de pescado es del tamaño de una chequera y 3 onzas de carne es del tamaño de un paquete de naipes. Una cucharadita de mantequilla o margarina es del tamaño de un dado, mientras que dos cucharadas de aderezo de ensalada llenan un vaso de trago.

- Haga más difícil el repetir. Deje los platos de servir en la cocina o en el aparador al menos a seis pies de donde usted está comiendo. Como dice el refrán, ojos que no ven, corazón que no siente.

- No remueva los platos de servir vacíos, los platos sucios o los huesos sobrantes de la mesa inmediatamente. El dejar las sobras le ayuda a recordar cuánto ha comido y hace menos probable que coma de más.

- Cuide lo que come cuando cena con otras personas. Investigaciones muestran que las personas comen un 35 por ciento más cuando comen con otra persona que cuando comen solas, y un 96 por ciento más cuando comen con un grupo de siete o más personas.

- Nunca se coma los bocadillos directamente del empaque. Coloque su bocadillo en un plato limpio y siéntese en la mesa para comer. No se pare en la cocina ni se ponga a ver televisión mientras come su bocadillo.

- Compre bocadillos de 100 calorías pre-empacados o ahorre dinero, separando sus propias porciones individuales en bolsas para sándwiches. Cuando se le antoje un bocado, busque una de sus bolsas ya preparadas para evitar que coma de más.

- Tenga cuidado de llenarse de alimentos "bajos en grasa". Éstos sólo tienen alrededor de un 15 por ciento menos calorías que sus contrapartes regulares llenas de grasa, sin embargo estudios han mostrado que las personas comen hasta un 50 por ciento más de ellos de una asentada simplemente porque están marcados como bajos en grasa.

Alimentos sin cargos

Usted puede comer casi tanto como usted quiera de algunos alimentos. La mayoría de las frutas y los vegetales, las sopas con base de caldo y la leche descremada caen dentro de esta categoría. Éstos contienen mucha agua y nutrientes y pocas calorías. Todo ese volumen también le llena y lo mantiene lleno por más tiempo.

De hecho, investigaciones han demostrado que comenzar cada comida con un tazón de sopa con base de caldo le ayudará a perder peso—aun si está añadiendo un plato adicional. Como aperitivo, ésta le llenará y le ayudará a comer menos de su plato principal. Así que adelgace con la sopa. Solamente asegúrese de no añadir calorías a su plato principal con cosas como mantequilla o azúcar adicional.

---

16 *Cocínelo bien*

Cómo usted cocina sus comidas es casi tan importante para su salud, como qué es lo que cocina. Por ejemplo, los vegetales retienen más nutrientes si se cocinan poco y con una cantidad mínima de agua. La manera en que usted cocina la carne determina la cantidad de carcinógenos, o compuestos que causan cáncer, que ésta contiene. A continuación tiene una guía fácil de seguir para preparar comidas deliciosas y nutritivas.

Al vapor. Siempre que sea posible, cocine vegetales al vapor sobre agua. Este método retiene la mayoría de los nutrientes y bastante del sabor, el color y su característica crujiente—siempre y cuando no los cocine de más.

Hervir. Los minerales y algunas vitaminas se disuelven en el agua, así que el hervir puede extraerle a los alimento muchos de los nutrientes que son buenos para usted y pasarlos al agua. Si vierte esa agua por el drenaje, perderá hasta la mitad de los nutrientes de sus alimentos.

Si usted decide hervir ciertos vegetales, como las papas, cepíllelas bien bajo agua con un cepillo suave. Evite remojarlas en agua. Añádalas al agua una vez que ésta esté hirviendo y no antes, para minimizar el tiempo que pasan en el líquido, y no las cocine por más tiempo que lo necesario. Use el líquido sobrante para humedecer pan de maíz o para añadirle a las sopas o a los caldillos.

Saltear. Cocinar los alimentos a fuego alto por poco tiempo en poco aceite, como el aceite de cacahuate, en realidad ayuda a conservar sus nutrientes. Para tener más hierro es sus alimentos, considere saltear en un sartén de hierro fundido. No obstante, el hierro destruirá la vitamina C en sus vegetales, así que decida cuál nutriente necesita más.

Al microondas. Calentar las papas a la francesa antes de freírlas ayuda a reducir la formación de carcinógenos porque las papas pasan menos tiempo en el aceite caliente. Muchos expertos en nutrición creen que cocinar los vegetales en el microondas generalmente no destruye sus nutrientes, siempre y cuando use poca o nada de agua. Sin embargo, cocinar vegetales crucíferos, tales como el brócoli, la coliflor y el repollo, en microondas a alta potencia podría destruir más nutrientes, especialmente los fitoquímicos útiles, que el cocinarlos al vapor.

Asar a la parrilla. Es una actividad común del verano, pero asar a la parrilla crea carcinógenos tales como los aminos heterocíclicos (HCAs, por sus siglas en inglés). En general, mientras más tiempo usted cocina la carne y más alta sea la temperatura, más HCAs se forman. De todas las técnicas de cocinar, asar a la parrilla produce la mayor cantidad, seguido por freír al sartén y asar al horno. Escalfar, guisar, hornear y saltear producen la menor cantidad. Afortunadamente, desarmar estos compuestos mortíferos es simple.

- Un día o dos antes de asar a la parrilla, coma muchos vegetales crucíferos, tales como el brócoli, la coliflor, la col rizada, el repollo y la col de Bruselas. Éstos están repletos de compuestos anti-cáncer que ayudan a neutralizar los HCAs en su cuerpo.

- Marine el pollo, las costillas y otras carnes por 40 minutos en una mezcla de aceite de oliva, azúcar moreno, vinagre de sidra, ajo, mostaza, jugo de limón y sal.

- Cocine la carne parcialmente, incluyendo la carne de hamburguesas, en el microondas por unos minutos antes de ponerlas en la parrilla. Deseche todos los jugos que se acumulan en el plato de cocina.

- Voltee las hamburguesas cada minuto mientras están en la parrilla. Esto evita hasta un 100 por ciento de los HCAs, probablemente al evitar que la carne se caliente demasiado.

- No sirva la carne "bien cocida". Cocínela solamente hasta que el termómetro para carnes lea entre 165 y 180 grados Fahrenheit para las aves, 160 a 170 grados para el cerdo, cordero y la carne de res molida, y 145 a 160 grados para los asados y los filetes de res.

17 *Sazónelo un poco*

Al usarlas en lugar de la sal, las especias le ayudan a evitar la hipertensión y le añaden un sabor delicioso a sus comidas. Y como un bono, muchas son ricas en antioxidantes. Vea como se comparan estas tres especias populares.

Canela. Esta especia puede ayudar a detener la diabetes. Además, sabe bien y probablemente ya la tiene en su alacena. Los compuestos en la canela parecen actuar como insulina en su cuerpo, ayudando a mover el azúcar del torrente sanguíneo a las células. Como resultado, ésta se ve prometedora para evitar la resistencia a la insulina, la cual puede conducir a diabetes tipo 2, y para amortiguar los aumentos de glucemia después de las comidas en las personas que ya tienen la enfermedad.

Trate de rociar canela molida sobre el cereal, la avena, el yogur y las tostadas o añádala a una taza de té caliente. Monitoree su glucemia de cerca para evitar hipoglucemia o glucemia baja, y no cometa el error de comer aceite de canela. Éste es tóxico aun en cantidades pequeñas.

La canela también podría reducir los niveles de colesterol total hasta en un 26 por ciento y de colesterol LDL en un 27 por ciento. Investigaciones sugieren que tan poco como media cucharadita al día es todo lo que se necesita para reducir los triglicéridos por hasta un 30 por ciento. Finalmente, estudios recientes han demostrado que esta especia común tiene la habilidad de bloquear la inflamación. Los expertos creen que la inflamación juega un papel importante en muchas enfermedades, particularmente aquellas asociadas con el envejecimiento. Así que la canela podría ayudarle a evitar las tres enfermedades principales del envejecimiento—artritis, enfermedad cardiaca y el alzhéimer.

Jengibre. Investigaciones han probado que el jengibre alivia la náusea y los vómitos que a veces atacan después de una cirugía y que éste también podría tratar los mareos por movimiento y por el mar. Y al contrario de los medicamentos anti-náuseas, esta cura natural no le dará sueño.

Según algunos estudios, éste podría hasta aliviar el dolor de la osteoartritis y la artritis reumatoide. Además, investigaciones de laboratorio muestran que esta súper raíz mata las células cancerosas, mientras que otras investigaciones sugieren que mejora la sensibilidad a la insulina en enfermedades como la diabetes.

Para obtener estos beneficios, trate de consumir dos cucharaditas de jengibre fresco y rallado dos veces al día. O para hacer un té de jengibre, ralle tres cucharaditas de jengibre fresco, añada una taza de agua fría y hierva en una cacerola cubierta que no sea de aluminio. Déjelo hervir por 10 minutos a fuego lento, luego quítelo del fuego y déjelo cubierto por cinco minutos. Bébalo mientras esté caliente.

El jengibre tiene una larga historia de ser seguro. Sin embargo, éste puede causar acidez estomacal, diarrea e irritación bucal en algunas personas y puede aumentar su riesgo de sangrado si usted toma medicamentos diluyentes de la sangre, tales como la warfarina (Coumadina).

Mostaza. Cocinar con esta especia común puede aliviar muchos problemas respiratorios, tales como la congestión de pecho, la bronquitis, la tos bronquial y la sinusitis.

Los sanadores herbales sugieren crear una pasta de semillas de mostaza negra en polvo y agua tibia, envolverla en lino y colocársela en su pecho por 10 a 15 minutos para aliviar la congestión. Sin embargo, la mostaza puede irritar su piel, así que piense dos veces antes de tratar este remedio casero. El frotar aceite de oliva después de quitar la pasta podría aliviar la irritación.

18 *Siéntase bien ronzando*

Ronzar puede ser un hábito saludable, si lo hace correctamente. Tome decisiones nutritivas y coma con moderación, y estará dirigiéndose a una barriga llena y a una vida más larga. Trate estos consejos para comenzar.

Siga la regla de 5/20. Use el panel de Datos Nutricionales en los paquetes para hallar alimentos con menos de un 5 por ciento del Valor Diario (VD) de las grasas saturadas, las grasas trans, el sodio y el azúcar y más de un 20 por ciento del VD de la fibra y las vitaminas y minerales individuales.

Coma chocolate oscuro. Disfrute de unos pedazos de chocolate oscuro en lugar de su bocadillo normal de galletas. Aparte de ser una golosina exquisita, el chocolate oscuro está repleto de fitoquímicos llamados polifenoles, los que pueden ensanchar las arterias, reducir la presión arterial y evitar los coágulos de sangre. El chocolate oscuro también puede aumentar el flujo de sangre al cerebro, contrarrestando los efectos del cansancio y del envejecimiento en la función cerebral. El chocolate con leche no ofrece los mismos beneficios.

Considere el chocolate caliente hecho con cacao real y leche baja en grasa como una alternativa al té y al vino. Una taza de cacao caliente tiene casi el doble de los antioxidantes del vino tinto, tres veces más que el té verde y cinco veces más que el té negro. Los expertos dicen que onza por onza, beber cacao es mejor que comer barras de chocolate porque contiene mucho menos grasa saturada.

Coma comidas más pequeñas más frecuentemente. Nuevas investigaciones relacionan el comer seis o más comidas pequeñas al día con el tener un mejor perfil de colesterol. Esta estrategia también podría evitar que sienta el ansia de comer de más.

Reduzca las golosinas. Investigadores canadienses descubrieron que personas con niveles más altos de colesterol HDL (es decir, colesterol "bueno") tienden a comer menos porciones de gaseosas, jugos de frutas endulzados y alimentos dulces. Si usted tiende a antojarse de golosinas dulces, los científicos dicen que usted podría hallar más fácil el ronzar con frutas que con vegetales.

Combata la fatiga con albaricoques

Éstos podrían ser el bocadillo perfecto. Ellos ayudan a combatir la anemia porque están repletos de hierro. Además, son una fuente excelente de beta caroteno, un antioxidante que su cuerpo convierte en vitamina A. Este nutriente combate al hipotiroidismo ayudando a la tiroides a absorber yodo. Súmele a eso su azúcar natural y usted tiene un estimulante rápido para el mediodía. Los albaricoques deshidratados son particularmente potentes porque sus nutrientes están más concentrados, haciéndolos un bocadillo saludable y portátil.

Halle confortación en comidas nuevas. Las comidas de confort no son normalmente saludables, pero pueden serlo. Un tazón de sorbete o yogur helado bajo en grasa puede confortar tan bien como un tazón de helado lleno de grasa.

Haga a los favoritos más saludables. En vez de comprar palomitas de maíz con mantequilla, haga palomitas de maíz simples o bajas en grasa y rocíele con polvo libre de grasa con sabor a mantequilla o a queso, o con sal. ¿Le gustan las papas fritas de bolsa? Coma chips de tortilla o de maíz fritos con aceite de maíz, de canola o de girasol, todos ricos en saludables grasas poliinsaturadas. Nuevas investigaciones muestran que el comer estos chips en lugar de otros bocadillos altos en grasa puede reducir sus triglicéridos junto con el colesterol total y LDL.

No se prive. En vez de eliminar ciertos alimentos completamente de su dieta, simplemente cómalos en porciones más pequeñas o como una recompensa ocasional. Si coloca unas cuantas galletas en una bolsa pequeña de antemano, podrá satisfacer sus ataques por golosinas sin que se le pase la mano.

Masque goma de mascar para resistir los antojos. En un nuevo estudio, hombres y mujeres que mascaban goma de mascar después de una comida amortiguaron sus antojos por un bocadillo entre comidas, especialmente un bocadillo dulce, comparado con aquellos que no mascaron goma de mascar.

Limite las distracciones. Es tan tentador ronzar sin pensar mientras ve televisión o lee el periódico. Pero estudios hallan que es más probable que usted coma de más cuando está distraído. Coloque los bocadillos en un plato, cómalos en la mesa y nunca coma directamente del paquete.

Viaje liviano. El comer alimentos grasosos y dulces cuando viaja puede llevar a comer de más y a estar atontado detrás del volante. Si usted tiene que comer en el auto, planifique de antemano y prepare bocadillos nutritivos para llevar consigo, tales como zanahorias pequeñas, pasas o una ciruela fresca.

19 *Cene a la defensiva*

El comer comida rápida regularmente puede causar aumento de peso y resistencia a la insulina. Ésos son los hallazgos de un estudio financiado por los Institutos Nacionales de la Salud (NIH, por sus siglas en inglés). Tanto hombres como mujeres, blancos y negros, quienes comieron comida rápida regularmente a través del transcurso de 15 años, aumentaron un promedio de casi 10 libras y duplicaron su probabilidad de desarrollar resistencia a la insulina, dos factores mayores de riesgo para la diabetes tipo 2.

Probablemente eso no es sorpresa, dada la cantidad de grasa y azúcar en la mayoría de las comidas de restaurantes. Comer fuera no tiene que ser poco saludable. Usted puede disfrutar de una comida ocasional afuera y aún serle bueno a su cuerpo.

Minimice, no aumente. Usted no puede controlar todos los ingredientes en las comidas de restaurantes, pero usted sí puede controlar cuánto de ellas come. Los investigadores detrás del estudio de los NIH culpan, en parte, a las enormes porciones por los malos resultados.

Cuando vaya a comer comida rápida a la carrera, ordene las porciones para niños, tal como una hamburguesa junior o medio sándwich en vez de uno entero. Nunca pida una hamburguesa con carne doble o triple. En los restaurantes normales, ordene un aperitivo como su plato principal o divida un plato principal con un amigo. Comerá menos y ahorrará dinero.

Detecte mejores opciones. Busque pollo y pescado que hayan sido asados a la parrilla, asados al horno u horneados y no empanados o fritos. Además, evite los ingredientes grasosos adicionales. Una papa asada es una comida rápida saludable, pero no lo es si le añade mantequilla, crema agria, queso y trozos de tocineta. En cambio, pida una taza de chili simple para colocarle encima. En los restaurantes, pida arroz al vapor en vez de arroz frito y ordene tacos y burritos con salsa, en vez de con crema agria y queso.

Evite las ensaladas no tan saludables. Sólo porque usted halla ensalada de macarrones en el bar de ensaladas no significa que ésta es buena para usted. Las ensaladas de taco servidas dentro de una tortilla frita o cubiertas con chips de tortilla tampoco son buenas. Evite las ensaladas con pollo o camarones fritos o empanados, y evite los ingredientes adicionales—tales como la tocineta, los cuscurros y el queso. Ordene el aderezo aparte y solamente use la mitad.

Busque tratamiento especial. Pida versiones bajas en grasa o sin grasa de los aderezos de ensalada, mayonesa, crema agria, queso y leche. Pida mostaza picante en vez de mostaza regular en los sándwiches para compensar por el sabor perdido de los aderezos altos en grasa. Ordene una pizza vegetariana con la mitad del queso regular y rocíela con su propio queso parmesano y condimentos. Si usted no está seguro de cuánto sodio, grasa saturada o grasa trans tiene una comida, pregunte.

Beba para la buena salud. El agua es número uno para la salud ya que no tiene azúcar, grasa ni calorías. El té sin azúcar y la gaseosa de dieta están en segundo lugar. Usted puede darse el gusto ocasionalmente con un té dulce, una gaseosa regular o un batido, pero no lo convierta en costumbre. Estas bebidas están repletas de calorías y azúcar y los batidos están llenos de grasa.

20 *Considere tomar una multivitamina*

Ninguna evidencia sólida prueba que el tomar un suplemento mineral multivitamínico le ayuda a evitar enfermedades, pero ningún estudio tampoco prueba que le harán daño. Los expertos dicen que generalmente es cuestión de opción. La mayoría de las personas no necesitan un suplemento nutricional si comen una dieta bien balanceada llena de frutas, vegetales, frijoles y granos integrales. Sin embargo, si usted sigue una dieta estricta o no tiene el apetito que antes tenía, quizás usted quiera tomar un suplemento mineral multivitamínico. A continuación tiene varias maneras puede obtener los beneficios de ellos.

Advertencia de suplementos

Consumir alimentos ricos en beta caroteno, como las zanahorias, es bueno para usted. Consumir demasiados suplementos de beta caroteno podría no serlo. Investigaciones muestran que los suplementos hacen que las personas que fuman y las personas que han estado expuestas a asbestos tengan mayor probabilidad de desarrollar cáncer del pulmón y que los suplementos no le protegerán de la enfermedad cardiaca, la diabetes, las cataratas y de otros tipos de cáncer.

- Verifique la etiqueta y busque suplementos que le dan no más del 100 por ciento de sus nutrientes diarios. Más de eso puede poner en peligro su salud.

- Considere suplementos hechos sólo para personas de la tercera edad. Éstos generalmente son bajos en hierro y vitamina A, de los cuales los adultos mayores no necesitan tanto, y son ricos en calcio y vitaminas B6 y B12, los cuales generalmente usted necesita más con la edad.

- No compre un suplemento que le da más de 5,000 Unidades Internacionales (IU) de vitamina A al día. Al menos un 20 por ciento de la vitamina A debería ser en la forma de beta caroteno.

- Tome las vitaminas y los minerales con alimentos para mejorar su absorción, a menos que las instrucciones digan lo contrario.

Si usted decide no tomar un suplemento mineral multivitamínico, hable con su médico acerca del obtener estos nutrientes como suplementos individuales.

Dígale que sí al calcio y a la vitamina D. Estos dos nutrientes trabajan juntos para mejorar la densidad ósea. En combinación, ellos pueden ayudar a evitar la osteoporosis y reducir su riesgo de fracturas, aunque los suplementos de calcio pueden aumentar su probabilidad de desarrollar cálculos renales. Investigaciones sugieren que usted necesita 700 a 800 IU de vitamina D, junto con 1,000 miligramos de calcio diarios para obtener estos beneficios.

Intente otros suplementos. Otras vitaminas y minerales se ven prometedoras para evitar enfermedades serias, como el cáncer y la enfermedad cardiaca, pero los estudios no son concluyentes. Discuta los pros y los contras con su médico antes de tomarlos.

- Selenio. Tomar 200 microgramos (mcg) al día podría ayudar a evitar los cánceres del pulmón, del colon, de la próstata y del hígado.

- Vitamina E. En general, ésta podría evitar el cáncer de la próstata y del colon en los hombres que fuman, al igual que podría proteger a las mujeres mayores de 65 años de edad de una muerte súbita relacionada al corazón. Los suplementos de vitamina E podrían hacer más comunes las hemorragias nasales, pero ellos no parecen aumentar su riesgo para una hemorragia seria, tal como una apoplejía hemorrágica.

La información es su mejor protección contra las reacciones adversas entre los suplementos y los medicamentos. Antes de usar un suplemento herbario o nutricional, usted puede asegurarse que éste es seguro verificando el sitio Web del gobierno *http://MedlinePlus.gov/spanish.* Haga clic sobre "Medicinas y Suplementos" para buscarlos por orden alfabético y aprender acerca de interacciones peligrosas y beneficios comprobados. No combine suplementos nutricionales con sus medicamentos sin antes hablar con su médico o farmacéutico. Los resultados podrían ser mortales.

---

10 alimentos poderosos

Estos súper alimentos ofrecen fibra, vitaminas, minerales, antioxidantes y más. Además, son bajos en calorías y están disponibles fácilmente. Dé el primer paso hacia una dieta saludable al comer alimentos en esta importante lista.

■ salmón	■ salvado de trigo
■ avena	■ repollo
■ semillas de linaza	■ ajo
■ arándanos	■ granada
■ frijoles negros	■ té verde

Anote en grande con vegetales llenos de vitaminas

Alcachofas

■ ■ ■ ■ ■ ■ ■ ■ ■ ■ ■ ■ ■ ■ ■ ■

Vegetal antiguo repleto de nutrientes

Según dice la leyenda, los antiguos romanos adoraban a las alcachofas francesas o de globo y se las comían con vinagre, miel y comino. Aunque este tipo de alcachofa casi desapareció al caer el imperio romano, ellas siguieron siendo cultivadas en Sicilia y en España. Pero en el siglo XVI, Catalina de Médicis introdujo las alcachofas a Francia al casarse con el rey francés. Éstas han sido populares desde entonces.

La alcachofa es en realidad un capullo verde de la flor de una planta llamada *Cynara scolymus*. Usted puede comerse las hojas de afuera una vez que remueva las puntas duras, pero no se coma el cogollo o las hojas pálidas de adentro. En cambio, cómase la parte firme y comible debajo del centro que generalmente se conoce como el corazón de alcachofa. Los verdaderos corazones de alcachofa o "alcachofas bebé" son pequeñas alcachofas enteras que no tienen cogollo o lo tienen pequeño.

Las alcachofas son bajas en grasas saturadas y en colesterol. Ellas también son una buena fuente de nutrientes para ayudar a combatir enfermedades.

Luche contra los huesos frágiles de la osteoporosis. El calcio y la vitamina D son dos nutrientes que usted necesita para mantener sus huesos fuertes. Pero ellos necesitan ayuda y, sorprendentemente, las alcachofas están llenas de vitaminas y minerales que combaten la pérdida ósea.

■ *Vitamina K.* Una deficiencia de esta importante vitamina contribuirá a huesos más débiles, lo que resultaría fácilmente en una fractura. Pero el comerse una alcachofa

Nutrientes estrellas

Fibra	26%
Vitamina K	22%
Vitamina C	20%
Magnesio	18%
Manganeso	16%
Folato	15%

Tamaño de porción es 1 alcachofa mediana. Porcentajes son del Valor Diario

mediana puede darle alrededor de una quinta parte de la vitamina K que necesita cada día. Tenga cuidado sin embargo — si usted toma warfarina u otro medicamento diluyente de la sangre, usted tiene que hablar con su médico antes de añadir más a su dieta.

- *Magnesio.* Sesenta por ciento del magnesio de su cuerpo está en su esqueleto, y algunos estudios dicen que los niveles bajos de magnesio podrían ser una de las causas del adelgazamiento de huesos. Afortunadamente, comer alcachofas puede añadirle magnesio a su dieta.

- *Vitamina C.* Como el magnesio, el colágeno es un ingrediente crucial para los huesos fuertes. Su cuerpo puede producir su propio colágeno siempre y cuando obtenga suficiente vitamina C. Una alcachofa mediana provee un 20 por ciento de su requisito diario. Moje las hojas en una deliciosa salsa para añadir un poco más de este nutriente que salva los huesos.

Las alcachofas también contienen manganeso y cobre. Estos minerales trazas también juegan un papel en el desarrollo de sus huesos y le ayudarán a ganar la batalla contra la osteoporosis.

■ ■ ■ ■ ■ **Aumente los beneficios** ■ ■ ■ ■ ■

Los corazones de alcachofa pre-empacados pueden ahorrarle trabajo adicional, porque el limpiar y el cortar ya están hechos para usted, pero tenga cuidado de cuál clase elije. Los corazones de alcachofa marinados están empacados en delicioso aceite de oliva y vinagre. Desafortunadamente, esos ingredientes adicionales le añaden bastantes calorías, así que los corazones de alcachofa marinados son una opción menos saludable. Usted podría probar los corazones de alcachofa enlatados, pero generalmente éstos están empacados en salmuera y podrían contener más sal de la que usted necesita.

Aunque los corazones de alcachofa enlatados o marinados podrían enjuagarse y drenarse, su mejor y más rápida opción podrían ser los corazones de alcachofa congelados. Éstos no tienen sal ni aceite adicional, así que le proveen la mayor nutrición con el menor esfuerzo.

Reduzca su riesgo de apoplejía. Puede que los corazones de alcachofas no parezcan como combatientes contra la apoplejía, pero ellos suplen cuatro poderosos nutrientes que pueden ayudarle a evitar esta seria condición.

- *Vitamina C.* Algo sorprendente de las alcachofas es que son una buena fuente de vitamina C. Una investigación de 10 años en Finlandia halló que las personas que consumieron la menor cantidad de vitamina C tenían un riesgo mayor de apoplejía, especialmente aquellos que tenían sobrepeso y padecían de hipertensión. Si usted cree que usted está deficiente de este nutriente vital, añadirle alcachofas a su dieta puede ayudar.

- *Fibra.* Si usted padece de hipertensión o colesterol alto, usted tiene un alto riesgo de apoplejía. Afortunadamente, las alcachofas están repletas con fibra para combatir las apoplejías. Una alcachofa le dará más que una cuarta parte de su requisito diario. Esta fibra no sólo barre el colesterol de su cuerpo, sino que también reduce su presión arterial.

- *Folato.* Investigaciones han mostrado por mucho tiempo que el folato puede ayudar a reducir los niveles de homocisteína en su sangre. Esto ayuda a evitar los coágulos de sangre que bloquean el flujo de sangre a su cerebro, causando una apoplejía isquémica. Pero recientemente una investigación sueca sugiere que el folato también podría prevenir una apoplejía hemorrágica, la cual es causada por una ruptura en un vaso sanguíneo.

- *Magnesio.* Alrededor de una de cada seis apoplejías resulta de un problema cardiaco llamado fibrilación atrial, un coágulo que causa vibración en las cámaras superiores del corazón. Si su cuerpo está deficiente de magnesio, su riesgo de fibrilación atrial aumenta. Afortunadamente, una deleitable alcachofa mediana provee casi una quinta parte del magnesio que usted necesita cada día.

Defienda sus pulmones del asma. Un nuevo estudio muestra que dos nutrientes hallados en las alcachofas podrían reducir su riesgo de asma. Las personas en el estudio que comieron menos vitamina C y manganeso tuvieron una mayor probabilidad de sufrir síntomas de asma. Como resultado, los investigadores creen que los poderes antioxidantes de la vitamina C y el manganeso podrían ayudar a proteger sus pulmones contra esta seria condición respiratoria. Debido a que una alcachofa mediana puede proveer al menos un 15 por ciento de la vitamina C y del manganeso que usted necesita cada día, ella proveerá un buen comienzo. Pero no se detenga ahí. Investigadores también recomiendan que obtenga vitamina C y manganeso de las frutas frescas, tales como la piña.

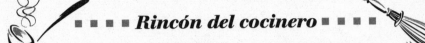

■ ■ ■ ■ *Rincón del cocinero* ■ ■ ■ ■

- Antes de comprar una alcachofa entera, apriétela para que las hojas froten unas con otras. Cuando están frescas, las hojas chirriarán. Ignore cualquier alcachofa que está floreciendo, se está secando, se está marchitando o tiene hongo.

- Si usted no puede comer las alcachofas el día que las compra, no las lave ni las recorte. En cambio, colóquelas en una bolsa plástica sellada con un papel toalla húmedo. Almacénela en el refrigerador por hasta cinco días.

- Antes de cocinar una alcachofa entera, recorte una pulgada de las puntas de las hojas en la parte superior y cualquier otra punta de hoja aguda. Recorte el tallo y remueva las hojas pequeñas para aplanar la parte de abajo. Ahora la puede colocar verticalmente cuando la cocina.

- Para evitar que una alcachofa recortada se ponga marrón, sumérjala en jugo de limón.

- Para comer las sabrosas hojas de una alcachofa entera, arranque una hoja y mójela en una salsa baja en grasa y hale la hoja a través de sus dientes para remover la parte sabrosa. Tire la hoja antes de tomar otra.

Espárragos

■ ■ ■ ■ ■ ■ ■ ■ ■ ■ ■ ■ ■ ■ ■

Vegetal único; un alimento que merece ser valorado

Los espárragos pueden tener la apariencia de plantas de las selvas primitivas, pero los espárragos vienen de la misma familia que los florecientes lirios de los valles. Usted se sorprendería al saber que este vegetal único ha sido conocido como un alimento de lujo por siglos.

Hoy día, éste sigue siendo un alimento que merece ser valorado. Antes de usted elegir sus deliciosas puntas de espárragos en el supermercado, éstas pasan al menos dos temporadas en el campo. Luego tienen que ser cultivadas a mano y transportadas en un envase especial para preservar su frescura. Todo este esfuerzo ayuda a preservar muchos de los frágiles pero poderosos nutrientes, incluyendo una variedad de vitaminas, minerales y fitonutrientes. Aun así, este vegetal excelente casi no tiene colesterol ni grasa. Por otro lado debería tener cuidado con ellos. Los espárragos son una fuente principal del aminoácido asparragina y, ya que tienen un alto contenido de agua, pueden actuar como un diurético.

Benefíciese de cuatro combatientes del cáncer en una sola espiga. Haga de los espárragos su arma principal en su defensa contra el cáncer y su sistema digestivo se lo agradecerá. Eso es porque en estudios investigativos cuatro nutrientes principales en los espárragos ya están mostrando indicaciones de su potencial como combatientes del cáncer.

Vitamina A. Un nuevo estudio de Suecia ha mostrado que las personas que no fuman y comen la mayor cantidad de vitamina A—al igual que beta caroteno y alfa caroteno, los cuales pueden convertirse en vitamina A—tienen una probabilidad mucho menor de desarrollar cáncer estomacal. Unos cuantos espárragos le dan un buen comienzo para el beta

Nutrientes estrellas

Vitamina K	57%
Folato	34%
Vitamina A	18%
Vitamina C	12%

El tamaño de porción es 1/2 taza cocido
Porcentajes son del Valor Diario

caroteno. Para añadir alfa caroteno, añada una porción de zanahorias o un pedazo de pastel de calabaza.

Folato. Esta vitamina B podría ayudar a evitar dos tipos de cáncer.

- Según la Sociedad Americana del Cáncer, el cáncer pancreático es una de las causas principales de muertes de cáncer en los Estados Unidos. Afortunadamente, un gran estudio europeo ha hallado que el obtener mucho folato de su dieta reduce su riesgo de este cáncer. Sin embargo, consumir grandes cantidades de folato de suplementos no reduce el riesgo.

- Un nuevo estudio sugiere que los niveles bajos de folato en la sangre podrían proteger contra el cáncer del colon, mientras que otro estudio muestra cómo los niveles bajos de folato podrían desencadenar cambios conducentes al cáncer. Investigaciones adicionales podrían ayudar a resolver esta controversia, así que obtenga las noticias más recientes de su médico. Pero no deje de comer espárragos. Éstos contienen otros nutrientes que podrían ayudar a derrotar el cáncer del colon— fructooligosacáridos (FOS).

FOS. Su cuerpo no digiere los fructooligosacáridos como lo hace con otros nutrientes. En cambio, las bacterias en su colon usan este nutriente para crear el ácido graso butirato. Juntos, los FOS y el butirato ayudan a desencadenar varios procesos que evitan el desarrollo del cáncer del colon.

Vitamina C. Esta vitamina antioxidante puede interceder y bloquear la formación de sustancias que causan cáncer como las nitrosaminas en los alimentos. Esta vitamina hasta puede prevenir que estos compuestos se formen en su estómago si usted tiene suficiente vitamina C en su ácido estomacal. Es de esta forma que la vitamina C podría ayudar a reducir su peligro de cáncer estomacal.

El dúo dinámico defiende sus ojos. Los espárragos tienen dos nutrientes que pueden ayudar a proteger sus ojos de la ceguera nocturna, las cataratas, la degeneración macular y más.

Vitamina A. Podría ser más importante para su visión que lo que usted se imagina, especialmente si usted ha tenido cirugía intestinal o cirugía por obesidad. Según un informe de la Universidad de Baylor, estas cirugías pueden limitar su habilidad para absorber vitamina A, aun si la cirugía fue hecha hace mucho tiempo. Así que si usted sufre pérdida de visión o ceguera nocturna, hable con su médico acerca de una posible deficiencia de vitamina A.

A la misma vez, coma alimentos como los espárragos para vitamina A adicional. Este valioso nutriente ayuda a mantener a sus ojos funcionando correctamente. El poder antioxidante también ayuda a proteger a su retina del daño de los radicales libres que eventualmente conduce a cataratas, degeneración macular, ceguera nocturna y otros problemas de visión.

■ ■ ■ ■ ■ **Aumente los beneficios** ■ ■ ■ ■ ■

Para sabor y nutrición adicional, mezcle los espárragos cocidos al vapor con una mezcla de aceite de oliva y jugo de limón. Los espárragos le dan vitamina A, vitamina K, luteína, zeaxantina y licopeno—todos nutrientes "solubles en grasa". Esto significa que usted absorbe más de estos compuestos saludables si los come con un poco de grasa—como las grasas saludables en el aceite de oliva. Como bono, también recibirá una pizca de vitamina K adicional del aceite de oliva.

Glutatión. El aminoácido glutatión también es un antioxidante que combate a los radicales libres. De hecho, las cataratas son más probables cuando usted no tiene suficiente glutatión en sus ojos. Afortunadamente, los espárragos son su fuente principal de glutatión—especialmente si usted los come crudos. Además, el alto contenido de vitamina C en los espárragos podría ayudar a su cuerpo a aumentar sus niveles de glutatión.

Fortalezca sus huesos contra la osteoporosis. Usted podría terminar con huesos frágiles si no consume suficiente vitamina K y ésta es la razón. Un ingrediente clave para que los huesos sean difíciles de romper es una proteína especial llamada osteocalcina. Su cuerpo puede crear esta proteína sin la vitamina K, pero esta osteocalcina débil no ayudará a crear huesos fuertes. En cambio, usted formará huesos más blandos que se romperán con más facilidad.

Pero si usted obtiene suficiente vitamina K, su cuerpo genera una forma más fuerte de la osteocalcina—la clase que ayuda a crear huesos más fuertes. Los espárragos pueden ser de gran ayuda porque solamente media taza de espárragos cocidos—alrededor de 6 espigas—le provee más de la mitad de la vitamina K que necesita al día.

Sólo recuerde que si usted toma warfarina u otro medicamento diluyente de la sangre, hable con su médico antes de añadir más vitamina K a su dieta.

▪ ▪ ▪ ▪ *Rincón del cocinero* ▪ ▪ ▪ ▪

▪ El pico de la temporada para el sabor y las ofertas de espárragos está entre marzo y junio.

▪ Los ramos de espárragos frescos rechinan al apretarlos. Escoja espigas con más color verde que blanco.

▪ Antes de cocinar o almacenar los espárragos, doble cada espiga hasta que ésta se parta. Luego tire a la basura la parte inferior pálida y seca de cada espiga.

▪ Envuelva las espigas cortadas de los espárragos en un papel toalla húmedo o colóquelas en un vaso con agua. Coloque este arreglo en una bolsa plástica y guárdelo en el refrigerador por hasta tres días.

▪ Los espárragos van bien con eneldo, aceite de oliva, albahaca, alcaravea, perifollo, estragón o limón.

Col China

▪ ▪ ▪ ▪ ▪ ▪ ▪ ▪ ▪ ▪ ▪ ▪ ▪ ▪ ▪ ▪

Disfrute los beneficios dobles de la col china

Algunas personas dicen que la col china es dos vegetales en uno, mientras que otros dicen que es una gran manera de obtener los beneficios del repollo sin el sabor de éste. Esto es porque los tallos gruesos de la col china saben más como lechuga, aunque el sabor de las hojas aún le recuerde del repollo.

La col china no solamente sabe diferente al repollo, ésta también tiene una apariencia diferente. De hecho, la base blanca y los tallos tienen la forma del apio mientras que la parte superior es frondosa y verde. Pero la col china sigue siendo de la familia de los repollos y ésta provee el mismo impacto nutricional contra el cáncer y otras amenazas contra su salud.

Reclute cinco poderosos defensores contra el cáncer. La col china es un excelente combatiente contra el cáncer al igual que los otros miembros de la familia de los repollos—y aquí tiene cinco razones por qué usted debería probarla.

Ditioletionas. La col china le protege con poderosos fitoquímicos como las ditioletionas para ayudar a detener el cáncer antes que éste comience. Estos fitoquímicos trabalenguas no serán muy conocidos, pero ellos ayudan a mantener a su sistema inmunológico en condición óptima y eso ayuda a bloquear el desarrollo del cáncer.

Indoles e isotiocianatos. Estos dos compuestos con la letra I ayudan a combatir el cáncer de varias maneras.

- Los compuestos que causan cáncer de los alimentos y otras fuentes pueden dañar su ADN, una espeluznante lesión que podría convertir a las células en cancerosas. Pero los indoles y isotiocianatos ayudan a prevenir daño al ADN.

- Los isotiocianatos animan a su cuerpo a producir antioxidantes que combaten el cáncer.

- Los indoles pueden prevenir el crecimiento de las células cancerosas.

Y cuando se trata de destruir los compuestos causantes de cáncer, las ditioletionas, los indoles y los isotiocianatos todos contribuyen.

Beta caroteno. La col china también contiene grandes cantidades de este fitoquímico que previene el cáncer. De hecho, su cuerpo puede producir mucha vitamina A del beta caroteno. Por eso es que la col china también se conoce como una fuente principal de vitamina A. Pero eso no es todo.

Los expertos creen que el beta caroteno podría darle protección adicional contra el cáncer. Un estudio reciente halló que las mujeres que comieron 12 miligramos de un

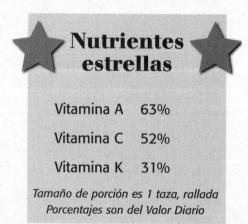

Nutrientes estrellas

Vitamina A	63%
Vitamina C	52%
Vitamina K	31%

Tamaño de porción es 1 taza, rallada
Porcentajes son del Valor Diario

suplemento de beta caroteno o 4 mg de cada uno de beta caroteno, licopeno y luteína sufrieron menos daños del ADN. Una taza de col china cruda provee casi 2 mg de beta caroteno, pero poco o nada de licopeno ni luteína. Así que coma col china, pero también disfrute del licopeno de las salsas de tomate y la sopa de tomate y la luteína de los vegetales de hoja verde como la espinaca.

Ácidos grasos omega-3. Comer alimentos como la col china podría ayudar a reducir su riesgo de cáncer en una manera más. Los expertos dicen que los ácidos grasos omega-6 ayudan a promover el cáncer mientras que los ácidos grasos omega-3 combaten contra él. Pero la dieta estadounidense promedio es rica en el tipo equivocado de grasas. Para elevar su consumo de grasas buenas, considere la col china, la cual provee más grasas omega-3 que omega-6. Usted necesitará otros alimentos para cambiar la situación completamente, pero la col china le dará un buen comienzo.

Dúo de vitaminas combate la osteoartritis. La col china, con su alto contenido de vitaminas C y K, le podría ayudar a ganar la guerra contra la osteoartritis.

La vitamina C es un ingrediente clave en el colágeno que hace a su cartílago resistente. Investigaciones sugieren que un alto consumo de vitamina C podría ayudar a desacelerar el progreso de la osteoartritis y a reducir el dolor de la rodilla. Además, la vitamina K de la col china podría ayudar a evitar que sus síntomas empeoren. Un estudio mostró que las personas con niveles más bajos de vitamina K en su sangre tenían una mayor probabilidad de padecer de espolones óseos y tener otros signos de osteoartritis en sus rodillas y manos. Pero mientras más altos los niveles de vitamina K, menos síntomas de osteoartritis hallaron los investigadores. Así que trate de añadir más vitaminas C y K a su dieta y reciba protección adicional contra la osteoartritis.

Sólo recuerde que si usted toma warfarina u otro diluyente de la sangre, hable con su médico antes de comer la col china u otros alimentos ricos en vitamina K.

■ ■ ■ ■ ■ Aumente los beneficios ■ ■ ■ ■ ■

Nunca hierva la col china. El hervir le extrae grandes cantidades de los fitoquímicos que combaten el cáncer. En cambio, cocine la col china salteándola, en el horno microondas o al vapor.

▪ ▪ ▪ ▪ *Rincón del cocinero* ▪ ▪ ▪ ▪

Elija el repollo correcto. La col china es una de varios repollos chinos. Ésta podría estar etiquetada como col china, repollo chino, bok choy, pak-choi y muchos otros nombres. Su mejor opción es buscar un repollo con tallos y hojas verdes. De otra forma podría comprar por accidente el pe-tsai, otra "col china" que no es tan nutritiva.

Busque la más fresca. Busque tallos gruesos, rellenos y firmes y hojas crujientes, verdes y enteras.

Guárdela en la gaveta de verduras. Almacene la col china sin lavar en una bolsa perforada en el refrigerador por hasta dos días.

Prepárela antes de cocinar. Recorte la base, separe los tallos como lo haría con el apio y recorte las hojas. Lave las hojas y los tallos en agua fría inmediatamente antes de usarlas.

Coma ambas delicias. Añada las hojas y los tallos crudos a las ensaladas o saltee los tallos.

Aproveche su dinero

Imagine gastar menos dinero pero obtener aún más valor por su dinero. Usted puede, una vez que conoce la verdad de los alimentos orgánicos.

No sea engañado por las etiquetas. Cuando usted piensa en alimentos orgánicos, usted probablemente espera un artículo que fue producido con poco o nada de pesticidas, herbicidas, fertilizantes químicos, antibióticos, hormonas, aditivos o preservativos. Pero los únicos artículos que encajan con esta definición son los productos marcados como "100 por ciento orgánicos".

Una etiqueta de "orgánico" significa que un 95 por ciento de los ingredientes son requeridos a ser orgánicos. Por otro lado, si la etiqueta dice "hecho con ingredientes orgánicos" sólo un 70 por ciento es completamente orgánico. En este caso usted podría no estar recibiendo lo que está pagando. A veces, los ingredientes no orgánicos son vitaminas u otros nutrientes adicionales, pero también podrían ser ingredientes que usted preferiría evitar. Busque el sello de orgánico del USDA (Departamento de Agricultura de EE.UU.) para asegurarse que está recibiendo la calidad por la que está pagando.

Algunas hortalizas ya son bajas en pesticidas. Una banana sin pelar podría tener residuos de pesticidas, pero tire la cascara y los químicos sospechosos se van con ella. Así que pagar de más por una banana orgánica podría ser una pérdida de dinero. Otras hortalizas bajas en pesticidas incluyen los espárragos, el brócoli, el aguacate, la piña, el kiwi, el mango y la papaya. Las cebollas, el repollo, los guisantes congelados y el maíz congelado también pueden ser casi libres de pesticidas.

Gaste su dinero en los peores delincuentes. La "docena sucia" son las frutas y los vegetales que tienen la mayor cantidad de residuos de pesticidas. Compre las versiones orgánicas de estos alimentos y probablemente obtendrá el mayor valor por su dinero. Éstos incluyen las papas, los pimentones, la espinaca, el apio, la frambuesa, las fresas, las cerezas, las uvas, los melocotones, las nectarinas, las manzanas y las peras.

Brotes de brócoli

Sorprendente poder de los bebés del brócoli

Si a usted le gusta el sabor vibrante de los rábanos pero quiere aún más nutrición poderosa, los brotes de brócoli son justamente la delicia que ha estado buscando. Las semillas del brócoli regular son las fuentes de estos brotes. Sin embargo, aunque el brócoli regular se deja crecer por meses, los brotes de brócoli son cosechados y comidos cuando tienen apenas unos pocos días. No deje que su apariencia joven le engañe. Estos brotes pueden ser armas para el bienestar de la salud. De hecho, ellos pueden reducir el colesterol y la hipertensión y hasta pueden proveer protección contra el cáncer.

El brócoli fue cultivado de los repollos por los antiguos etruscos de Italia. Como el repollo, el brócoli y los brotes de brócoli son miembros de la familia *Brassica* de combatientes del cáncer. Es probablemente por eso que los brotes de brócoli contienen fitoquímicos anti-cáncer como el sulforafano. Además, científicos de la Universidad de Johns Hopkins han desarrollado brotes de brócoli especiales, llamados Broccosprouts, que podrían proveer hasta 50 veces más sulforafano que el brócoli. Eso es mucho poder dedicado a defender su salud. Así que añada este alimento común a sus ensaladas, bolsas de bocadillos o platos del almuerzo y sabrá que ha tomado una gran decisión para su salud.

Protéjase con dos poderosos combatientes del cáncer. El sulforafano y el selenio ayudan a hacer de los brotes de brócoli una maravillosa arma contra el cáncer.

Los científicos antes pensaban que el sulforafano tenía sólo una manera de combatir el cáncer, pero hoy día sospechan que el sulforafano podría luchar contra el cáncer de hasta seis maneras. Considere estos ejemplos.

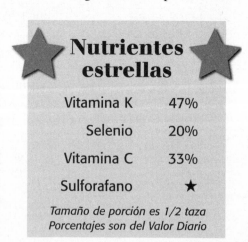

Nutrientes estrellas

Vitamina K	47%
Selenio	20%
Vitamina C	33%
Sulforafano	★

Tamaño de porción es 1/2 taza
Porcentajes son del Valor Diario

■ ■ ■ ■ ■ Aumente los beneficios ■ ■ ■ ■

Coma los brotes de brócoli o el brócoli con una pizca de de una grasa saludable como el aceite de oliva y su cuerpo recibirá más vitamina K. Esto es porque su cuerpo necesita grasas para ayudar a absorber tanta de esta vitamina como es posible.

Evite hervir el brócoli o los brotes de brócoli. El hervir le extrae el sulforafano. En cambio, obtenga más sulforafano seleccionando métodos de cocinar como al vapor o al microondas.

- El sulforafano es diferente a los antioxidantes como la vitamina C. Los antioxidantes regulares tienen que sacrificarse a sí mismos para desactivar las moléculas que causan enfermedad en su cuerpo, pero el sulforafano activa a las enzimas de fase 2 de desintoxicación de su cuerpo. Estas enzimas aceleran a su sistema inmunológico para así atrapar y echar fuera a las sustancias que causan cáncer—y los efectos duran más que la protección de los antioxidantes.

- El sulforafano también ayuda a eliminar a la bacteria *H. pylori* de su estómago. Estas bacterias son causantes conocidos de no sólo el cáncer estomacal, sino también de las úlceras y la gastritis. Sin embargo, estudios han mostrado que el comer los brotes de brócoli ayuda a reducir o eliminar estos microbios maliciosos. Así que usted puede reducir su riesgo de cáncer estomacal y aun más con facilidad. Encima de eso, investigaciones en animales sugieren que el sulforafano también podría prevenir los tumores en otras partes de su cuerpo.

- El comer brotes de brócoli también le ayuda a obtener suficiente selenio en su dieta. Esto es buena noticia porque usted necesita el selenio para ayudar a reparar las células dañadas antes que éstas se tornen cancerosas. Las tasas de cáncer son más altas en las áreas donde la deficiencia de selenio es más probable—China, por ejemplo— así que evitar la deficiencia de selenio con un poco de ayuda de los brotes de brócoli podría ser una movida inteligente.

Si su supermercado no provee brotes de brócoli, entonces llene su carro de compras con brócoli. Un experto sugiere que el brócoli podría prevenir el cáncer tan efectivamente como los brotes de brócoli. Aunque los brotes podrían tener más sulforanos, el brócoli tiene más indole, un tipo diferente de combatiente contra el cáncer. Estos poderosos fitoquímicos también podrían ayudarle a evitar varios tipos de cáncer.

Sea sabio para su corazón con los brotes. El endurecimiento de las arterias, la hipertensión, el colesterol alto y el daño a los vasos sanguíneos todos ponen en riesgo a su corazón, pero los nutrientes en los brotes de brócoli pueden defenderlo. Aquí tiene cómo.

- Los expertos sospechan que la vitamina K podría prevenir el endurecimiento de las arterias. Ellos creen que una proteína especial podría proteger a sus arterias del endurecimiento y evitar que las áreas dañadas empeoren, pero esa proteína necesita vitamina K para poder llevar a cabo su trabajo. Un estudio en el Laboratorio de Vitamina K en la Universidad de Tufts pronto hallará la respuesta final, así que manténgase informado.

- Investigaciones sugieren que la vitamina C en los brotes de brócoli podrían fortalecer sus vasos sanguíneos y ayudar a reducir la hipertensión.

- Un pequeño estudio japonés halló que el comer 100 gramos de brotes de brócoli (alrededor de 2 tazas) al día por una semana ayudó a reducir el colesterol LDL, o "malo". El sulforafano en los brotes también podría aumentar los antioxidantes para proteger a su corazón y a sus vasos sanguíneos aún más.

Si a usted no le gustan los brotes de brócoli, el brócoli maduro sigue siendo una buena opción. No solamente éste tiene vitaminas C y K como los brotes de brócoli, sino que también tiene folato y fibra adicionales. El folato ayuda a evitar el daño en las arterias al reducir los niveles insalubres de homocisteína en su sangre. Mientras tanto, la fibra en el brócoli ayuda a su cuerpo a deshacerse de más colesterol.

Advertencia: los brotes pueden enfermarlo

Los brotes y las semillas de brócoli pueden contaminarse con bacterias como *Salmonella* y *E. Coli*. Protéjase de éstas cocinando bien sus brotes, particularmente para los adultos mayores, los niños y las personas con sistemas inmunológicos débiles. Compre solamente brotes que han sido refrigerados y guárdelos en su refrigerador en casa. Y no cultive sus propios brotes—usted podría intoxicarse por semillas contaminadas.

Independientemente de si elije el brócoli o los brotes de brócoli, recuerde esto: si usted toma warfarina u otro diluyente sanguíneo, no se llene de brócoli ni de brotes de brócoli sin el permiso de su médico. De lo contrario, la vitamina K adicional podría causar problemas con sus medicamentos.

Proteja su vista de las enfermedades de los ojos. Investigaciones sorprendentes en tubos de ensayo sugieren que el sulforafano en los brotes de brócoli podría ayudar a proteger su vista.

Los médicos dicen que los rayos ultravioleta de la luz solar hacen daño a las células en sus ojos. A través de los años, se acumula suficiente daño para causar degeneración macular u otros problemas que pueden llevar a ceguera. Pero investigaciones emocionantes de laboratorio sugieren que el sulforafano en los brotes de brócoli podría hacer la diferencia. Cuando los investigadores expusieron muestras de células de retina a luz ultravioleta, las muestras tratadas con sulforafano resultaron tener más probabilidad de sobrevivir. Además, los investigadores creen que el sulforafano podría ayudar a reducir el daño a sus ojos por varios días a la vez.

Lo que el brócoli maduro carece en sulforafano lo tiene en el fitoquímico defensor de la vista, luteína. La luteína se ha vuelto famosa rápidamente por su potencial para reducir su peligro de cataratas y degeneración macular.

▪ ▪ ▪ *Rincón del cocinero* ▪ ▪ ▪

Busque los brotes perfectos. Busque los brotes de brócoli en la sección de hortalizas de su supermercado. No compre aquellos que huelan mal, se vean blandos o no se vean frescos y crujientes.

Almacénelos sabiamente. Guarde los brotes de brócoli en el refrigerador por hasta dos semanas. Pero almacene el brócoli sin lavar en un envase sellado en la gaveta de las hortalizas en el refrigerador por hasta cuatro días.

Límpielos. Antes de comer o cocinar los brotes de brócoli, enjuáguelos completamente y apriételos con un papel toalla.

Sirva los brotes. Añada los brotes de brócoli a los sándwiches, las ensaladas o las sopas.

Grasas buenas que amenazan su salud

Los vegetales generalmente son héroes de la salud, pero si usted tiene ciertas condiciones, ellos en realidad pueden ser villanos de la salud. Esto es lo que necesita saber si usted tiene uno de estos problemas de salud o si está preocupado acerca de contraerlos.

Osteoporosis o cálculos renales. Los alimentos ricos en oxalatos pueden prevenir temporalmente que usted absorba calcio, así que si está preocupado acerca de la osteoporosis, usted debería tratar de evitarlos. Y si usted tiene un alto riesgo de cálculos renales—o si ya ha tenido uno—pregunte a su médico si los oxalatos le están prohibidos. Los oxalatos son un ingrediente clave en los cálculos renales, así que usted podría tener que limitar o evitar alimentos con un alto contenido de él. Esté alerta de estos ofensores principales—la espinaca, la remolacha, los productos de soja, el café, la cola, las nueces, el chocolate, el té, el salvado de trigo, las fresas y el ruibarbo.

Problemas de la tiroides. Los compuestos en los vegetales llamados goitrógenos podrían empeorar las cosas para usted si padece de hipotiroidismo porque ellos interfieren con el proceso de producción de hormonas de la tiroides. Usted necesitará limitar su consumo de nabo sueco, nabo, repollo, col rizada, coliflor, brócoli, mostaza, cacahuate, piñón, soja y productos de soja y el mijo. Algo que podría ayudar es cocinarlos ya que esto parece reducir los niveles de goitrógenos en los alimentos.

Gota. Si su problema es gota, comer alimentos ricos en purina podría hacerle sentir peor. Así que evite los siguientes desencadenantes—las vieiras, los mejillones, las anchoas, las sardinas, los arenques, el bacalao, la trucha, el eglefino, los huevos de peces, el caldillo y el consomé, el pavo, la tocineta, las carnes de órganos como el hígado y los riñones, la ternera y el alcohol. Usted hallará cantidades menores de purinas en los espárragos, la coliflor, las judías, las lentejas, las habas, los champiñones, las judías blancas, los guisantes y la espinaca. Investigaciones tempranas sugieren que las purinas de estos alimentos podrían ser menos preocupantes.

Col de Bruselas

Gran nutrición en un envase pequeño

En Inglaterra, ninguna cena de Navidad está completa a menos que incluya las coles de Bruselas. Aunque puede que estos repollitos nutritivos hayan comenzado en Bruselas, Bélgica, ellos se han vuelto populares en otras naciones también. Los alemanes las llaman "repollos de rosa" y Thomas Jefferson las halló en París hace dos siglos. En el año 1812, él comenzó a cultivar sus propias coles de Bruselas en Virginia y estos pequeños repollos han sido grandes noticias desde entonces.

Al igual que otros crucíferos, las coles de Bruselas son ricas en vitamina K y vitamina C, al igual que en sulforafano y otros antioxidantes. Si usted las cocina correctamente, será recompensado con un acompañante que es tanto sabroso como nutritivo.

Triplique su lucha contra el cáncer. El secreto de las coles de Bruselas ha sido revelado. Estos repollos en miniatura le defienden del cáncer al igual que sus primos más grandes. Y de la misma forma que usted puede usar varios trucos para evitar las plagas en su jardín, las coles de Bruselas tienen al menos tres "trucos" para alejar el cáncer.

Las coles de Bruselas proveen dos fitoquímicos a sus células—indol-3-carbinol (I3C) y sulforafano. Ambos pueden desencadenar sus enzimas de fase 2 de desintoxicación, poderosos compuestos que aumentan el sistema de defensa de su cuerpo para sacar las sustancias que causan cáncer. Es como rociar sus plantas con algo que a los insectos no les gusta.

Nutrientes estrellas

Vitamina K	375%
Vitamina C	118%
Folato	39%
Fibra	25%
Sulforafano	★
Indol-3-carbinol	★

*Tamaño de porción es 1 taza, cocida
Porcentajes son del Valor Diario*

I3C también cambia cómo el estrógeno trabaja con la química de su cuerpo—aun si usted es hombre. Esto es importante porque el estrógeno podría jugar un papel importante en varios tipos de cáncer. De hecho, un pequeño estudio mostró que las mujeres que tomaron suplementos de I3C tenían una mayor probabilidad de revertir los cambios precancerosos en sus células cervicales.

Pero los suplementos podrían no ser aconsejables. Estudios preliminares en animales sugieren que el tomar suplementos de I3C podría aumentar el riesgo de cáncer, especialmente después de estar expuesto a una sustancia carcinogénica. Se necesita más investigación. Mientras tanto, comer más col de Bruselas y vegetales similares podría ser su mejor opción.

Las coles de Bruselas también son una fuente rica de un compuesto que se convierte en un trabalenguas "repelente de cáncer" llamado alil isotiocianato (AITC). El AITC ayuda a evitar que las células regulares se conviertan en cancerosas.

■ ■ ■ ■ ■ **Aumente los beneficios** ■ ■ ■ ■ ■

Las coles de Bruselas blandas y hervidas no solamente saben mal y huelen mal. Hervirlas puede reducir los nutrientes que combaten el cáncer por hasta un 60 por ciento. Así que en vez de hervirlas, cocine sus coles de Bruselas salteándolas o al vapor. Serán deliciosamente nutritivas y no apestarán.

Si usted evita las coles de Bruselas porque le dan gas, colóquelas en agua hirviente por 1 minuto y luego colóquelas en agua con hielo por 1 minuto. Sáquelas del agua inmediatamente y cocínelas.

Aumente sus defensas contra el alzhéimer. Puede que usted no piense en las coles de Bruselas al pensar en prevención de alzhéimer, pero el folato en ellas podría reducir su probabilidad.

Investigaciones pasadas sugieren que el folato podría no afectar la memoria ni el riesgo de alzhéimer, pero un nuevo estudio halló que tres años de suplementos de folato ayudaron a las personas con niveles altos de homocisteína mejorando su memoria y la velocidad del procesamiento de información. La homocisteína elevada ha sido asociada tanto con la enfermedad cardiaca como con el alzhéimer, pero el folato ayuda a reducirla.

Aunque el estudio usó suplementos de 800 miligramos, usted puede recibir casi tanto folato de esta combinación—media taza de cereal Special K o Product 19 para el desayuno más media taza de arroz y una taza de coles de Bruselas más tarde en el día. Solamente asegúrese de recibir suficiente vitamina B12 al añadir folato porque los estudios muestran que una combinación de mucho folato y poca vitamina B12 afecta los procesos del cerebro, incluyendo la memoria y el aprendizaje. Además, puede que los adultos mayores no absorban suficiente vitamina B12 de los alimentos, así que hable con su médico acerca de si está recibiendo suficiente de ella. Mientras tanto, añada más vitamina B12 con alimentos como crema de almeja, Special K o Product 19.

Escoja vitaminas para detener la osteoporosis. Desarrollar huesos fuertes sin los ingredientes correctos es como tratar de hacer un chaleco anti-balas con encaje. Podría verse bien, pero no le protegerá. Es por eso que usted no solamente necesita calcio y vitamina D para mantener los huesos fuertes, sino que vitamina C y vitamina K también.

Su esqueleto se reconstruye a sí mismo constantemente eliminando el hueso viejo y formando hueso fresco para remplazarlo. Para crear este hueso nuevo, sin embargo, usted necesita compuestos llamados osteocalcina y colágeno. Pero su cuerpo necesita tener vitamina C para producir colágeno y vitamina K para producir osteocalcina que no sea frágil. Afortunadamente, las coles de Bruselas pueden ayudarle a comenzar a obtener suficiente de estas vitaminas que ayudan a desarrollar los huesos.

▪ ▪ ▪ ▪ *Rincón del cocinero* ▪ ▪ ▪ ▪

Elija coles de Bruselas pequeñas que son verde brillante, firmes y tienen hojas bien comprimidas. La temporada para coles de Bruselas es de octubre a marzo.

Almacene las coles sin lavar en el refrigerador por hasta cuatro días. Justo antes de cocinarlas, enjuáguelas con agua, remueva las hojas amarillentas o marchitas y recorte la mayoría del tallo. No corte completamente a través de la base o se caerán las hojas mientras la cocina.

Para verificar si las coles han terminado de cocinarse, inserte un cuchillo en la base de la col. Una col que está solamente un poco tierna está cocida.

Condimente las coles con tomillo, pimentón o salvia.

Calabaza moscada

Grandes razones para enamorarse de una maravilla invernal

La calabaza moscada puede ayudarle a mejorar su salud porque está llena de poderosa nutrición. Esta calabaza no sólo está repleta de las vitaminas A y C, sino que también tiene las vitaminas B, E, manganeso y otros nutrientes extraordinarios.

Sin embargo, la calabaza moscada no solamente es buena para usted. Este antiguo alimento de México también es dulce y delicioso. Además, la calabaza moscada es un pariente tan cercano de la calabaza común que usted puede usarla en las recetas de calabaza.

Así que busque esta deliciosa calabaza de cuello largo durante los meses fríos del invierno. Usted la reconocerá por su color crema dorado y su forma de jarrón con base redonda.

Gane la batalla contra la artritis. Alrededor de 7 millones

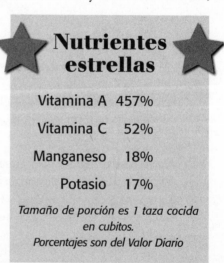

Nutrientes estrellas

Vitamina A	457%
Vitamina C	52%
Manganeso	18%
Potasio	17%

Tamaño de porción es 1 taza cocida en cubitos.
Porcentajes son del Valor Diario

de personas en. los Estados Unidos luchan contra el dolor de la artritis reumatoide (AR), pero usted no tiene que ser uno de ellos. Comer deliciosa calabaza moscada regularmente puede darle dos poderosos preventivos de la artritis: vitamina C y beta criptoxantina.

■ ■ ■ ■ ■ **Aumente los beneficios** ■ ■ ■ ■ ■

El hornear la calabaza moscada la hace saber más dulce y además esto preserva todo el valioso beta caroteno en ella. Asi es que piense cuidadosamente antes de hervir su calabaza moscada. El hervirla le extrae tanto el sabor como los nutrientes.

Según investigaciones de la Clínica Mayo, la beta criptoxantina es un antioxidante que podría ayudar a reducir su riesgo de artritis reumatoide (AR). Otras cosas que podrían reducir su riesgo para AR incluyen las frutas, los vegetales crucíferos, como el repollo, y el mineral zinc.

Encima de eso, la beta criptoxantina y la vitamina C podrían ayudar a evitar la AR al defender su cuerpo contra otro tipo de artritis llamada poliartritis inflamatoria—la inflamación de más de una coyuntura. Investigaciones sugieren que las personas que desarrollan la poliartritis inflamatoria pueden tener mayor probabilidad de padecer de artritis reumatoide más tarde.

Pero obtener los nutrientes correctos puede ayudarle. Un estudio inglés halló que las personas que consumían la menor cantidad de vitamina C en sus dietas tienen tres veces mayor riesgo de poliartritis inflamatoria. Y otro estudio sugiere que las personas que comen la mayoría de sus alimentos ricos en beta criptoxantina tienen un menor riesgo de poliartritis inflamatoria.

Comience a evitar la artritis con la calabaza moscada y con otras fuentes ricas en vitamina C y beta criptoxantina, tal como los pimientos rojos dulces y el jugo de naranja.

Evite una apoplejía con el poder de la calabaza. Aun si usted ya toma diuréticos para la hipertensión, usted todavía puede reducir su riesgo de una apoplejía. Un estudio del Queen's Medical Center en Hawái halló que las personas que comían la menor cantidad de potasio tenían un riesgo mayor de apoplejía, aunque ya tomaran diuréticos. Una revisión reciente de investigaciones confirma que el comer suficientes alimentos ricos en potasio reduce su riesgo de apoplejía. Además, el comer hortalizas ricas en potasio reduce su riesgo de morir por una apoplejía si fuese a sufrir una. Y eso no es todo.

La calabaza moscada también es una buena fuente de magnesio. Como la deficiencia de magnesio ha sido asociada con las apoplejías, usted no puede darse el lujo de escatimar. Aprenda a amar la calabaza moscada pero añada fuentes adicionales de potasio, como las papas asadas, los frijoles blancos, los dátiles y los frijoles limas, al igual que los alimentos ricos en magnesio, como el halibut, la espinaca y los frijoles negros.

Ahuyente a un grupo de cánceres. Puede que usted no lo sepa todavía, pero la calabaza moscada es una amenaza triple contra 10 tipos de cánceres. Eso es porque ésta le suple con tres poderosos combatientes del cáncer—vitamina A, beta caroteno y vitamina C.

Investigaciones muestran que una deficiencia de vitamina A podría aumentar su riesgo de cáncer, pero una taza de cubos de calabaza moscada provee su cantidad diaria recomendada de vitamina A y un poco más. El secreto de la calabaza moscada es su tesoro de beta caroteno, que su cuerpo convierte en vitamina A, la que a su vez bloquea el cáncer.

Mejor aún, consumir suficiente beta caroteno y vitamina C podría reducir su riesgo de un sinnúmero de cánceres: del colon, del esófago, estomacal, pancreático, pulmonar, rectal, prostático, de la mama, de los ovarios y del cuello uterino. No se olvide que una taza de calabaza moscada es un gran comienzo en su consumo de vitamina C para el día, y la misma tiene todo el beta caroteno que los expertos recomiendan.

▪ ▪ ▪ *Rincón del cocinero* ▪ ▪ ▪

Guarde la calabaza moscada cruda y entera por hasta un mes en un lugar bien ventilado, parcialmente húmedo y oscuro donde las temperaturas permanecen alrededor de los 50 grados Fahrenheit. No le quite el tallo antes de usarla. Guarde la calabaza moscada cortada o cocida en su refrigerador por un par de días.

Para evitar el trabajo de tener que pelar su calabaza moscada, córtela por la mitad, saque las semillas y las hilachas y hornee una mitad de la calabaza por 30 a 40 minutos a 400 grados. Deseche la cáscara después de comerse el delicioso interior.

Sea sabio al comprar. Un informe del 2001 nombró a las calabazas de invierno como uno de los alimentos que más probablemente pueden estar contaminados con pesticidas y otros químicos dañinos. Si usted está preocupado acerca de esto, compre calabaza moscada orgánica. Cómprelas de un cultivador orgánico local durante su temporada y podría encontrarlas a un buen precio.

Repollo

Un buen comienzo para una mejor salud

El repollo ha estado salvando vidas y haciendo historia por siglos. El plato de repollo llamado chucrut ayudó a los trabajadores asiáticos a construir la Gran Muralla China. El repollo también evitó que los marineros murieran de escorbuto durante el viaje del Capitán Cook al Círculo Antártico. Éste hasta ayudó a los europeos del norte a sobrevivir los inviernos difíciles durante la Edad Media. Pero mucho antes que eso, el antiguo romano, Catón el Viejo, recomendó las hojas aplastadas de repollo para tratar las úlceras cancerosas. Él estaba en el camino correcto. La ciencia moderna confirma que el repollo es una manera fácil pero poderosa de evitar el cáncer.

Nutrientes estrellas

Vitamina K	66%
Vitamina C	43%
Sulforafano	★
Indol-3-carbinol	★

Tamaño de porción es 1 taza, rallado
Porcentajes son del Valor Diario

67

Escoja de entre el repollo verde regular, el repollo Savoy con sus hojas arrugadas o el delicioso repollo rojo. Todos son nutritivos y deliciosos en los salteos chinos, las ensaladas y más. Solamente tenga cuidado con la ensalada de col. Aquellas hechas con mayonesa podría proveer más grasa y calorías de las que usted desea.

■ ■ ■ ■ ■ **Aumente los beneficios** ■ ■ ■ ■ ■

Deshágase de todas las cosas que usted odia del repollo y hágalo más nutritivo también. Primero, pruebe el repollo Napa con sabor dulce en vez del repollo regular para un sabor más suave y vitamina C adicional. Luego, evite el repollo mal oliente y flácido cortándolo o rallándolo en pedazos pequeños y cocinándolo por no más de cinco minutos. Si usted cocina el repollo rápidamente al vapor o salteado en vez de hirviéndolo, usted podría retener hasta un 60 por ciento más de los nutrientes que combaten el cáncer.

Contágiese con la fiebre del repollo y reduzca su riesgo de cáncer. Halle nuevas maneras de disfrutar el repollo y usted podría añadir músculo adicional para su defensa contra el cáncer. Ésta es la razón.

Algunas sustancias que causan cáncer no crean problemas hasta que una enzima especial "enciende" su habilidad para dañar las células y el ADN. Pero el repollo contiene un isotiocianato llamado isotiocianato de bencilo (BITC). Estudios en animales sugieren que el BITC podría evitar que la mayorías de las enzimas "activen" las sustancias cancerígenas, así que sus células tienen mayor probabilidad de escapar del daño que causa cáncer.

Pero el repollo no solamente previene la activación de sustancias cancerígenas. Éste también provee sulforafano para combatir las sustancias cancerígenas que ya están activas. El sulforafano persuade a su hígado a producir más de sus potentes enzimas de fase 2 de desintoxicación. Estas tropas adicionales sobrecargan a su sistema inmunológico, equipándolo con más poder para desarmar a las sustancias cancerígenas y sacarlas de su cuerpo.

Como el sulforafano, el indol-3-carbinol (I3C) en el repollo también ayuda movilizar las enzimas de fase 2 contra el peligro de cancer. Pero eso no es todo. El I3C también ayuda a evitar que el estrógeno en su cuerpo se convierta en un desencadenante del cáncer. Aun así, puede que usted no quiera tomar suplementos de I3C todavía. Estudios en animales sugieren que los suplementos podrían aumentar el riesgo de cáncer. Investigaciones futuras determinarán si los suplementos son peligrosos para las personas, pero mientras tanto obtenga su I3C de los repollos en vez de las cápsulas.

Coma el repollo rojo y usted podría recibir un beneficio adicional si es una mujer que ya pasó la menopausia. El repollo rojo tiene hasta 28 veces más flavonoides que los otros repollos, y un estudio halló que las mujeres que comían más flavonoides redujeron su riesgo de cáncer de la mama. Para asegurarse que usted recibe suficiente de estos saludables flavonoides, disfrute del repollo junto con otras delicias como las manzanas, el brócoli, el té y las cebollas.

Chucrut—un potente combatiente del cáncer

Usted puede menospreciar el chucrut, pero este tipo de repollo puede defender su salud de la misma forma que su contraparte de hoja completa. Investigaciones sugieren que el comer chucrut, repollo crudo o repollo cocido rápido tres veces a la semana podría reducir el riesgo de cáncer de la mama en la mujeres, particularmente si ellas comienzan a comerlo cuando son jóvenes. Además, un estudio finlandés halló que convertir el repollo blanco en chucrut crea isotiocianatos, que combaten el cáncer. Si usted sigue una dieta baja en sal, escurra y enjuague el chucrut enlatado antes de comerlo—o simplemente coma más repollo crudo o cocido un poco.

Evite la enfermedad de las encías y salve a su corazón. La mayoría de las personas creen que están a salvo de la enfermedad de las encías, la que puede llevar a la pérdida de los dientes, pero se estima que un 50 por ciento de los estadounidenses tiene enfermedad de las encías leve y casi una tercera parte tiene periodontitis, la forma más severa de la enfermedad de las encías. Extrañamente, el repollo podría ayudar gracias a su sorprendente carga de vitamina C.

Junto con una buena higiene dental y alimentos ricos en calcio, algunos especialistas dentales ahora recomiendan la vitamina C para encías y dientes saludables. Esto es porque investigaciones muestran que las personas que no reciben suficiente vitamina C tienen un riesgo mayor de padecer de enfermedad de las encías. Afortunadamente, unas pocas onzas de repollo rallado pueden darle tanta vitamina C como media taza de piña.

Pero hay más. Un estudio del 2005 halló un vínculo entre la periodontitis y las arterias obstruidas que podrían llevar a un paro cardiaco. Se necesitan más estudios, pero por ahora, coma más repollo, especialmente el repollo Savoy, el cual tiene vitamina C adicional. Para estar seguro que no se quedará corto, coma repollo junto con otros alimentos ricos en vitamina C como los pimientos dulces y las frutas cítricas.

Las crucíferas le ayudan a despedirse de las magulladuras. Acaba de hallar otro moretón y no puede imaginarse cómo lo recibió. Si usted se está magullando más fácilmente de cómo lo hacía antes, examine su dieta y sus medicamentos. Uno de ellos podría estar reduciendo sus niveles de vitamina K—lo cual podría explicar sus magulladuras.

Piense en esto. El magullarse fácilmente es un síntoma de deficiencia de vitamina K y los medicamentos como los antibióticos, el aceite mineral, la colestiramina o el orlistat pueden causarla. Aun el uso frecuente de la aspirina puede reducir su abastecimiento de vitamina K. Además, condiciones como la diarrea o la enfermedad hepática también pueden drenar su cuerpo del suministro de esta vitamina crítica. Así que si usted se magulla más fácilmente que el año pasado, pregúntele a su médico acerca de qué puede hacer al respecto. Mientras tanto, disfrute de más repollo, los vegetales de hoja verde y otros deliciosos alimentos ricos en vitamina K.

Pero tenga cuidado. Si usted toma warfarina u otro medicamento diluyente de la sangre, nunca añada más vitamina K a su dieta sin antes preguntarle a su médico.

■ ■ ■ ■ *Rincón del cocinero* ■ ■ ■ ■

Escoja un buen espécimen. Busque un repollo con hojas crujientes que se sienta pesado para su tamaño. Evite cualquier repollo con puntos descoloridos o blandos.

Planifique de antemano. Guarde el repollo crudo y sin cortar en una bolsa plástica en su nevera por hasta 10 días.

Prepárelo antes de usarlo. Antes de cocinarlo o comerlo, lave el repollo y remuévale el centro.

Aumente el sabor. Dele sabor al repollo con orégano, eneldo, semillas de apio, alcaravea o ajedrea.

Siga viendo rojo. Añada vinagre o jugo de limón al repollo rojo al cocinarlo o cortarlo. De lo contrario, éste se podría poner azul o púrpura.

Zanahorias

La "raíz" de una salud de 24 quilates

La zanahoria original no era color naranja cuando apareció por vez primera vez en Afganistán hace siglos. En cambio, era púrpura por afuera y amarilla por adentro. Casi mil años pasaron antes que los holandeses introdujeran una zanahoria naranja al mundo. Pero las zanahorias de colores raros están regresando a la moda. El Departamento de Agricultura de Estados Unidos ha desarrollado zanahorias amarillas, púrpuras y rojas que tienen fitoquímicos adicionales como luteína y licopeno. Aun su zanahoria naranja más nueva tiene 30 por ciento más beta caroteno.

Pero la zanahoria normal aún tiene bastante que ofrecerle. Junto a las remolachas, las zanahorias son el vegetal más dulce que usted puede comer. Ellas también le dan fitoquímicos vibrantes como el alfa caroteno, el beta caroteno y la beta criptoxantina para que su cuerpo pueda crear vitamina A. Los científicos hasta han descubierto un nuevo nutriente en las zanahorias que podría ayudarle a mantenerse saludable por más tiempo.

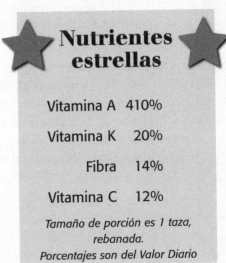

Nutrientes estrellas

Vitamina A   410%

Vitamina K   20%

Fibra   14%

Vitamina C   12%

Tamaño de porción es 1 taza, rebanada.
Porcentajes son del Valor Diario

■ ■ ■ ■ ■ **Aumente los beneficios** ■ ■ ■ ■ ■

Para mantener el valor nutritivo de sus zanahorias, límpielas frotándolas en vez de pelarlas. Puede que decida pelarlas comoquiera si están viejas o descoloridas.

Cocinar las zanahorias con un poco de grasa añadida le ayudará a obtener la mayoría del beta caroteno. La grasa ayuda a su cuerpo a absorber este nutriente y el cocinarlo con grasa añadida permite que el beta caroteno y la grasa se mezclen mejor, para que su cuerpo pueda absorberlo aún más. Pero trate de no hervirlas. Hervir roba a sus zanahorias de la mayoría del nutriente falcarinol.

Manera sabia de declararle la guerra al cáncer. Cada vez que usted escucha a Bugs Bunny decir "¿Qué hay de nuevo, viejo?" probablemente él está comiendo una zanahoria. Y eso no es tan mala idea porque las zanahorias añaden tres armas a su arsenal de prevención de tumores.

Emocionantes investigaciones de Inglaterra sugieren que las zanahorias podrían tener un nuevo combatiente del cáncer, un compuesto llamado falcarinol. Los científicos hallaron que los animales cuyas dietas han sido suplementadas con falcarinol solamente o con zanahorias crudas tienen una probabilidad un tercio menor de desarrollar tumores del colon que los animales en una dieta estándar. Aunque nadie sabe si el falcarinol protege a las personas de la misma manera, el investigador principal del estudio recomienda comer una zanahoria pequeña todos los días.

Sin embargo, las zanahorias no solamente le dan falcarinol. Ellas también son una estupenda fuente de vitamina A porque su cuerpo convierte el alfa caroteno y el beta caroteno en ellas en vitamina A. De hecho, un estudio sueco descubrió que las personas que comían la mayor cantidad de carotenos y vitamina A tenían una menor probabilidad de padecer de cáncer estomacal. Y un estudio de personas entre setenta y ochenta años de edad halló que aquellos con niveles altos de beta carotenos tenían un riesgo menor de morir—especialmente de cáncer.

Pero recuerde, la fuente de su beta caroteno puede ser importante. Algunos estudios han sugerido que los suplementos de beta caroteno podrían aumentar su riesgo de cáncer pulmonar, mientras que otras investigaciones no están de acuerdo. Sin embargo, otro estudio halló que los niveles altos de beta caroteno en la sangre podrían estar asociados con un mayor riesgo de cáncer agresivo de la próstata. Los investigadores de ese estudio dicen que usted debería ser cuidadoso acerca de tomar suplementos de beta caroteno.

Aún así, estudios han hallado que dietas ricas en beta caroteno y vitamina A reducen su probabilidad de muchos tipos de cáncer. Así que evite los suplementos y haga un esfuerzo por obtener su beta caroteno de los deliciosos alimentos color naranja, tales como las zanahorias, las batatas, los albaricoques y las calabazas.

Venza el colesterol alto con una zanahoria. Puede que usted no espere que las zanahorias ayuden a combatir el colesterol, pero estos crujientes vegetales le sorprenderán. De hecho, las zanahorias tienen dos posibles maneras de poder ayudarle a reducir el colesterol alto.

Todas las zanahorias contienen fibra soluble, incluyendo la que se llama pectato de calcio. Investigaciones muestran que esta sorprendente fibra puede ayudar a reducir su colesterol—y reducir su riesgo de paro cardiaco junto con él. Encima de eso, el beta caroteno en las zanahorias podría también ayudar a sus niveles de colesterol. Los científicos hallaron que las ratas cuyas dietas fueron suplementadas con zanahorias secas por tres semanas absorbieron menos colesterol que las ratas en una dieta estándar. Hasta que los investigadores determinen si el beta caroteno trabaja de la misma forma en los humanos, el comer más palitos de zanahorias ciertamente no puede hacer daño—y podría darle protección adicional, más allá de simplemente reducir su colesterol.

Su colesterol LDL, o "malo", se vuelve aún más peligroso cuando moléculas dañinas llamadas radicales libres atacan su cuerpo. Los radicales libres ayudan a convertir a su colesterol LDL en placa que obstruye las arterias. Con el pasar del tiempo, los repetidos ataques de los radicales libres ayudan a que se acumule tanta placa que ésta bloquea el flujo de sangre a su corazón y causa un paro cardiaco. Pero las zanahorias tienen vitamina C para ayudar a prevenir esto. Esta vitamina intrépida ayuda a defender su colesterol LDL de los ataques de los radicales libres, de forma que es menos probable que la placa se acumule y que usted esté en peligro. Sólo asegúrese de obtener vitamina C adicional de alimentos como los pimientos dulces y las frutas cítricas.

Y si alguna vez se ve tentado a pasar por alto el comer zanahorias, recuerde esto. Investigaciones tempranas sugieren que el alto contenido de vitamina K en las zanahorias también podría ayudar a evitar el endurecimiento de las arterias.

Coma para deshacerse de la ceguera nocturna. Si usted ha comenzado a tener más dificultad que antes para ver y manejar de noche, usted podría padecer de ceguera nocturna. Esto significa que usted ve pobremente en poca luz o que le toma más tiempo para recuperarse del resplandor de las luces de los otros autos o de otras luces. Hable con su médico de la vista o con su médico regular acerca de esto tan pronto como sea posible, pero examine su dieta también. La ceguera nocturna es un síntoma temprano de una deficiencia de vitamina A. Trate de comer más zanahorias y otros alimentos ricos en vitamina A y mire a ver si su visión de noche mejora. Las batatas, las calabazas, los cereales fortificados y los vegetales de hoja verde son todos buenas alternativas.

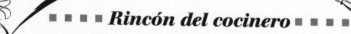

■ ■ ■ *Rincón del cocinero* ■ ■ ■

■ Elija zanahorias que sean lisas y firmes y que tengan un color brillante. Para tener zanahorias más dulces, elíjalas flacas en vez de gruesas. Evite las grietas o cualquier indicación de marchitez o de ablandamiento.

■ La zanahoria es en realidad una raíz primaria cuyo propósito es extraer la humedad y las vitaminas del suelo y llevarlas a la parte verde superior. Quite las hojas superiores tan pronto como sea posible para mantener las vitaminas y la humedad en la zanahoria.

■ Reviva las zanahorias flácidas. Remójelas por 30 minutos en agua con hielo en el refrigerador para volverlas crujientes de nuevo.

■ Guarde las zanahorias en una bolsa plástica sellada en el refrigerador por hasta 10 días. Pero no las guarde cerca de las manzanas o las peras, o comenzarán a saber amargas.

7 secretos para
hortalizas más seguras

Lavar los vegetales y hierbas de hoja verde con vinagre diluido antes de cocinarlos o comerlos podría salvarle de intoxicación alimenticia. A continuación tiene siete consejos para ayudarle a protegerse contra las hortalizas contaminadas.

- Comience por donde compra. Sólo compre vegetales frescos o de bolsas si éstos están refrigerados o incrustados en un lecho de hielo.

- Si usted compra vegetales pre-cortados o ya pelados, refrigérelos tan pronto como llegue a casa.

- Verifique si su refrigerador mantiene los alimentos suficientemente fríos. Visite su ferretería local y pregunte acerca de un termómetro para temperaturas de refrigerador. Asegúrese que su refrigerador esté configurado para una temperatura de 40 grados Fahrenheit o menos.

- La humedad es como una invitación a una fiesta para las bacterias de la intoxicación alimenticia, así que no deje los vegetales remojando en agua. Tampoco lave las hortalizas que usted piensa guardar en el refrigerador unos minutos más tarde.

- Antes de pelar o comerse las frutas y vegetales, lávelos bien y luego séquelos con un papel toalla.

- Las hortalizas con cáscara deberían estregarse con un cepillo limpio antes de pelarlas. De lo contrario, su cuchillo de pelar podría transferir las bacterias de afuera al interior comestible de la fruta o el vegetal.

- Para destruir el *E. coli* saltee o hierva los vegetales de hoja verde a 160 grados Fahrenheit o más por al menos 15 segundos.

Coliflor

■■■■■■■■■■■

Defienda su salud con el 'poder de las flores'

Es cierto. Usted se come una flor cuando muerde una coliflor. La cabeza de la coliflor es un grupo de flores que dejaron de crecer cuando todavía eran capullos. Para entonces, los tallos que llevan a los capullos han comenzado a acumular nutrientes para las flores. Por eso es que la coliflor es tan nutritiva.

Puede que se sorprenda al saber que la coliflor es un pariente de las coles silvestres. Pero si usted viese la planta de la coliflor en crecimiento, hallaría hojas como las del repollo cubriendo la cabeza de la coliflor. Estas hojas no dejan que el sol llegue a la coliflor así que ésta permanece blanca en vez de producir clorofila que la haría verde.

No sea engañado por el suave color, la apariencia apacible y el delicado sabor de la coliflor. Este vegetal es un fuerte combatiente que le ayuda a mantenerse saludable.

Derroche en la comida anti-cáncer. Las frutas y vegetales coloridos son sus mejores combatientes del cáncer, pero la coliflor es una excepción a la regla. Como sus primos, el repollo y el brócoli, la coliflor está repleta de las armas anti-cáncer más poderosas que hay. Considere estos ejemplos.

■ *Isotiocianatos.* Una nueva investigación de Texas descubrió que las personas que comían la mayor cantidad de comidas ricas en isotiocianatos tenían un riesgo casi 30 por ciento menor de cáncer de la vejiga. Esa es una gran razón para comer más coliflor, al igual que la col rizada, el brócoli, el repollo, el berro y la col de

Nutrientes estrellas

Vitamina C	92%
Vitamina K	22%
Folato	14%
Fibra	12%
Isotiocianatos	★
Indoles	★

Tamaño de porción es 1 taza, cocida
Porcentajes son del Valor Diario

Bruselas. Un isotiocianato llamado fenetil isotiocianato ayuda a evitar que las células se tornen cancerosas y hasta mata las células cancerosas existentes. El sulforafano, otro isotiocianato, estimula a su hígado a producir más enzimas especiales de fase 2 de desintoxicación. Estas enzimas le dan un empujón de alto voltaje a su sistema inmunológico para que éste pueda neutralizar las sustancias cancerígenas y sacarlas del cuerpo.

- *Indol-3-carbinol (I3C).* Estos maravillosos fitoquímicos aumentan su conteo de enzimas de fase 2 de desintoxicación, al igual que el sulforafano. Pero el I3C también evita que el estrógeno de su cuerpo se transforme en un cancerígeno.

- *Folato.* Aunque dos estudios sugieren que los suplementos de ácido fólico podrían aumentar su riesgo de cáncer, obtener más de esta importante vitamina B—llamada folato en su forma natural—podría reducir su riesgo. Según investigadores de Harvard, las personas que reciben la mayor cantidad de folato, vitamina B6 y vitamina B12 de sus dietas tienen menor probabilidad de desarrollar cáncer del páncreas, pero usted tiene que mantener su peso bajo para obtener este beneficio. Cuando usted come coliflor, usted recibe una buena porción de este importante nutriente—sin la grasa ni muchas calorías. Añada arroz, crema de almejas, garbanzos y cereal a su dieta y no sólo recibirá más folato, sino que más vitaminas B12 y B6 también.

■ ■ ■ ■ ■ Aumente los beneficios ■ ■ ■ ■ ■

Los cocineros hindúes combinan la coliflor con especias fuertes, como la cúrcuma, y quizás usted debería hacer lo mismo. Una investigación en animales de la Universidad de Rutgers halló que los químicos anti-cáncer de la coliflor y la cúrcuma son más efectivos para reducir la propagación del cáncer de la próstata cuando se usan juntos.

Disfrute de la coliflor con curry la próxima vez. Usted le dará a su coliflor un poco de chispa y a la vez fortificará su cuerpo contra el cáncer. Sólo no cometa el error de hervir su coliflor. Hervirla le extrae los fitoquímicos que combaten el cáncer y los deja en el agua.

Esté a la moda con una coliflor mejorada

Naranja es el color de las hojas de otoño, las calabazas y una nueva clase de coliflor. Ahora usted puede comprar una coliflor naranja que le provee 25 veces más beta caroteno que una coliflor blanca normal. O puede probar una coliflor Jacaranda púrpura. Este vegetal violeta es rico en antocianinas, los fitoquímicos saludables hallados normalmente en las bayas y el vino tinto. Usted también se puede "ir por lo verde" con una brocoflor. Esta hija de los combatientes del cáncer, el brócoli y la coliflor, tiene la forma de una coliflor regular, pero usted puede ver su color verdoso a leguas.

Tremenda manera de contrarrestar su riesgo de cataratas. Sólo un 10 por ciento de los estadounidenses mayores de 65 años cree que tiene riesgo de problemas serios de la vista, pero más de un 50 por ciento de ellos tiene cataratas. Sin embargo, si usted es un fanático de la coliflor, ya ha dado un paso para reducir su riesgo de cataratas.

Un estudio japonés de más de 30,000 personas halló que aquellos que recibieron la mayor cantidad de vitamina C en sus dietas tenían una probabilidad significantemente menor de desarrollar cataratas. La coliflor le ayuda a esquivar las cataratas porque es una fuente excelente de vitamina C. Otras fuentes deliciosas de esta vitamina protectora de la vista incluyen los pimientos dulces, el brócoli y las frutas cítricas.

Obtenga alivio de las hemorroides sin medicamentos. Liberarse de sus hemorroides podría ser más fácil de lo que usted cree. Estudios sugieren que las personas que toman laxantes de fibra tienen la mitad de la probabilidad de tener síntomas duraderos por las hemorroides. Pero usted se merece algo mejor que los laxantes de fibra. Después de todo, éstos proveen fibra, pero no sabor ni nutrición.

La coliflor, en cambio, es fácil de tragar, sabe mejor y le da bastante fibra y nutrientes. Así que si usted está combatiendo las hemorroides, beba agua adicional y añada gradualmente más coliflor y otros alimentos favoritos llenos de fibra a su dieta.

- Escoja una coliflor que sea firme, compacta y pesada. Evite la coliflor con puntos negros o cualquier indicio de marchitez o color amarillo.

- Antes de cocinar la coliflor, quite las hojas, corte el centro y lave la cabeza completamente y separe las flores.

- Preserve el color. Evite cocinar la coliflor en utensilios de aluminio o de hierro. De lo contrario, ésta podría cambiar a colores extraños.

- El cocinar la coliflor por demasiado tiempo es lo que la hace oler horrible. Cocine la coliflor regular por poco tiempo o escoja la brocoflor (coliflor verde), la cual naturalmente se cocina más rápido y huele mejor.

- Mejore la coliflor con cebollinos, cúrcuma, curry, ajo, jengibre, limón o semilla de mostaza. O mézclela con sus ensaladas de pasta o sopas favoritas.

- Guarde la coliflor sin lavar en una bolsa plástica en el refrigerador por hasta una semana.

Chiles

■ ■ ■ ■ ■ ■ ■ ■ ■ ■

Vegetales vibrantes avivan la llama de la salud

Un chile al día evitó problemas para los indios americanos. Ellos descubrieron que el quemar los chiles creaba humos tan cáusticos que los invasores europeos se mantenían alejados.

El secreto para esta defensa y el sabor ardiente del sabor del chile es la capsaicina, una substancia hallada en la cáscara, las semillas y las costillas interiores. Eso es lo que crea el fuego—desde suave hasta salvaje—en los varios tipos de chiles.

Si usted lo prefiere un poco picante, trate el calor suave del chile Aneheim o su primo más picante, el poblano. Después de esos, los chiles se vuelven más picantes desde el fogoso jalapeño, al abrazador serrano hasta la ardiente cayena y—para los verdaderos amantes de lo picante—los gemelos infernales, el habanero y el pimiento scotch bonnet.

Sólo recuerde, si usted va a cocinar con chiles, es más sabio utilizar de menos que de más.

Boleto caliente para una pérdida de peso sin hambre. Perder peso era una historia de retortijones por hambre, alimentos aburridos y miseria, pero eso va a cambiar. Un estudio japonés descubrió una manera deliciosa de comer menos calorías sin dificultad.

Según el estudio, las personas que comieron una cálida sopa picante 10 minutos antes de su almuerzo comieron menos calorías durante su almuerzo. Encima de eso, aquellos que comieron la sopa tan picante como la podían tolerar cómodamente también comieron menos gramos de grasa. Otro

Nutrientes estrellas

Vitamina C   108%

Vitamina B6   11%

Vitamina A   9%

*Tamaño de porción es
1 chile picante rojo, crudo
Porcentajes son del Valor Diario*

estudio obtuvo resultados similares con jugo de tomate picante 30 minutos antes de una comida. En ambos estudios, los participantes comieron hasta que se llenaron, pero necesitaron menos calorías para sentirse satisfechos.

Aún mejor, este inhibidor natural del apetito puede durar mucho tiempo. Investigadores canadienses han reportado que un desayuno con chile añadido no sólo redujo el hambre toda la mañana, sino que también redujo la proteína y grasa que las personas comían en el almuerzo.

Los chiles también podrían ayudarle a evitar el aumento de peso gracias a su vitamina C. Un investigador sospecha que los niveles bajos de vitamina C podrían causar que las personas aumenten más peso a través del tiempo. Y, de hecho, un estudio sugiere que los niveles bajos de vitamina C limitan la habilidad de su cuerpo para quemar grasa. Otro estudio hasta asoció los niveles bajos de vitamina C con una cintura más ancha y más grasa corporal.

Los científicos necesitan aún más evidencia para estar seguros que la vitamina C influencia cuánto peso usted pierde o gana. Pero mientras tanto, recuerde que los chiles son una fuente principal de vitamina C. Para asegurarse que obtiene suficiente de esta importante vitamina, disfrute de alimentos ricos en vitamina C, tales como las fresas, el berro y las naranjas.

■ ■ ■ ■ ■ Aumente los beneficios ■ ■ ■ ■ ■

Los chiles frescos contienen más vitamina C que los chiles que han sido disecados, cocidos o enlatados. Ellos también pueden ser una adición maravillosa a los sándwiches, al pico de gallo, las salsas y los aderezos de ensaladas.

Por supuesto, los chiles aún proveen bastante sabor y vitamina A, aun cuando no están frescos y crudos. Úselos para condimentar los estofados, el pan de maíz, los currys, los guisos o el original "tazón de fuego", el chili. Las recetas de las cocinas indias, españolas, mexicanas, cajunas, jamaiquinas y orientales podrían darle más sugerencias de cómo disfrutar de los chiles.

Use los chiles como protección contras los cálculos renales. Lo picante es lo correcto cuando se trata de evitar las piedras en los riñones. En este caso, lo correcto es la vitamina B6. Los científicos sospechan que una deficiencia de esta vitamina podría causar que su cuerpo produzca más oxalato—un componente clave de los dolorosos cálculos renales. Algunas personas se vuelven deficientes porque no reciben suficiente vitamina B6 en sus dietas, mientras que otras personas toman medicamentos que causan deficiencias de vitamina B6. Pregúntele a su médico o farmacéutico si usted toma uno de estos medicamentos.

Mientras tanto, si está preocupado acerca de los cálculos renales, comience a recibir más vitamina B6 de sus alimentos. Un pequeño chile es un lugar sabroso por donde comenzar, pero usted también puede hallar B6 en los garbanzos, los cereales fortificados y el arroz.

Se ha reportado que 40 miligramos de suplementos de vitamina B6 ayudan a reducir el riesgo de cálculos renales en las mujeres, pero hable con su médico antes de probarlos. Los suplementos pueden interferir con algunos medicamentos.

Échele candela a la sanación de heridas. Si sus cortes, rasguños y otras heridas parecen sanarse lentamente, los chiles podrían acortar su camino a la recuperación. Los chiles son una buena fuente de beta caroteno que su cuerpo puede convertir en vitamina A. Investigaciones en animales sugieren que tanto la vitamina A como el beta caroteno podrían ayudar a las heridas a sanar más rápido—especialmente si usted no ha estado recibiendo suficiente vitamina A de su dieta. Así que dele sabor a sus alimentos favoritos con unos cuantos chiles adicionales, pero no se detenga ahí. Llénese de beta caroteno y vitamina A de las batatas, las zanahorias, las hojas de nabo, los pimientos dulces rojos, la col rizada, la calabaza y la espinaca.

Añada calor para vencer la indigestión. Los alimentos picantes podrían aliviar el dolor, las náuseas y la distensión abdominal por la indigestión. En un pequeño estudio italiano, investigadores les dieron a los participantes dos cápsulas de chile o un placebo antes de cada comida. Después de dos semanas, aquellos que tomaron las cápsulas de chile reportaron padecer menos dolor de estómago, distensión abdominal y náusea. La capsaicina en los chiles podría ser la razón de esto. Los investigadores sospechan que ésta hace a su estómago menos sensible evitando que los impulsos nerviosos lleguen al cerebro.

Trate de condimentar sus alimentos con los chiles o trate de comer un aperitivo con un toque de chile antes de sus comidas. Sólo recuerde dos cosas. Los chiles pueden irritar su estómago y podrían causar indigestión en algunas personas. No pruebe los chiles si usted padece de reflujo gastroesofágico, úlceras, síndrome del intestino irritable o acidez estomacal. También, no sustituya la pimienta negra por el chile. La pimienta negra puede irritar su estómago.

▪ ▪ ▪ ▪ *Rincón del cocinero* ▪ ▪ ▪ ▪

Cuando el ardor en su boca se hace demasiado intenso para tolerarlo, recuerde "fuego y arroz". El arroz apaga las llamas mejor que la mayoría de los líquidos. Otras buenas opciones incluyen el pan, las papas, el yogur o la leche.

Pero el verdadero "peligro de fuego" puede venir antes cuando está limpiando, preparando o cocinando sus chiles. Las semillas y las costillas interiores de los chiles contienen aceite que pueden irritar sus manos, ojos y boca. Así que una vez que abra un chile no toque su boca, nariz, ojos—o cualquier artículo que estos tocarán más tarde.

Aun lavarse las manos con jabón y agua podría no remover todo el aceite, aunque el lavarlas con vinagre podría ayudar. Su mejor opción es usar guantes de goma o de látex, o incluso bolsas plásticas sobre sus manos mientras trabaja con chiles.

Hinojo
▪ ▪ ▪ ▪ ▪ ▪ ▪ ▪ ▪ ▪

Nueva estrella hace el bienestar más sabroso

Si usted no ha probado el hinojo, le va a encantar. Más estadounidenses están descubriendo lo que los cocineros franceses e italianos han sabido siempre—el hinojo es una adición deliciosa a cualquier comida.

Usted tiene dos tipos de hinojo a escoger—una hierba y un vegetal. La hierba, el hinojo común, produce semillas para su estante de especias. Su sabor es parecido al anís o al regaliz, pero más liviano y más dulce. El hinojo de Florencia, o finocchio, es un vegetal con un crujir como el de la manzana y con un sabor dulce más suave que el de las semillas de hinojo. Usted hallará este tentador sabor tanto en el sabroso bulbo como en los crujientes tallos parecidos al apio. En cualquiera que elija, usted hallará poderosos nutrientes que le ayudarán a sentirse mejor hoy y protegerán su salud en el futuro.

Deshágase de los cálculos biliares. Para los 60 años de edad, casi un 25 por ciento de las mujeres tienen cálculos biliares, incluso si no presentan ningún síntoma. Para los 75 años, ese número aumenta a un 50 por ciento. Afortunadamente, la vitamina C puede ayudar, y el hinojo es una deliciosa manera de obtener más de ella.

Esto es lo que la vitamina C puede hacer. Los expertos dicen que la razón por la que la mayoría de las personas padecen de cálculos biliares es una acumulación de colesterol en su vesícula biliar. Las mujeres son particularmente propensas a los cálculos porque su estrógeno añade más colesterol a los líquidos de la vesícula. Pero la vitamina C en su cuerpo ayuda a descomponer ese colesterol para que no forme cálculos. De hecho, un estudio de investigación descubrió que las mujeres con niveles más altos de vitamina C tenían una probabilidad menor de padecer de cálculos biliares.

Pruebe el hinojo y hallará una nueva y deliciosa manera de añadir más vitamina C a su dieta. Ésta podría ayudarle a evitar su próximo cálculo biliar— y muchos más además de ese.

Gánele a la hipertensión naturalmente. Uno de los nombres más antiguos del hinojo viene de la palabra maraino, que significa crecer delgado. Eso es apropiado porque el potasio y la fibra del hinojo podrían ayudar a adelgazar sus lecturas de presión arterial a través del tiempo.

Si usted es como la mayoría de los estadounidenses, la cantidad de sodio que obtiene de los alimentos es dos veces la cantidad de potasio, y esto puede ayudar a elevar su presión arterial. Su meta debería ser invertirlos para que esté consumiendo más potasio. De hecho, su cuerpo necesita cinco veces más potasio que sodio para mantenerse saludable. Comer más

Nutrientes estrellas

Vitamina C	17%
Fibra	11%
Potasio	10%
Anetol	★

Tamaño de porción es 1 taza, rebanado Porcentajes son del Valor Diario Percent is Daily Value

alimentos ricos en potasio como el hinojo no sólo ayuda a reducir su presión arterial, sino también podría reducir su riesgo de una debilitante apoplejía.

La fibra también podría ayudar a reducir su presión arterial, pero podría tomar ocho semanas o más para funcionar, así que sea paciente. Si usted se toma el tiempo para añadir fibra a su dieta gradualmente y bebe bastante agua, evitará el gas y otros efectos secundarios desagradables. Además, una vez que usted comienza a consumir bastante fibra de hortalizas como el hinojo, usted podría perder peso también—y eso podría reducir su presión arterial aún más.

■ ■ ■ ■ ■ **Aumente los beneficios** ■ ■ ■ ■ ■

El hinojo es un buen comienzo para el potasio, la vitamina C y la fibra que usted necesita cada día, pero no se detenga ahí. Añada más potasio de las bananas. Disfrute de los pimientos dulces, las fresas, las papayas y el cóctel de jugo de arándanos agrios para vitamina C adicional. Y añada potasio así como fibra saludable, comiendo alimentos como los frijoles, las pasas y los dátiles.

Obtenga alivio del gas con su estante de especias. Imagine comer una comida deliciosa en India después de hacer turismo. Al final de su comida, usted recibe un apetitoso plato de semillas aromáticas de hinojo para morder. Estas semillas son un antiguo remedio para la indigestión y el gas. El secreto podría ser el fitoquímico anetol, un compuesto que relaja los músculos de su estómago, acelera la digestión e incita al hígado a producir más bilis. Los expertos en hierbas dicen que estos efectos pueden ayudar a aliviar el gas, la indigestión, el dolor de estómago, la acidez e incluso podría aliviar la diarrea, el estreñimiento y los síntomas del síndrome del intestino irritable.

Antes de probar el hinojo consulte con su médico. Las personas que toman ciertos antibióticos no deberían consumir hinojo. Tampoco las personas con cáncer de la mama, cáncer de la próstata, alergias a las zanahorias o al apio o aquellas propensas a las convulsiones. Pero si su médico aprueba, mastique varias semillas varias veces al día. O remoje una cucharadita de semillas machacadas en agua hirviendo por 15 minutos, saque las semillas y beba el té. Pero evite el sol mientras usa el hinojo. Éste hace a su piel más sensible al sol de lo normal.

Mientras le provee alivio a su estómago, usted también podría cosechar algunos sorprendentes beneficios de este remedio.

■ Investigaciones indias hallaron que las semillas de hinojo tienen un gran poder antioxidante para ayudar a su cuerpo a resistir enfermedades.

■ Estudios animales sugieren que el anetol podría ayudar a su cuerpo a combatir la inflamación y el cáncer. Se necesita más investigación para saber de seguro, así que manténgase al tanto.

■ ■ ■ ■ *Rincón del cocinero* ■ ■ ■ ■

Escoja los bulbos que son firmes, grandes y compactos. Ellos deberían ser un poco brillosos con un color un poco verde o blanco, no secos con rajas o áreas marrones. Los mejores tallos también tienen hojas verdes y plumosas.

Consiga un mejor valor. Escoja los bulbos más grandes y desperdiciará menos durante la preparación.

Recorte los tallos de hinojo desde la base, envuelva cada uno aparte en papel plástico y guárdelos en el refrigerador por hasta cuatro días.

Prepare los bulbos perfectamente. Recorte una rebanada fina de la parte inferior del bulbo. Hale la capa externa del bulbo y tírela. Rebane el resto horizontalmente o verticalmente, o píquelo antes de usarlo. Añada el bulbo de hinojo o las rebanadas de tallos a las ensaladas, los sándwiches, las sopas o los platos de pollo, salmón o pescado. Saltee o cocínelo al vapor como un plato acompañante.

Ajo

■ ■ ■ ■ ■ ■

Sabroso bulbo alumbra el camino a una mejor salud

Según la leyenda, la primera huelga laboral fue causada por una escasez de ajo en el antiguo Egipto. Cuando los constructores de las pirámides se enteraron que su porción diaria de ajo iba a ser reducida, ellos simplemente se rehusaron a trabajar. Así de importante era el ajo.

Hoy día los científicos están empezando a ver por qué. Ellos han descubierto un equipo de compuestos protectores de la salud, incluyendo el ajoeno, el sulfuro de dialilo (DAS), el bisulfuro de dialilo (DADS) y el trisulfuro de dialilo (DATS). Investigaciones sugieren que éstos podrían ayudar a defenderle del cáncer, los paros cardiacos y más. Esta hierba hasta ha sido llamada la "penicilina rusa" gracias a su poderes anti-infecciosos contra las bacterias que causan infecciones respiratorias y digestivas. De hecho, el ajo no solamente mata bacterias, pero también virus y hongos infecciosos.

Así que tome una clave de esos constructores de las pirámides en huelga e insista en una porción diaria de ajo. Usted hallará bulbos frescos en su supermercado—cada uno contiene hasta 24 dientes dedicados a mantenerle saludable. Sólo recuerde, verifique con su médico antes de añadir más ajo a su dieta si usted toma saquinavir o diluyentes sanguíneos como la warfarina. El ajo podría interactuar con estos medicamentos.

Defienda su corazón jugando sabiamente. Sólo porque un estudio reciente reportó que el ajo no ayuda a reducir el colesterol, no significa que el ajo no tiene nutrientes que ayudan a proteger su corazón. Además, varios expertos insisten que es demasiado temprano para darse por vencido con el ajo. A continuación tiene tres razones de por qué usted tampoco debería darse por vencido con el ajo.

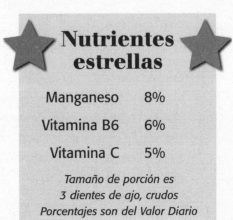

Nutrientes estrellas

Manganeso	8%
Vitamina B6	6%
Vitamina C	5%

*Tamaño de porción es
3 dientes de ajo, crudos
Porcentajes son del Valor Diario*

- Estudios muestran que el ajo diluye la sangre y así ayuda a evitar los coágulos en su torrente sanguíneo. Esta es una buena noticia porque los paros cardiacos frecuentemente son causados por un coágulo de sangre que bloquea el flujo de sangre a su corazón.

- La vitamina C en el ajo también podría ayudar a evitar que las arterias se bloqueen. Dentro de sus vasos sanguíneos, moléculas dañinas llamadas radicales libres pueden atacar a su colesterol LDL y crear una placa que puede obstruir la arteria. Con el pasar del tiempo, esa placa podría crecer suficiente para bloquear el flujo de sangre a su corazón y causar un paro cardiaco. Usted puede darle a sus arterias el equivalente de un estregón naturalmente de la siguiente forma. La vitamina C ayuda a proteger a su colesterol LDL de los ataques de los radicales libres. Además ella podría reducir la rigidez de sus arterias y evitar que las plaquetas se aglomeren, de manera que es menos probable que se acumule la placa. Pero el ajo no puede darle toda la vitamina C que necesita, así que obtenga más de ella de los pimientos dulces y las fresas.

- Estudios recientes sugieren que una pequeña deficiencia en vitamina B6 podría aumentar su probabilidad de enfermedad coronaria—uno de los factores de riesgo para un paro cardiaco. Comer más ajo puede ayudarle a aumentar sus niveles de B6 en su dieta. Aumente su B6 aún más mezclando el ajo con otros alimentos que contienen vitamina B6, como la salsa marinara o las papas majadas.

Estudios sugieren que el ajo también podría mejorar la hipertensión, el endurecimiento de las arterias y aún más, pero se necesita más investigación para estar seguros. Mientras tanto, siga disfrutando del ajo y manténgase al tanto de los resultados más recientes.

■ ■ ■ ■ ■ **Aumente los beneficios** ■ ■ ■ ■ ■

Cocinar puede reducir los beneficios del ajo, pero usted puede recuperar algunos de ellos. Investigaciones han mostrado que el aplastar los ajos antes de cocinarlos ayuda a retener más alicina que promueve la salud y otros compuestos que ayudan a evitar que su sangre coagule. Para resultados aún mejores, deje al ajo reposar por 10 a 15 minutos después de aplastarlo y luego cocínelo.

Halle un "diente" de protección contra el cáncer. Vea esto. Después de estudiar a más de 25,000 personas en Italia y Suiza, investigadores hallaron que aquellos que comían la mayor cantidad de ajo redujeron su riesgo de cinco tipos diferentes de cáncer. En otras palabras, añadir más ajo a su dieta podría ayudar a evitar el cáncer de la boca, del esófago, de la laringe, del riñón y del colon. El ajo contiene compuestos que podrían evitar el daño a su ADN y por lo tanto detener el cáncer antes que éste comience. Así que busque más encuentros con los ajos y vea lo que éste puede hacer por usted.

Respire mejor con la ayuda del ajo. El asma, el enfisema y la bronquitis crónica pueden hacer difícil el respirar, pero usted puede tomar medidas para evitar esos problemas. Investigaciones han mostrado que las personas que consumen la menor cantidad de vitamina C y manganeso tienen mayor probabilidad de desarrollar problemas respiratorios asociados con el asma. Otro estudio halló que las dietas ricas en vitamina C podrían proteger contra el enfisema y la bronquitis crónica. Afortunadamente, el ajo puede ayudarle a añadir un poco de vitamina C y manganeso a su dieta al mismo tiempo. El saltear el ajo en aceite podría ayudar aún más porque esto produce viniliditiinas, compuestos que ayudan a abrir sus vías respiratorias.

Si los problemas respiratorios son parte de su vida, ciertamente no puede estar mal comer más ajo. Pero para mejores resultados aumente su manganeso y vitamina C de otras fuentes también, como las piñas, las frutas cítricas, el quingombó, los pimientos dulces y el arroz.

■ ■ ■ ■ *Rincón del cocinero* ■ ■ ■ ■

Elija un mejor bulbo. Escoja ajo fresco con la piel seca y en bulbos firmes y grandes. Evite los dientes de ajo que se sientan blandos, esponjosos o arrugados y los ajos de la sección de hortalizas refrigeradas. La humedad daña al ajo.

Guarde el sabor. Almacene las cabezas de ajo sin pelar en un lugar fresco, seco y oscuro por hasta dos meses. Si usted refrigera el ajo, úselo dentro de tres días.

Aplaste sus dientes. Antes de pelar el ajo, aplaste un solo diente de ajo con el lado plano de un cuchillo ancho, o péguele a varios dientes con la parte de abajo de un sartén. Entonces podrá quitar las cáscaras con facilidad. Esto también aplasta el ajo, lo que ayuda a preservar los nutrientes al cocinarlo.

Puerros

■ ■ ■ ■ ■ ■ ■ ■ ■ ■ ■ ■

Héroe olvidado tiene sorprendente poder

Los poderes protectores de los puerros han sido famosos por siglos. El emperador romano Nerón comía puerros diariamente para proteger su voz de canto. Una superstición más moderna dice que los puerros también le protegen de los rayos. Y gracias a su alto contenido del mineral manganeso, los puerros también le ayudan a defenderse contra la osteoporosis y el asma.

Para hallarlos en su supermercado, busque una clase de cebollín grande con casi nada de bulbo. Sus hojas planas verde oscuras están sobre un tallo que va de verde a blanco. Estos tallos son comestibles. Su sabor es parecido a las cebollas, pero más suave y más dulce. Los pequeños puerros bebés son aún más pequeños, más dulces y más tiernos. Usted podría hallar los puerros chinos y los puerros silvestres, también conocidos como rampas. Ellos tienen un sabor más fuerte.

Escudos de hierro contra el peligro del alzheimer. Su riesgo de alzheimer podría ser más alto si usted no recibe suficiente hierro. Nuevas investigaciones muestran que hasta una deficiencia leve

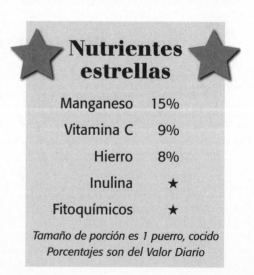

Nutrientes estrellas

Manganeso	15%
Vitamina C	9%
Hierro	8%
Inulina	★
Fitoquímicos	★

*Tamaño de porción es 1 puerro, cocido
Porcentajes son del Valor Diario*

podría afectar la habilidad de la mujer de procesar información rápidamente. Además, estudios anteriores sugieren que la deficiencia de hierro podría ser uno de los factores que causan que las células del cerebro envejezcan y mueran.

Aunque se necesita más investigación del hierro y el riesgo de alzheimer, el hecho es que los adultos mayores tienen una mayor probabilidad de tener deficiencia de hierro. Al añadir puerro y otros alimentos ricos en hierro a su dieta usted puede comenzar a obtener más de este importante mineral inmediatamente. Sólo recuerde hablar con su médico primero si usted toma suplementos de hierro o una multivitamina que contiene hierro. Una sobredosis de hierro puede reprimir su sistema inmunológico y quizás aumente su riesgo de cáncer. Vaya a la segura y reciba su hierro de su comida a menos que su médico recomiende lo contrario.

■ ■ ■ ■ ■ **Aumente los beneficios** ■ ■ ■ ■ ■

Para introducir más puerros a su dieta, use los puerros picados en los salteados, los guisos, las salsas para pastas o las sopas. O saltee sus puerros y mézclelos en las papas majadas.

Sorprendente nutriente podría ayudar con la diabetes. La inulina podría ser el mejor pequeño nutriente que usted nunca ha escuchado, especialmente si usted tiene diabetes tipo 2. La inulina es una fibra dulce insoluble que usted obtiene naturalmente de los puerros. Pero lo que hace a la inulina emocionante es esto—los científicos han hallado evidencia que ésta podría ayudar a reducir la glucemia.

Los puerros son una buena fuente de esta fibra soluble, lo cual podría también ayudar a proteger contra el cáncer del colon, el cáncer de la mama, la diarrea, la enfermedad infecciosa del intestino y hasta del colesterol alto. Así que no simplemente añada más puerros a su dieta. Usted también recibirá inulina adicional de las cebollas, las bananas, el ajo y el espárrago.

Los puerros previenen el cáncer de la boca y más. Investigación fascinante de Harvard ha hecho un descubrimiento improbable. La vitamina C de los alimentos ayuda a evitar el cáncer de la boca pero los suplementos de vitamina C no. Los investigadores sospechan que la vitamina C podría no ser el único nutriente en los alimentos que vence al cáncer.

En el caso de los puerros, ellos seguramente están correctos. Los puerros contienen algunos de los mismos poderosos fitoquímicos que combaten el cáncer que hacen famoso al ajo. Tome el sulfuro de dialilo (DAS), por ejemplo. El DAS podría bloquear las enzimas peligrosas que convierten a las sustancias inofensivas en compuestos que ayudan a desencadenar el cáncer. El DAS también podría promover la muerte de células cancerosas existentes. Puede que los puerros no contengan tanto DAS como el ajo, pero aún así ellos ayudan a proteger su cuerpo contra varios tipos de cáncer. Mejor aún, los puerros no le darán un caso de "aliento de ajo" después de comerlos.

Encima de eso, los puerros contienen otro fitoquímico combatiente de cáncer—kaempferol. El kaempferol es un pigmento nutritivo amarillo que tiñe los alimentos y las flores. Éste también podría ayudarle a mantenerse saludable. En un estudio de más de 60,000 mujeres, aquellas que tuvieron el consumo más alto de kaempferol tuvieron un riesgo 40% menor de cáncer del ovario comparadas con aquellas con el consumo más bajo. Si le gustaría obtener porciones adicionales de kaempferol, disfrute el brócoli, el té, las cebollas, los arándanos azules, la col rizada y la espinaca.

■ ■ ■ ■ *Rincón del cocinero* ■ ■ ■ ■

Busque los puerros con la porción más grande de blanco y verde claro. Evite aquellos que están amarillentos, marchitándose, tienen fondos redondos o están blandos.

Almacene los puerros—sin cortar ni lavar—envolviéndolos en papel toalla húmedo y guárdelos en la gaveta de hortalizas del refrigerador por hasta una semana.

Recorte los tallos verde oscuros y las raíces. Corte la porción restante a lo largo. Separe las tiras resultantes y lávelas debajo de un chorro de agua fría. Remueva la capa más externa antes de comerlos o cocinarlos.

Renueve la cocina vieja. Use los puerros en cualquier receta que usaría cebollas o espárragos.

Champiñones portobello

Alimento rastrero edifica su salud

Hace miles de años, las personas creían que los champiñones eran plantas mágicas creadas por rayos. Y, aunque los champiñones son una clase de hongos, éstos eran valorados por los nobles de las sociedades antiguas y a las clases más bajas no se les permitía comerlos.

Pero esa restricción simplemente no podía durar. Las esporas de los hongos se multiplican como loco, así que los champiñones han sido cosechados en cuevas y en bosques por varios siglos. Hoy día, los champiñones como el shiitake, el maitake, el blanco y el portobello son más fáciles de hallar en los mercados, los menús y en la cocina doméstica. Usted hasta puede ordenar las "tapas" de portobellos asadas a la parrilla en un delicioso sándwich en algunos restaurantes. Sólo recuerde esto, recoger los champiñones afuera es peligroso porque muchos de ellos son venenosos, así que vaya a la segura y recoja los suyos en el supermercado.

Coma champiñones para el deleite de su corazón. Los champiñones portobellos proveen dos nutrientes vitales que podrían ayudarle a escapar los paros cardiacos y apoplejías.

Riboflavina. Ésta no es conocida como una estrella del corazón, pero no sea engañado; puede proteger su corazón tras bastidores de la siguiente forma. Los expertos creen que niveles elevados del aminoácido homocisteína pueden

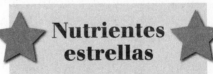

Nutrientes estrellas

Niacina	36%
Riboflavina	34%
Selenio	31%
Cobre	30%
Beta glucano	★
Ergotioneina	★

Tamaño de porción es 1 taza, asado
Porcentajes son del Valor Diario

dañar y estrechar sus arterias, lo cual podría aumentar su riesgo de paro cardiaco y apoplejía. Las vitaminas B6, B12 y el folato ayudan a reducir los niveles de homocisteína y la riboflavina parece ayudar a estas vitaminas a hacer su trabajo.

Estudios recientes confirmaron que las vitaminas B reducen la homocisteína, pero sorprendentemente, estos niveles reducidos no resultaron en menos problemas cardiacos. Investigadores ahora creen que la homocisteína simplemente podría ser un marcador de la enfermedad cardiaca, no una causa. Ellos ya no recomiendan el suplementarse con altas dosis de vitaminas B para proteger su corazón, pero creen que una dieta rica en estas vitaminas podría proveer algún beneficio.

Beta glucano. Los champiñones portobello podrían ayudar a reducir su nivel de colesterol. Ellos contienen una alta cantidad de beta glucano, una fibra soluble que es particularmente buena extrayendo el colesterol de su cuerpo. La avena es famosa por su contenido de beta glucano, pero los portobellos son una manera deliciosa de ayudarle a obtener las porciones adicionales recomendadas por la Administración de Drogas y Alimentos.

■ ■ ■ ■ ■ **Aumente los beneficios** ■ ■ ■ ■ ■

No tenga miedo de probar un champiñón exótico como el shiitake. Esta pequeña belleza tiene aún más del antioxidante ergotioneina que los champiñones portobello y además tiene una cantidad anormalmente alta de vitamina D. Sólo 3.5 onzas de shiitakes disecados le proveen 1,600 UI de vitamina D—cuatro veces lo que usted necesita en un día. Los científicos han descubierto que la vitamina D ayuda a su cuerpo de muchas maneras además de ayudar a desarrollar sus huesos y la mayoría de las personas no consumen suficiente de ella. Pruebe los champiñones shiitakes y usted disfrutará de un sabor tentador y humeante que le dará a sus platos un empujón de sabor al igual que de nutrición.

Reduzca el riesgo de cáncer con "cocina cavernícola". Puede que los champiñones portobello no parezcan combatientes del cáncer, pero estos residentes de las cuevas proveen cuatro poderosos nutrientes para ayudarle a mantenerse libre de cáncer.

Pruebe una variedad para mejor salud

Los portobellos no son el único champiñón que puede ayudarle a mantenerse saludable.

Comer más champiñones blancos podría ayudarle a aumentar su inmunidad y desarrollar protección adicional contra el cáncer y los virus, según sugiere un nuevo estudio en animales. Mientras tanto, otros estudios en animales y de laboratorio sugieren que un poco menos de una taza al día podría ayudarle a controlar el estrógeno y evitar el cáncer de la mama.

Un pequeño estudio en humanos sugiere que el comer unos cuantos champiñones shiitake frescos o disecados cada día podría ayudar a reducir su colesterol por hasta un 12 por ciento—gracias a un nutriente de los champiñones llamado eritadenina.

Pruebas de un extracto de otro nutriente de los shiitake—el lentinano—revelan noticias emocionantes. No sólo es el lentinano un potencial refuerzo para el sistema inmunológico, sino que éste también se ve prometedor contra el cáncer.

Los portobellos le proveen bastante niacina (vitamina B3) al igual que el tremendo poder antioxidante de un nutriente llamado ergotioneina. Según un estudio europeo, comer más niacina y antioxidantes podría reducir su riesgo de los mortales cánceres del esófago, de la boca y de la garganta por hasta un 40 por ciento.

Varios estudios también sugieren que la vitamina D adicional podría ayudar a protegerle del cáncer de la mama, cáncer del colon y más. Los champiñones son la única fuente no animal de vitamina D, así que son un buen lugar por donde comenzar.

Como si eso no fuera suficiente, los portobellos también proveen una explosión de selenio. Investigaciones sugieren que las personas que no reciben suficiente selenio tienen un mayor riesgo de varios tipos de cáncer. Aún más, los hombres podrían estar en mayor peligro que las mujeres debido a su riesgo de cáncer de la próstata. Afortunadamente, comer alimentos ricos en selenio como los champiñones portobello podría reducir su probabilidad de cáncer y mantenerlo seguro.

Manera sabia de fortalecer su sistema inmunológico. Consuma más champiñones y usted podría evitar enfermarse. Eso es porque los champiñones portobello proveen cobre para combatir infecciones y ergotioneina para promover la salud.

Aunque usted no necesita mucho cobre de los alimentos, usted no quiere quedarse corto tampoco. Estudios muestran que la deficiencia de cobre podría evitar que su sistema inmunológico funcione correctamente, y estudios en animales sugieren que usted sería más vulnerable a infecciones si no recibe suficiente de él.

Los hongos que aman la sombra también son una fuente principal de ergotioneina y otros poderosos antioxidantes. Aunque usted no lo crea, los champiñones cargan más poder antioxidante que los tomates, las zanahorias o los pimientos verdes, dándole a usted una mejor oportunidad de evitar enfermedades crónicas como el alzheimer, el cáncer y el endurecimiento de las arterias.

■ ■ ■ ■ *Rincón del cocinero* ■ ■ ■ ■

■ Escoja champiñones con topes esponjosos y blandos. Evite los champiñones con puntos negros o cualquiera que se vea marchito, descolorido, húmedo o resbaloso.

■ Guarde los champiñones sin lavar en una bolsa de papel o envueltos en papeles toallas por hasta tres días. Los champiñones disecados podrían guardarse por varios meses.

■ Para limpiar los champiñones, simplemente límpielos con un papel toalla húmedo. Nunca remoje ni sumerja los champiñones frescos en agua. Usted puede enjuagarlos rápidamente si están muy sucios. Para reconstituir los champiñones disecados, remójelos en agua tibia por 20 a 30 minutos.

Lechuga romana

■ ■

Superestrella nutricional se esconde detrás de una humilde hoja

Los antiguos romanos solían comer la lechuga como un postre. Pero después que una "receta" de lechuga romana ayudó al César Augusto a recuperarse de una enfermedad seria, él edificó una estatua para honrar la lechuga romana por sus poderes curativos.

Quizás él tenía la idea correcta. La lechuga romana es mucho más nutritiva que la lechuga iceberg que la mayoría de las personas comen. Por ejemplo, la lechuga romana tiene casi tres veces la cantidad de vitamina K que la iceberg. Esa vitamina K adicional podría ayudarle a evitar problemas debilitantes como la osteoporosis y la osteoartritis.

La lechuga romana también está cargada con otros nutrientes, así que pruébela dondequiera que usaría la lechuga iceberg. Usted podría quedar gratamente sorprendido de cómo ésta puede hacer que un plato bueno sea aún mejor. Y no se olvide que la lechuga romana es un requisito imprescindible para una ensalada César realmente tentadora.

Dele un mordisco a un combatiente del asma. Pruebe una hoja y podría evitar los síntomas del asma. Un estudio de mujeres francesas reveló que aquellas que comieron la mayor cantidad de lechuga, espinaca y otros vegetales de hoja verde tuvieron una probabilidad un 22 por ciento menor de tener asma. La vitamina A podría ser la razón. Ésta no sólo se encuentra tanto en la lechuga como en la espinaca, sino que esta vitamina vital también defiende su sistema inmunológico y protege el revestimiento de sus pulmones. Aún mejor, si usted elije la lechuga romana en vez de la lechuga iceberg común, usted obtendrá casi ocho veces más vitamina A.

Pero la vitamina A no es el único nutriente que combate el asma en la exquisita lechuga romana. Esta potente verdura

Nutrientes estrellas

Vitamina K	60%
Vitamina A	55%
Vitamina C	19%
Folato	16%

Tamaño de porción es 1 taza, rallada
Porcentajes son del Valor Diario

97

también provee cantidades saludables de vitamina C y manganeso. Un estudio británico halló que las personas que consumían más vitamina C y manganeso tenían una probabilidad menor de desarrollar síntomas de asma.

Al igual que con la vitamina A, el escoger la lechuga romana por encima de la iceberg puede ayudar. La lechuga romana tiene seis veces más vitamina C que la lechuga iceberg. Para añadir manganeso adicional, añada a su lechuga zarzamoras o trozos de piña.

■ ■ ■ ■ ■ Aumente los beneficios ■ ■ ■ ■ ■

Ordene una ensalada del chef en un restaurante de cadena y usted recibirá el doble de las calorías y los gramos de grasa que una hamburguesa doble de un establecimiento de comida rápida. Así que cuando usted vaya al bar de ensalada, siga estos consejos para evitar un sabotaje a su salud y en cambio crear una deliciosa y saludable ensalada.

- Use el queso parmesano en lugar del queso cheddar o el queso feta.
- Cambie los trozos de tocineta por semillas de girasol.
- Escoja lechuga romana u otro vegetal de hoja verde en lugar de la lechuga iceberg.
- Use los aderezos bajos en grasas o sin grasas en vez de las versiones de grasa entera.
- Enfatice los alimentos como los garbanzos, las zanahorias, las remolachas. los champiñones, el brócoli, la coliflor y los tomates.
- Evite los cuscurros, los fideos chinos o cualquier otra cosa que contenga aceite o mayonesa.

Derribe el riesgo de alzheimer con una ensalada. Puede que usted no piense de la lechuga romana como "comida para el cerebro", pero investigaciones de la Escuela de Medicina de Harvard sugieren que podría serlo. En un estudio de más de 13,000 mujeres, aquellas que comieron la mayor cantidad de lechuga romana y otros vegetales de hoja verde sufrieron menos deterioro en sus capacidades mentales que las mujeres que comieron menos.

Los investigadores creen que el honor le toca a uno de los nutrientes poderosos de la lechuga romana—el folato, una vitamina B que ha reducido el riesgo de alzheimer en otros estudios. El folato suprime los niveles del aminoácido homocisteína en la sangre. Esto es importante porque estudios en animales y de laboratorio sugieren que los niveles altos de homocisteína podrían tener efectos tóxicos en las células de su cerebro. Ésta también podría causar que su riesgo de alzheimer aumente exorbitantemente.

También, asegúrese de obtener suficiente vitamina B12 junto con su folato o podría aumentar su riesgo de daño a las células del cerebro. Los adultos mayores tienen mayor probabilidad de estar deficientes de vitamina B12. Su médico podría verificar si usted tiene una deficiencia de vitamina B12. Mientras tanto, obtenga más B12 de alimentos como el pescado, el pollo, los huevos, las carnes rojas magras y la leche y el queso bajos en grasa. Para folato adicional, disfrute de bastante lechuga romana y pruebe alimentos como el arroz, las lentejas y el cereal fortificado.

Elimine los dolores de hambre y pierda las libras. Comer lechuga podría ayudarle a perder peso sin sentirse con hambre todo el tiempo y éste es el por qué. Los alimentos bajos en calorías pueden hacerle sentirse lleno si también tienen un alto contenido de agua. Y cualquier tipo de lechuga que usted pueda imaginar es al menos 90 por ciento agua.

Esto podría sonar como cualquier reclamo dudoso de una dieta, pero la ciencia sugiere que de verdad funciona. Un estudio halló que el tomar agua antes de una comida redujo el número total de calorías que los adultos mayores escogieron comer. El agua también les ayudó a sentirse más llenos. Otro estudio halló que una ensalada grande y baja en calorías puede tener los mismos efectos reductores de calorías sobre una comida entera. Así que si está luchando con la pérdida de peso, por qué no prueba un aperitivo de ensalada bajo en calorías. Usted no tiene nada que perder aparte de las libras y las pulgadas.

Escoja lechuga de mayor poder para mantenerse saludable

La lechuga que usted escoge para su ensalada puede hacer una gran diferencia en cuánta nutrición usted recibe. Mire a los números para una taza de cada clase de lechuga por su cuenta. Tenga en mente que el porcentaje es del Valor Diario.

Nutriente	Iceberg	Romana	Boston/ Bibb	Hoja roja	Radicchio	Rúcula
Vitamina A	7%	55%	36%	42%	0%	10%
Vitamina C	3%	19%	3%	2%	5%	4%
Vitamina K	22%	60%	70%	49%	128%	28%
Folato	5%	16%	10%	3%	6%	4%
Manganeso	4%	4%	5%	3%	3%	4%
Potasio	3%	3%	4%	1%	3%	2%
Hierro	2%	3%	4%	2%	1%	2%

▪ ▪ ▪ ▪ *Rincón del cocinero* ▪ ▪ ▪ ▪

Busque hojas muy verdes, crujientes y sin agujeros. Las hojas externas deberían doblarse hacia el exterior. Evite las costillas grandes, blancuzcas y las cabezas con toques de moho.

Lávelas completamente y escúrralas o séquelas. Guarde la lechuga romana sin lavar en una bolsa en el refrigerador por hasta una semana. Manténgala bien alejada de la frutas como las manzanas, las bananas y las peras.

Coloque su lechuga en el congelador por dos minutos antes de comerla o servirla si ésta parece estar un poco menos crujiente de lo que desearía.

Úsela en ensaladas César, ensaladas regulares y en los sándwiches. Las hojas de lechuga también son el deleite de aquellos que les gusta envolver sus comidas, así que envuélvala alrededor de los vegetales o de cualquier combinación de ingredientes para sándwich.

Colinabo

▪ ▪ ▪ ▪ ▪ ▪ ▪ ▪ ▪ ▪ ▪ ▪ ▪ ▪

Sobrecargue su salud con un curioso vegetal

Puede que usted no piense de los colinabos como una comida de días de fiesta, pero eso es exactamente lo que son en Escocia. De hecho, los colinabos son los "nepes" del plato escocés "tatties and nepes", un plato tradicional servido durante la Noche de Burns, un día de fiesta de Escocia.

Puede que usted también se sorprenda al aprender que los colinabos son miembros de la familia de los repollos que combaten el cáncer. Este vegetal poco conocido es un cruce entre un repollo y un nabo. Como resultado, el colinabo parece una versión extra grande de un nabo. Pero no sea engañado.

Los colinabos saben más dulces que los nabos, así que planifique correctamente cuando los usa en su cocina.

Gánele a la diverticulosis con la fibra. Puede que usted no piense en los colinabos cuando las personas hablan de "ganar volumen", pero ahora sí lo hará. Los colinabos tienen bastante fibra para ayudarle a escapar la diverticulosis—o evitar que se convierta en una diverticulitis dolorosa. Ésta es la forma como funciona.

El estreñimiento causa alta presión en su colon, lo cual puede crear lugares débiles o bolsos llamados divertículos. Es aquí donde la fibra ayuda, aliviando la presión, ya que ablanda y aumenta el volumen de su materia fecal, y así permite que las cosas se mantengan en movimiento. Esto podría evitar que se formen nuevos divertículos o incluso prevenirlos desde el comienzo. De hecho, un estudio halló que los hombres que comieron la mayor cantidad de fibra tenían una probabilidad 42 por ciento menor de desarrollar diverticulosis comparados con los hombres que comieron poca fibra.

Así que si usted es mayor de 60 años, considere añadir más de dos elementos a su dieta. Primero, añádale más fibra a sus comidas. Los colinabos son un buen lugar para comenzar. Otras buenas opciones incluyen los frijoles, los dátiles y los cereales de desayuno de granos integrales. En segundo lugar, beba mucha agua y añada la fibra gradualmente para que pueda evitar los efectos secundarios desagradables, como el gas y la distensión abdominal. Tome estos pasos y usted ayudará a evitar la diverticulosis o evitar que ésta empeore.

Coma los colinabos para evitar los problemas respiratorios. Casi 10 millones de personas son diagnosticadas con enfisema o bronquitis crónica cada año. Si usted quiere mantener sus pulmones saludables, disfrutar de más colinabos podría ayudar.

Investigaciones de la Universidad de Nottingham en Inglaterra sugieren que las personas que obtienen más vitamina C y magnesio de sus dietas tienen pulmones más saludables. Además, las personas que comen más vitamina C pierden significativamente

Nutrientes estrellas

Vitamina C 53%

Potasio 16%

Fibra 12%

Indoles y otros ★
fitoquímicos

*Tamaño de porción es 1
taza de cubos cocidos
Porcentajes son del Valor Diario*

menos función pulmonar con el pasar del tiempo. Esto podría reducir su riesgo de problemas respiratorios por enfisema o por bronquitis crónica.

Para recibir más vitamina C y magnesio, comience con el colinabo. Asegúrese de también ronzar con otras fuentes principales de vitamina C como los pimientos dulces, las naranjas, las fresas, el brócoli y el kiwi. Para magnesio adicional, considere los frijoles negros, el halibut, la espinaca y los frijoles blancos.

Cierta evidencia indica que las personas que tienen deficiencias en nutrientes como el potasio y la vitamina C también tienen un mayor riesgo de perder función pulmonar y de tener dificultades para respirar. Los colinabos ayudan a evitar una deficiencia en cualquiera de estos nutrientes. Usted añadirá potasio adicional si disfruta de los colinabos con una papa asada, frijoles lima o calabaza de invierno o si come una banana o unos dátiles para el postre.

■ ■ ■ ■ ■ **Aumente los beneficios** ■ ■ ■ ■ ■

Introduzca el colinabo cortado en cubos en sus guisos, sopas o estofados, o añada el colinabo crudo rebanado o rallado a las ensaladas. Los colinabos también pueden majarse después de cocinarlos y luego mezclarse con las papas majadas. Si estos trucos no convierten a aquellos en su hogar que odian los colinabos o si los colinabos aún no le saben bien, intente cocinarlos al vapor u hornearlos y luego májelos con mantequilla y canela.

Reduzca su riesgo de cáncer. Estos días parece que casi todo causa cáncer. Probablemente usted se siente como si su cuerpo necesitara un equipo de vigilantes a todas horas para constantemente buscar y detener posibles amenazas. Afortunadamente, eso es exactamente lo que los colinabos hacen. Estos vegetales vienen equipados con su propio equipo de fuerzas tácticas de fitoquímicos combatientes del cáncer y esto es lo que ellos pueden hacer por usted.

■ *Sulforafano.* El antioxidante promedio deja de funcionar en el momento que neutraliza una molécula causante del cáncer en su cuerpo, pero el fitoquímico sulforafano desencadena una defensa que dura todo el día con las enzimas de fase 2 de desintoxicación. Estas enzimas animan a su sistema inmunológico a cazar los compuestos causantes de cáncer y a removerlos de su cuerpo.

- *Indol-3-carbinol.* Otro fitoquímico, llamado indol-3-carbinol (I3C), también eleva su conteo de enzimas de fase 2. Pero el I3C también ayuda a evitar que el estrógeno de su cuerpo se convierta en un compuesto cancerígeno. Algunos estudios en animales sugieren que el I3C podría aumentar su riesgo de cáncer si proviene de suplementos, así que obtenga su I3C de alimentos sabrosos como el colinabo.

- *Ditioletiona.* El fitoquímico ditioletiona podría ser difícil de pronunciar, pero el mismo es fuerte contra el cáncer. Éste no sólo puede ayudar a destruir los compuestos cancerígenos, sino que también a detener el crecimiento de las células cancerosas. Además, nuevas investigaciones animales sugieren que la ditioletiona acelera su sistema inmunológico, permitiéndole combatir el cáncer aún más eficientemente.

- *Isotiocianatos.* Un grupo de fitoquímicos llamados isotiocianatos ayudan a aumentar el conteo de antioxidantes en su cuerpo. Además, tanto el I3C y los isotiocianatos ayudan a destruir los compuestos cancerígenos que usted podría obtener de los alimentos u otras fuentes. Desafortunadamente, algunos causantes del cáncer podrían aún introducirse en su cuerpo. Una vez ahí, ellos pueden dañar su ADN, lo que podría convertir las células normales en cancerosas. Pero los indoles y los isotiocianatos se mantienen en espera para ayudar a evitar el daño al ADN y mantenerle seguro.

Cuándo evitar los colinabos

Los colinabos no son seguros para todos. Si usted tiene diabetes, los colinabos podrían elevar su glucemia, gracias a su rango alto en el índice glucémico. Si usted tiene problemas de la tiroides, esté consciente que los colinabos contienen goitrogenas, químicos naturales que interfieren con sus hormonas de la tiroides y niveles de yodo. Los colinabos también tienen altos niveles de oxalatos que pueden desencadenar cálculos renales, además de otros compuestos que podrían causar problemas renales.

Si usted tiene problemas de la tiroides, de los riñones o diabetes, hable con su médico antes de comer colinabos. Él le podrá decir si usted debería evitar los colinabos o meramente limitar la cantidad que come de ellos.

Rincón del cocinero

Escoja colinabos firmes y lisos, sin grietas, arrugas ni puntos blandos. Éstos deberían sentirse pesados para su tamaño y estar casi libres de raíces en su base.

Antes de cocinar los colinabos, estréguelos debajo de un chorro de agua fría. Recorte su parte superior e inferior. Coloque el lado cortado hacia abajo y córtelo en cuartos. Los colinabos frecuentemente están cubiertos de cera para evitar que se resequen. Así que use un cuchillo de pelar para pelar la cáscara de los cuartos de colinabo antes de cocinarlos o comerlos.

Almacene los colinabos sin lavar en una bolsa plástica por hasta 2 semanas.

Espinaca

Obtenga un golpe nutritivo con una verdura popular

La espinaca nunca fue entregada en alfombras mágicas, pero este nutritivo vegetal probablemente sí tuvo sus comienzos en la antigua Persia. Desde entonces, se ha vuelto popular en todos lados desde China hasta los Estados Unidos. Los árabes hasta llaman la espinaca la princesa de los vegetales.

Puede que ellos tengan la idea correcta. La espinaca está repleta de nutrientes, incluyendo vitamina A, vitamina K, manganeso, folato, vitamina C y los fitoquímicos que protegen la vista, luteína y zeaxantina. Este vegetal de hoja verde también contiene bastante hierro y calcio, pero los oxalatos en la espinaca no permiten que usted absorba mucho de ninguno de ellos. Busque el calcio y el hierro de otros alimentos como los cereales, los productos lácteos y las almejas.

También, esté consciente que ciertas sustancias en la espinaca no son seguras para todos. Si usted tiene cálculos renales, problemas de la tiroides o si usted toma un diluyente sanguíneo como la warfarina, pídale consejo a su médico.

Cómase sus verduras para evitar una apoplejía. Haga de los vegetales de hoja verde, como la espinaca, sus nuevos mejores amigos. Sólo una porción al día reduce su riesgo de enfermedad cardiaca y de apoplejía por un 11 por ciento, según informan los investigadores. Aún más, estas máquinas verdes podrían protegerle incluso si usted llega a tener una apoplejía. Un estudio en animales halló que las ratas que comían dietas enriquecidas con espinacas sufrieron menos daño de una apoplejía que las ratas que no comieron espinaca.

Investigadores sospechan que la espinaca podría ayudar a protegerle de varias maneras. Ésta contiene antioxidantes y compuestos antiinflamatorios que podrían proteger su cerebro de daño. También es rica en folato, una valiosa vitamina B que usted necesita todos los días.

Un estudio reciente descubrió que los suplementos de folato podrían ayudar a reducir su riesgo de apoplejía. Pero un experto advierte que los suplementos podrían aumentar el riesgo de enfermedad cardiaca en algunas personas. No tome suplementos a menos que su médico apruebe. En cambio, quédese con los alimentos repletos de folato como la espinaca, el arroz y los cereales.

Detenga las venas varicosas antes que comiencen. Ni siquiera las estrellas de rock son inmunes a las venas varicosas. Un roquero famoso recientemente admitió luchar contra las venas feas por años antes de tratarlas con cirugía e inyecciones. Pero si usted preferiría evitar el bisturí y la agujas, su mejor opción es prevenir las venas varicosas desde el comienzo.

Afortunadamente, un nuevo estudio en tubos de ensayos sugiere que los suplementos de vitamina K podrían ayudarle a evitar las venas varicosas. Los investigadores creen que la vitamina K podría anular un proceso que causa estas venas. Se necesita más investigación, pero usted puede comenzar comiendo más alimentos ricos en vitamina K. Una taza de crujiente espinaca cruda le provee 181 por ciento del valor diario recomendado para la

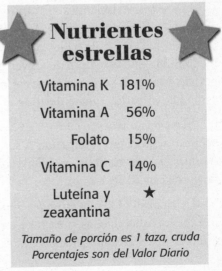

Nutrientes estrellas

Vitamina K	181%
Vitamina A	56%
Folato	15%
Vitamina C	14%
Luteína y zeaxantina	★

Tamaño de porción es 1 taza, cruda
Porcentajes son del Valor Diario

vitamina K. Otras buenas fuentes incluyen la col rizada, la berza y las hojas de nabo. Sólo recuerde, si usted toma warfarina u otro diluyente sanguíneo, no coma alimentos ricos en vitamina K a menos que su médico diga que es seguro.

■ ■ ■ ■ ■ Aumente los beneficios ■ ■ ■ ■ ■

Para obtener más nutrición de la espinaca, úsela rápidamente. La espinaca fresca puede perder tanto como un 54 por ciento de sus carotenoides y un 47 por ciento de su folato durante sus primeros cuatro días de almacenamiento si se deja sin refrigerar. Pero después de ocho días, aun la espinaca refrigerada pierde un 56 por ciento de los carotenoides y un 47 por ciento del folato. Si usted no puede usarla rápido, compre la espinaca congelada.

Y si usted está preocupado por intoxicación alimenticia, un experto de la Universidad de Purdue recomienda la espinaca en bolsa. Es menos probable que ésta se contamine durarte su transporte o en el supermercado. Escoja bolsas etiquetadas como "triplemente lavadas". Para más protección aún, cocine sus espinacas.

Opóngase al peligro de cáncer del colon. Aquí tiene buenas noticias si usted o alguien que usted ama adora la carne roja. La espinaca ayuda a reducir el riesgo de cáncer del colon.

Un estudio holandés en animales descubrió que la espinaca y su clorofila—el pigmento verde de las plantas—pueden ayudar a evitar que el hemo en la carne roja haga cambios causantes de cáncer a su colon. Esto no significa que usted puede volverse loco comiendo carne roja, pero usted podría estar más seguro si comiese más espinaca. Además, la espinaca está cargada con varios nutrientes que le ayudan a resistir el cáncer.

El beta caroteno se convierte en vitamina A en su cuerpo, pero tanto el beta caroteno como la vitamina A son antioxidantes combatientes del cáncer. Además, las dietas ricas en beta caroteno y otros carotenoides reducen el riesgo de cáncer del colon.

La vitamina C en la espinaca ayuda combatir las nitrosaminas, que son sustancias cancerígenas presentes en las carnes y en otros alimentos que usted come. Investigaciones muestran que una deficiencia de vitamina C eleva su riesgo de cáncer, pero el comer grandes cantidades de esta vitamina reduce ese riesgo.

■ ■ ■ ■ *Rincón del cocinero* ■ ■ ■ ■

Apriete la espinaca de bolsa para verificar que tiene una textura esponjosa.

Guarde la espinaca fresca y sin lavar en una bolsa plástica en la gaveta de las hortalizas de su refrigerador por hasta cuatro días. No almacene la espinaca cocida.

Recorte las raíces y separe las hojas. Sumerja la espinaca en un tazón grande de agua a temperatura ambiente. Agítela para soltar la tierra. Reemplace el agua sucia con agua limpia y agite de nuevo. Repita hasta que no se vea tierra en el agua. Sacuda la espinaca cruda en un colador para secarla antes de añadirla a las ensaladas o a los sándwiches.

Recorte los tallos gruesos antes de cocinarla. Los métodos de cocinar rápidos para la espinaca incluyen el saltear, al vapor o al microondas.

Cebolletas

Sabor delicado ofrece protección fuerte

Si el sabor de las cebollas redondas regulares siempre ha sido muy fuerte para usted, pruebe las cebolletas. Ellas tienen un sabor más suave, pero aún tienen suficiente "amarre" para ser deliciosas. Como la mayoría de las cebollas, las cebolletas tuvieron su comienzo en Asia. Pero al contrario del resto de las cebollas, las cebolletas no son redondas. En cambio, sus hojas verdes salen derechas desde una base casi blanca. Tanto la base como la parte superior son comestibles así que asegúrese de buscar estos vivaces vegetales en su supermercado. Sólo recuerde leer las etiquetas, también. Las cebolletas podrían estar etiquetadas como "cebollines" o "escalonas".

Reduzca el dolor de artritis con las cebollas. Los científicos dicen que el dolor de osteoartritis ha existido por tanto tiempo que hasta los dinosaurios lo padecieron. Pero eso no significa que usted tiene que esperar un millón de años para sentirse mejor. Sorprendentes nutrientes hallados en las cebollas podrían ayudarle a sentirse mejor pronto.

A pesar de su reputación por un sabor "con agarre", las cebollas contienen antiinflamatorios—compuestos como la vitamina C, la quercetina y los isotiocianatos—que suprimen las enzimas que desencadenan la inflamación y ayudan a evitar el dolor y la hinchazón. De hecho, investigaciones han mostrado que un consumo elevado de vitamina C puede ayudar a reducir el dolor de rodilla y retrasar el progreso de la osteoartritis.

La vitamina K en las cebollas también ayuda a evitar que sus síntomas empeoren. Un estudio halló que las personas con niveles bajos de vitamina K eran más propensas a los espolones óseos y a otros signos de osteoartritis en su sus rodillas y manos. Afortunadamente, los niveles más altos de vitamina K significaron menos síntomas. Sólo recuerde, si usted toma warfarina u otro medicamento diluyente de la sangre, hable con su médico antes de comer alimentos ricos en vitamina K.

Protéjase contra la enfermedad pulmonar. Aún si usted nunca ha fumado, usted podría estar en peligro de enfisema o bronquitis crónica. Los cocineros, mineros, empleados de restaurantes que trabajan en espacios pequeños o cualquiera que regularmente está expuesto al polvo, al humo u otros contaminantes tienen mayor riesgo. Pero las cebollas pueden protegerle—y ésta es la razón.

Las cebollas son una buena fuente de beta caroteno. Las personas que no fuman y que comen la mayoría de los alimentos ricos en beta caroteno tienen menos pérdida de función pulmonar que las personas que comen menos, según indican las investigaciones. Eso es una buena noticia porque una pérdida de función pulmonar más rápida

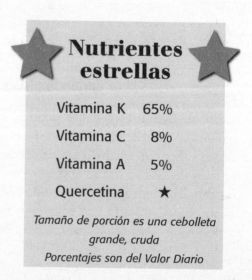

Nutrientes estrellas

Vitamina K	65%
Vitamina C	8%
Vitamina A	5%
Quercetina	★

Tamaño de porción es una cebolleta grande, cruda
Porcentajes son del Valor Diario

podría ser un signo temprano de enfisema o de bronquitis crónica. Así que coma más cebolletas y otros alimentos con beta caroteno, como las zanahorias. Ellos podrían ayudarle a respirar mejor por mucho tiempo.

Una manera sabrosa de evadir el cáncer. Comer más cebollas podría ayudarle evitar cinco tipos de cáncer—incluyendo uno de los más peligrosos. Un estudio europeo halló que las personas que comieron la mayor cantidad de cebollas redujeron su riesgo de cáncer de colon, del ovario, de la boca, de la laringe y el altamente mortal cáncer del esófago.

Pero las cebolletas podrían no ser su mejor alternativa para prevenir el cáncer. Pruebas de la Universidad de Cornell han mostrado que las cebollas dulces no son tan efectivas para combatir el cáncer como las cebollas redondas con el sabor más fuerte. Los investigadores no probaron las cebolletas, así que nadie sabe si ellas tienen más o menos poder para combatir el cáncer que sus primas dulces. Pero no abandone las cebolletas. Estudios sugieren que su beta caroteno puede ayudar a evitar el cáncer del estómago.

Las cebollas también ofrecen otros beneficios. Investigaciones tempranas sugieren que un compuesto de las cebollas llamado propil alil disulfuro puede combatir la alta glucemia. Las cebolletas también pueden ayudar a evitar los coágulos de sangre que causan los paros cardiacos. De hecho, el comer la quercetina en las cebollas, en el té y en las manzanas ha sido asociado con un riesgo menor de paro cardiaco—y su cuerpo podría absorber más quercetina de las cebollas que de otras fuentes. Como si eso no fuera suficiente, las cebollas contienen poderosos compuestos que matan algunas de las bacterias que le enferman.

■ ■ ■ ■ ■ Aumente los beneficios ■ ■ ■ ■ ■

Aunque las cebolletas son un buen comienzo para su consumo diario de las vitaminas C y A, usted necesita otros alimentos para ayudarle a alcanzar las cantidades recomendadas. Los alimentos ricos en vitamina C incluyen las fresas, el coctel de jugo de arándanos agrios, la papaya, el jugo de naranja de concentrado y las coles de Bruselas.

Su cuerpo puede crear vitamina A del beta caroteno, así que coma fuentes excelentes de beta caroteno como las batatas, la calabaza enlatada, la berza, las zanahorias cocidas y las hojas de nabo.

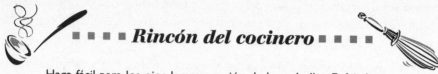

▪ ▪ ▪ ▪ *Rincón del cocinero* ▪ ▪ ▪ ▪

Haga fácil para los ojos la preparación de las cebollas. Enfríe la cebolla antes de picarla y use su cuchillo más afilado.

Almacene las cebolletas en una bolsa plástica en su refrigerador por hasta cinco días. Almacene las cebollas regulares en una bolsa de estopa en un lugar que sea fresco, oscuro y seco. Pero no guarde las cebollas junto con las papas. La humedad de las papas hará que las cebollas se dañen más rápido.

Las mejores cebolletas miden menos de media pulgada de espesor— o sea, más pequeñas que el ancho de una moneda de diez centavos.

Pimientos verdes dulces

Silencie los riesgos médicos con un pimentón

Sólo un pimiento dulce le provee más vitamina C que una naranja entera—35 por ciento más. Estos pimientos en forma de campana también son una fuente rica en vitamina K, un poderoso nutriente que podría ayudarle a evitar las discapacitantes osteoporosis y osteoartritis. Pero eso es sólo el comienzo.

Los pimientos verdes son los adolescentes del mundo de los pimientos. Si ellos se quedan en la planta por mucho tiempo, se convierten en vibrantes pimientos rojos que son aún más dulces. Los pimentones también vienen en naranja, amarillo y púrpura.

Pero no importa cuál tipo de pimiento usted elija, usted hallará maneras tentadoras de comerlos. Usted puede ronzar con pimientos frescos crudos o añadirlos a las ensaladas. Llene un pimiento entero y cocido ligeramente al vapor con arroz pilaf o añada los pimientos picados a los salteos de vegetales, los estofados o las comidas cajunas. Usted hasta puede rostizar los pimientos rojos para añadir sabor picante a la pasta.

Proteja sus dientes con el poder de los pimientos. Los colores brillantes de los pimentones no sólo hacen sus platos más vibrantes. Ellos también proveen dos nutrientes que protegen sus dientes—vitamina B6 y vitamina C.

Un pequeño estudio japonés descubrió que las personas que ingieren más de un grupo particular de nutrientes podrían tener una menor probabilidad de perder sus dientes. La vitamina B6 fue uno de estos nutrientes cruciales y los pimentones le ayudan a obtener más de ella. Otros protectores de los dientes incluyen la vitamina B1, la niacina, la vitamina D y la proteína. Así que por qué no se prepara un poco de salmón sobre un lecho de arroz integral, pimientos verdes picados y tomates. Usted recibirá una comida deliciosa más los nutrientes que sus dientes amarán.

Este plato también provee vitamina C y muchos especialistas de las encías recomiendan la vitamina C para las encías saludables. Estudios sugieren que esta vitamina podría ayudar a evitar la enfermedad de las encías que puede llevar a la pérdida de dientes. La habilidad de la vitamina C de reparar el tejido conectivo en las encías también podría ayudar a proteger sus dientes.

Añada la protección de los pimientos a su artillería contra la artritis.
Las personas que recientemente han desarrollado poliartritis inflamatoria—inflamación en más de una coyuntura—podrían tener una mayor probabilidad de padecer artritis reumatoide, según investigadores británicos. Afortunadamente, el comer pimentones podría ayudar. Un estudio de la Universidad de Manchester halló que las personas que obtenían la menor cantidad de vitamina C de sus dietas tenían tres veces el riesgo de poliartritis inflamatoria. Aunque usted

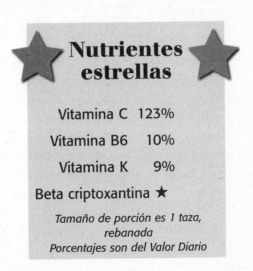

Nutrientes estrellas

Vitamina C 123%

Vitamina B6 10%

Vitamina K 9%

Beta criptoxantina ★

Tamaño de porción es 1 taza, rebanada
Porcentajes son del Valor Diario

puede obtener su vitamina C de la papaya, las fresas y el coctel de jugo de arándanos agrios, no deje que eso le tiente a esquivar los pimientos. Los pimientos verdes y rojos no sólo son una fuente principal de vitamina C, sino que puede que también tengan algo adicional que ofrecerle.

Investigaciones sugieren que las personas que obtienen la mayor cantidad de beta criptoxantina de los alimentos también tienen menos riesgo de poliartritis inflamatoria. Los pimientos verdes proveen una porción de este valioso fitoquímico, pero los pimientos rojos proveen tanto de él que pocos alimentos pueden darle más. Así que introduzca los pimientos rojos en sus comidas cuando pueda. Para obtener más vitamina C y beta criptoxantina, disfrute de las naranjas y del jugo de naranja también.

■ ■ ■ ■ ■ Aumente los beneficios ■ ■ ■ ■ ■

Comparado con los pimientos verdes, los pimientos rojos crudos tienen ocho veces más vitamina A, siete veces más beta caroteno, 70 veces más beta criptoxantina y 28 por ciento más vitamina C. Crudos, los pimientos rojos también le dan licopeno; los pimientos verdes no. Pero los pimientos verdes crudos aún proveen seis veces más luteína y zeaxantina que los pimientos rojos crudos así que cómalos también.

Para obtener la mayor cantidad de vitamina A, alfa caroteno, beta caroteno y la beta criptoxantina de los pimientos, cómalos con aceite de oliva u otra grasa saludable.

Coma estos "dulces" para vencer el cáncer pulmonar. Si usted está preocupado acerca del riesgo de cáncer pulmonar, busque un pimiento dulce y comience a masticar. Investigaciones sugieren que una pasión por los pimientos podría ayudarle a escapar del cáncer pulmonar. El secreto podría ser su vitamina C. Un estudio de 25 años halló que los hombres que obtenían más de 83 miligramos (mg) de vitamina C de los alimentos diariamente, tuvieron un menor riesgo de cáncer pulmonar que los hombres que consumían menos. Usted puede obtener 80 mg de solamente dos tercios de una taza de pimientos verdes picados. Eso debería ser suficiente para hacer los pimientos excelentes, pero hay más. Una revisión de investigaciones halló que la betacriptoxantina también ayuda a reducir la probabilidad de cáncer pulmonar. Los pimientos rojos son ricos en este fitoquímico, así que asegúrese de comer tanto los pimientos rojos como los verdes.

Rincón del cocinero

- Si los pimientos verdes causan eructos e indigestión, quítele la cáscara.

- Guarde los pimientos sin lavar en una bolsa plástica o en la gaveta de las hortalizas en su refrigerador por hasta cuatro días, pero recuerde que los pimientos rojos se dañarán antes que los verdes.

- Antes de cortar un pimiento, sosténgalo con la parte inferior en la palma de su mano y golpee el tallo del pimiento contra el mostrador para soltar el paquete de semillas de adentro. Luego, corte el tallo y corte el pimiento por la mitad y remueva las semillas. Rebánelo o córtelo con la cáscara hacia abajo.

- Lave los pimientos sin cera debajo de un chorro de agua, pero estregue los que sí tienen cera.

Batatas

Descubra las recompensas dulces de la naturaleza

Las batatas son el alimento número uno para una mejor salud según el Centro de Ciencia para el Interés Público. Y no es sorprendente el por qué. Este delicioso tubérculo es tan nutritivo que los colonizadores de la frontera americana dependieron de él para sobrevivir. La batata no sólo les dio minerales vitales, como el potasio y el manganeso, sino que también les dio bastante de las nutritivas vitaminas y fitoquímicos para restaurar los cuerpos y espíritus cansados.

Las batatas también fueron la clave para las dietas de los soldados de la Guerra Revolucionaria, los indios Aztecas de México y los indios Incas de Perú. Cualquier alimento que mantiene a tantas personas activas es demasiado importante para restringirlo al Día de Acción de Gracias, así que disfrute de las batatas todo el año. Ellas son fáciles de hornear y son un delicioso plato acompañante a cualquier comida.

Disfrute de un alimento amigable para la diabetes. Aún si usted tiene diabetes, una batata es un gusto dulce que probablemente usted puede comer. Contrario a las papas blancas regulares, las batatas no tienen un alto índice glucémico. Además, ellas tienen un sabor naturalmente dulce que se vuelve más dulce mientras están almacenadas o al cocinarlas. Un mordisco de ellas y usted estará diciendo "Cuan dulce es" como el comediante Jackie Gleason.

Encima de eso, los científicos han asociado las deficiencias en beta caroteno, vitamina E y vitamina B6 con niveles elevados de glucemia. Aunque las batatas sólo proveen un poco de vitamina E, ellas son una buena fuente de vitamina B6 y están repletas de beta caroteno. Esta nutrición adicional también podría ayudar a controlar su glucemia.

El lado negativo de las batatas es que no son tan bajas en calorías como las papas blancas asadas regulares. Pero aún así usted puede disfrutar de estas delicias si recuerda estas dos reglas. Primero, no llene su batata con ingredientes adicionales altos en grasa o en calorías. Segundo, reste unas cuantas calorías de otra parte de su día para que su conteo de calorías totales no aumente.

Mientras tanto, manténgase al tanto de las cosas porque una batata blanca de las montañas japonesas podría ayudar pronto aún más a las personas con diabetes. Un extracto de esta batata se utiliza para crear un aditivo alimenticio llamado caiapo. Investigadores dicen que tres meses de caiapo ayudaron a reducir tanto el colesterol como la glucemia en las personas con diabetes tipo 2. Así que manténgase al tanto para las noticias más recientes.

Nutrientes estrellas

Nutriente	Valor
Vitamina A	438%
Vitamina C	37%
Manganeso	28%
Vitamina B6	16%
Potasio	15%
Fibra	15%

Tamaño de porción es una mediana, asada
Porcentajes son del Valor Diario

Arme su cuerpo con combatientes naturales contra las úlceras. Una dieta rica en fibra no solo reduce drásticamente su probabilidad de padecer de una úlcera, pero esa misma fibra también podría ayudarle a una úlcera a sanar más rápido si ya tiene una. Para la mayor protección de la fibra, elija productos deliciosos como la batata. Su vitamina A las hace aún más efectivas.

Su vitamina C no son "papas pequeñas" tampoco. Un estudio sugiere que las personas con niveles sanguíneos bajos de vitamina C tienen mayor probabilidad de ser infectadas por *H. pylori*—la bacteria conocida por causar las úlceras. Aunque los antibióticos curan un 70 a un 90 por ciento de las úlceras por *H. pylori*, su mejor opción es combatir su riesgo de infección antes que las úlceras ocurran. Así que fortalezca sus defensas con vitamina C, fibra y vitamina A adicionales obtenidas de las frutas y vegetales. Comience con buenas alternativas como las batatas, las hojas de nabo, el brócoli crudo y los pimientos dulces rojos.

■ ■ ■ ■ ■ Aumente los beneficios ■ ■ ■ ■ ■

Usted puede comerse seguramente hasta media taza de batatas sin tener que cocinarlas, pero comer más de eso causa gas y podría tener otros efectos secundarios. Por otro lado, cocinar sus batatas ayuda a su cuerpo a absorber más de sus fabulosos nutrientes.

En vez de combinar las batatas con alternativas grasosas y poco saludables como el azúcar moreno, los malvaviscos o la mantequilla, trate la canela, el aceite de oliva, el jengibre, la piña, la miel, el romero, el jugo de manzana, el jugo de naranja o la nuez moscada.

Gánele a los cálculos biliares con este dúo dinámico. Alejandro Magno pudo haber muerto de cálculos biliares, según dicen los médicos de hoy. Pero él pudo haber evitado los cálculos si solamente se hubiese cargado de dos nutrientes de las batatas—la fibra y la vitamina C.

Los cálculos biliares comienzan cuando la bilis se queda estancada en su vesícula biliar. El colesterol en la bilis puede acumularse y cristalizarse, formando piedras. Aunque la bilis viaja a sus intestinos cuando usted necesita digerir las grasas, su cuerpo reabsorbe el colesterol de la bilis cuando la digestión se ha completado. Pero si hay fibra soluble en sus intestinos, ésta entonces absorbe la bilis y el colesterol y los expulsa del cuerpo. Además, la fibra insoluble acelera la comida a través de su cuerpo, así que el colesterol tiene una menor oportunidad de formarse desde un principio. Quizás es por eso que el comer mucha fibra ha sido asociado con una reducción en el peligro de cálculos biliares.

La vitamina C podría proveer ayuda al descomponer el colesterol para que éste no pueda formar cálculos. Eso ciertamente explicaría por qué un riesgo elevado de cálculos biliares está asociado con la deficiencia de vitamina C. Encima de eso, un estudio halló que las mujeres con niveles altos de vitamina C redujeron su riesgo para enfermedad de la vesícula.

Enfrente a los resfríos y a la influenza con esta papa. Ese brillante color naranja de las hojas de otoño podría significar que la temporada de los resfríos y la influenza se están acercando, pero usted puede combatirlos. Las deliciosas batatas, con su interior naranjo tienen tres ingredientes para ayudar a resistir los resfríos y la influenza—vitamina A, vitamina B6 y vitamina C. De hecho, obtener más de estos nutrientes podría dejarlo sin nada por qué estornudar.

- El beta caroteno en las batatas se convierte en vitamina A en el cuerpo. Esa vitamina le ayuda a crear más anticuerpos y linfocitos, que son células que combaten las enfermedades, para que su sistema inmunológico pueda defenderse mejor contra lo que "hay en el aire".

- Una deficiencia de vitamina B6 reduce la inmunidad, pero el recibir más B6 ayuda a hacer su sistema inmunológico más poderoso.

- Tampoco se dé por vencido con la vitamina C. Aunque los investigadores han hallado que comenzando con 200 miligramos de vitamina C diarios durante una gripe no acorta el resfrío ni lo hace menos severo, obtener bastante vitamina C de los alimentos sigue siendo una buena idea. La vitamina C ayuda a bloquear los virus y apoya a su sistema inmunológico. Además, sus células blancas que combaten las bacterias necesitan esta vitamina también, así que no escatime. Coma bastantes alimentos ricos en vitamina C como las batatas, el jugo de naranja y los pimientos dulces.

▪ ▪ ▪ ▪ *Rincón del cocinero* ▪ ▪ ▪ ▪

No guarde las batatas crudas en su refrigerador porque las temperaturas por debajo de los 50 grados Fahrenheit hacen que las batatas se pongan duras y adquieran un sabor fuerte. En cambio, halle un lugar seco y oscuro con buena circulación del aire y temperaturas de alrededor de 50 grados Fahrenheit. Las batatas durarán 10 días bajo estas condiciones. Usted puede almacenar las batatas cocidas en su refrigerador por hasta una semana.

Tomates
▪ ▪ ▪ ▪ ▪ ▪ ▪ ▪ ▪ ▪ ▪ ▪

Váyase de rojo para una mejor salud

Cuando usted come un tomate, en realidad está comiendo una baya, según dicen los botánicos. Se clasifica de esa manera porque es pulposo y contiene semillas y no piedras. De hecho, los primeros tomates cultivados en Sudamérica occidental no eran muchos más grandes que las bayas.

Años más tarde, los indios Aztecas desencadenaron el asenso a la fama del tomate al nombrarlo tomatl y cultivándolos en los jardines del rey Montezuma. Eso

Nutrientes estrellas

Vitamina C	26%
Vitamina A	20%
Vitamina K	12%
Potasio	8%
Licopeno	★

Tamaño de porción es 1 tomate mediano
Porcentajes son del Valor Diario

abrió la puerta para que los europeos descubrieran el tomate y lo introdujeran al resto del mundo.

Hoy día, por supuesto, nosotros pensamos de los tomates como un vegetal. Sabemos que estas jugosas gemas son una golosina saludable y una gran fuente de potasio, vitamina C, vitamina K y vitamina A. Los tomates rojos también están repletos de licopeno—un fitoquímico que se cree juega un papel importante en la prevención de enfermedades. Bien sean crudos o cocidos, los tomates añaden sabor, color y nutrición a una variedad de platos.

■ ■ ■ ■ ■ Aumente los beneficios ■ ■ ■ ■ ■

Los tomates cocidos podrían proveer más licopeno, pero los tomates crudos tienen más vitamina C, así que use ambos como parte de su dieta regular. Y no los pele. Los tomates sin pelar le dan más licopeno, beta caroteno, kaempferol y quercetina.

Algunos estudios sugieren que el usar pastas con esteroles de plantas, como el Benecol, podría causar una reducción de 10 a 20 por ciento en sus niveles sanguíneos de los carotenoides alfa caroteno, beta caroteno y licopeno. Añada una porción adicional diaria de las frutas o vegetales ricos en carotenoides para compensar por la pérdida.

Si la salsa para espagueti u otros alimentos basados en tomates son muy ácidos, añada zanahorias picadas. La fibra adicional parece debilitar la acidez sin afectar el sabor— además, recibirá carotenoides adicionales.

Aproveche el poder de los tomates para combatir el cáncer. El licopeno es un antioxidante que los expertos habían pregonado como una posible manera de prevenir el cáncer de la próstata. Desafortunadamente, un nuevo estudio con 28,000 hombres no halló evidencia de ningún efecto sobre el cáncer de la próstata. Aún así, investigaciones han mostrado que los tomates y el licopeno podrían ayudar a evitar al menos otros cuatro cánceres.

- Las nitrosaminas de las carnes procesadas pueden formar compuestos cancerígenos en su tracto digestivo. Los tomates vienen al rescate con ácido cumárico y ácido clorogénico—compuestos que evitan que las nitrosaminas comiencen a hacer daño.

- El cáncer pancreático es el cuarto cáncer más común entre los hombres y sólo un 5 por ciento de aquellos diagnosticados aún están vivos cinco años más tarde. Pero un estudio canadiense descubrió que los hombres que comieron la mayor cantidad de licopeno redujeron su riesgo de cáncer pancreático por casi un tercio.

- Los tomates tienen dos ingredientes que podrían ayudar a protegerle contra el cáncer del ovario. El alfa caroteno ayuda a prevenir este espantoso cáncer después de la menopausia, mientras que el licopeno reduce su riesgo antes de la menopausia.

- Similarmente, el licopeno en los tomates podría ayudar a reducir su riesgo de cáncer de la mama después de la menopausia, mientras que la luteína podría ayudar a protegerle antes que la menopausia llegue. Fitoquímicos adicionales llamados fitoeno y fitoflueno también podrían contribuir para mostrarle al cáncer de la mama quién manda.

Así que comience a disfrutar más tomates crudos, salsa para pasta, jugo de tomate, salsa cruda de tomates secados al sol y sopas a base de tomates. Usted mejorará su dieta mientras le provee a su cuerpo poderosos nutrientes anti-cáncer.

Remedio 'mágico' para la intoxicación alimenticia

Las personas antes erróneamente pensaban que los tomates eran venenosos. Se probó que eso es falso, pero algunos alimentos genuinamente son peligrosos porque las bacterias en ellos pueden causar intoxicación alimenticia.

Según un antiguo remedio casero, dos cucharaditas de vinagre mezclado con agua podrían detener la intoxicación antes que ésta lo detenga a usted. Si está preocupado de algo que comió, particularmente en un país extranjero, mezcle dos cucharaditas de vinagre de sidra de manzana en un vaso de agua mineral y bébaselo. Si tiene suerte, el vinagre matará la bacteria antes que los problemas comiencen.

Recorte el riesgo de paro cardiaco con una manzana dorada. Un botánico medieval italiano nombró al tomate "pomodoro"—que significa manzana dorada. Aunque él probablemente estaba nombrando a un tomate amarillo, son las variedades color rojo brillante las que pueden ser tan buenas como el oro para su corazón.

Un estudio de casi 40,000 mujeres descubrió que los alimentos con base de tomate redujeron significativamente el riesgo de enfermedad cardiaca. La salsa de tomate y la pizza fueron particularmente efectivas. El potasio en los tomates podría ser una de las razones. La hipertensión es un factor de riesgo clave para los paros cardiacos, pero el potasio es famoso por su poder para ayudar a controlar la hipertensión.

El licopeno también podría ayudar al evitar que el colesterol LDL se oxide. Esa oxidación ayuda a la acumulación de placa dentro de las paredes de las arterias hasta que la sangre no puede pasar más. Estudios sugieren que los tomates podrían ayudar a diluir su sangre de forma que es menos probable la formación de coágulos y el bloqueo de sus arterias.

Pequeños peligros como éstos pueden sumarse y convertirse en grandes problemas cardiacos. Evítelos comiendo más tomates y otras comidas favoritas que incluyen tomates.

Tome un enfoque 'ensalsado' para la prevención de arrugas. Nuevas investigaciones sugieren que los protectores solares podrían no funcionar tan bien como antes se pensaba. Algunos bloqueadores solares bloquean los rayos UV-B pero no los UV-A, sin embargo los UV-A pueden causar el mismo tipo de daño a la piel que los UV-B. Peor aún, muchas personas no se aplican bien el bloqueador o no lo usan con suficiente frecuencia, así que no reciben la protección SPF que esperan. En otras palabras, usted podría tener un mayor riesgo para quemaduras solares, daños a la piel, arrugas y cáncer que lo que usted pensaba. Pero, aunque usted no lo crea, la salsa de tomate podría ayudar.

El licopeno y otros nutrientes del tomate—como el fitoflueno y el fitoeno—podrían ayudar a protegerle del daño causado a la piel por el sol. Una investigación muestra que los voluntarios que regularmente tomaron una bebida de extracto de tomate se volvieron menos propensos al enrojecimiento de la piel después de la exposición a la luz ultravioleta. Aunque los tomates y las salsas de tomate no son sustitutos para los bloqueadores solares o para las guías de protección solar, el comer más comidas con tomates es una manera fácil y deliciosa de ayudar a defender a su piel.

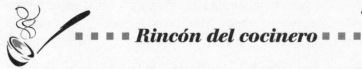

Rincón del cocinero

No refrigere los tomates maduros ni los coloque al sol. El refrigerar los tomates les roba de su sabor y la luz solar reduce su vitamina C y los hace madurar disparejamente. En cambio, guarde los tomates con el tallo hacia abajo a temperatura ambiente. Una vez que maduren, úselos dentro de dos días.

Para menos salpicaduras, corte los tomates desde el tallo hacia abajo, en vez de horizontalmente.

Antes de guardar la salsa para pasta en un envase plástico, rocíe éste con un aerosol antiadherente para evitar manchas en el envase.

Hojas de nabo

Apueste a una mejor salud con los vegetales de hoja verde

Según la tradición sureña, el comer hojas de nabo el día de Año Nuevo le traerá más billetes verdes de dinero todo el año. Aún si ese truco no funciona, las hojas de nabo aún pueden hacerlo rico en nutrientes que ayudan a mantenerle saludable e independiente. Por ejemplo, las hojas de nabo le dan una buena dosis de fibra, vitamina E, folato, calcio, cobre, manganeso y beta caroteno. Y ellas están repletas de vitaminas A, C y K. Así que para un aumento en

Nutrientes estrellas

Vitamina K 662%

Vitamina A 220%

Vitamina C   66%

Folato   42%

Luteína y zeaxantina ★

*Tamaño de porción es 1 taza, cocidas
Porcentajes son del Valor Diario*

121

nutrición, únase a sus hermanas sureñas al cocinar las hojas de nabo, no solamente en Año Nuevo, pero todo el año, y disfrute de una adición saludable a sus comidas.

Obtenga protección contra las cataratas. Buenas noticias para sus ojos—las hojas de nabo y otros vegetales de hoja verde ayudan a protegerlos contra las cataratas. Los vegetales de hoja verde contienen luteína y zeaxantina. Estos nutrientes únicos son parte del sistema de defensa de sus ojos contra el daño causado por la luz solar y que lleva a las cataratas.

En el pasado, varios estudios grandes han sugerido que las deficiencias de luteína y zeaxantina aumentan su riesgo de cataratas o de cirugía para cataratas. Aquí están los últimos hallazgos.

- Un estudio australiano de más de 3,000 personas de 40 años de edad y mayores sugiere que mientras más luteína y zeaxantina tenga en su dieta, menor su probabilidad de padecer de cataratas.

- Un estudio japonés de 5 años y 30,000 residentes descubrió que la vitamina C también podría reducir su probabilidad de cataratas.

- Investigaciones españolas hallaron que la vitamina C, la luteína y la zeaxantina redujeron el riesgo de cataratas en los residentes de los asilos de ancianos.

Afortunadamente, las hojas de nabo son todas ricas en estos tres nutrientes que salvan la vista. Otros alimentos con la "triple amenaza" incluyen los pimientos dulces, las coles de Bruselas, el brócoli y el jugo de naranja.

■ ■ ■ ■ ■ Aumente los beneficios ■ ■ ■ ■ ■

No hierva las hojas de nabo. El hervir extrae los glucosinolatos de las hojas de nabo y los deposita en el agua. Ya que los glucosinolatos se convierten en isotiocianatos, los que combaten el cáncer, el poder para derrotar el cáncer de las hojas de nabo se reduce considerablemente sin ellos. En cambio, cocínelas al vapor o saltéelas con aceite y ajo y aderécelas con vinagre, salsa de pimientos o jugo de limón. Y no olvide el aceite. Éste le ayuda a absorber más vitamina K, luteína y zeaxantina.

Beneficios de otras hojas

Las hojas de nabo no son el único vegetal frondoso que le ayuda a combatir el cáncer y otras enfermedades. Tan solo vea cuánta nutrición usted puede obtener de las siguientes alternativas.

Hojas (1 taza)	Luteína y zeaxantina (mcg)	Vitamina A (UI)	Vitamina K (mcg)
col rizada	23720	17707	1062
berza	14619	15417	836
nabo	19541	10980	529
mostaza	8347	8852	419
remolacha	2619	11022	697

Fuente: Banco de Datos Nacional del Departamento de Agricultura de EE.UU. para Referencia Estándar, Publicación 19

Alivie el endurecimiento de las arterias. Las hojas de nabo podrían no ser el primer alimento en su mente cuando piensa en alimentos buenos para el corazón, pero los científicos sospechan que su luteína y vitamina K podrían ayudarle a evitar un paro cardiaco. Estos nutrientes podrían evitar que su corazón pierda la única cosa con la que no puede vivir—su suministro de combustible.

Su corazón necesita un suministro constante de sangre rica en oxígeno para mantenerlo vivo y saludable. Es por eso que usted quiere evitar los coágulos en las arterias que van a su corazón. Estos coágulos se originan cuando las moléculas dañinas llamadas radicales libres se unen con el "mal" colesterol LDL en su torrente sanguíneo.

Juntos, estas dos sustancias problemáticas cubren el interior de las paredes de sus arterias con una película llamada placa. Ellas también hacen que esas mismas paredes arteriales se tornen rígidas e inflexibles. Estos dos efectos podrían causar un coágulo sanguíneo que bloquee la arteria o la placa podría seguir acumulándose hasta que ésta cierra la arteria. Cualquier bloqueo le roba a su corazón del combustible vital y podría provocar un paro cardiaco. Pero la luteína y la vitamina K pueden ayudar a evitar esto.

Investigaciones han mostrado que los niveles altos de luteína están asociados con una acumulación de placa significativamente menor. Investigadores también han hallado un vínculo entre paredes arteriales más gruesas—lo que significa más placa—y niveles bajos de luteína. Así que el comer hojas de nabo y otros alimentos ricos en luteína regularmente podría reducir su riesgo de paro cardiaco.

Además, los expertos sospechan que la vitamina K podría ayudar a evitar el endurecimiento de las arterias. Su cuerpo ya tiene una proteína especial que podría ayudar a evitar que sus arterias se endurezcan, pero esa proteína necesita vitamina K para funcionar. Investigaciones actuales en el Centro Jean Mayer de Instigación en Nutrición Humana para el Envejecimiento del Departamento de Agricultura de EE.UU. (Jean Mayer USDA Human Nutrition Research Center on Aging) pronto hallará si la vitamina K afecta las arterias de esta manera, así que manténgase al tanto.

Sólo recuerde, si usted está tomando warfarina u otro medicamento diluyente de la sangre, hable con su médico antes de comer las hojas de nabo u otros alimentos ricos en vitamina K.

Vaya de "verde" para detener el cáncer antes que comience. Puede que una porción de hojas de nabo no se parezca al brócoli, pero los nabos y sus hojas vienen de la misma familia de combatientes del cáncer que el brócoli y el repollo. Y como el brócoli, las hojas de nabo contienen glucosinolatos, los cuales se descomponen en isotiocianatos que combaten el cáncer.

Los isotiocianatos ayudan a evitar que las células normales se conviertan en cancerosas. Los compuestos causantes de cáncer en los alimentos que usted come pueden dañar el ADN en sus células—provocando una reacción en cadena que podría cambiar una célula normal y hacerla cancerosa. Pero los isotiocianatos defienden a sus células contra el daño al ADN así que los cambios cancerosos no pueden comenzar. Un estudio en Texas halló que las personas que comían la mayor cantidad de isotiocianatos tenían un riesgo de cáncer de la vejiga casi un 30 por ciento menor.

Pero su protección contra el cáncer no se detiene con los isotiocianatos. La luteína y la zeaxantina ayudan también. Varios estudios han sugerido que la luteína y la zeaxantina podrían reducir su probabilidad de padecer cáncer pulmonar. Por ejemplo, las personas de las Islas del Pacífico Sur que comieron muchos vegetales de hoja verde tenían una menor incidencia de cáncer pulmonar que aquellos que no lo hacían. Así que imite a estos isleños saludables y coma los deliciosos vegetales de hojas verdes como las hojas de nabo, la col rizada y las hojas de col a menudo.

▪ ▪ ▪ ▪ *Rincón del cocinero* ▪ ▪ ▪ ▪

Para remover toda la tierra de las hojas de nabo, coloque las hojas en agua fría, agítelas y deje que el agua se asiente. Drene el agua con tierra y repita el proceso. Cuando deje de ver tierra en el agua, las hojas están suficientemente limpias. Remueva los tallos antes de cocinarlas.

Evite el cocinar las hojas en cacerolas de aluminio o arruinará su sabor.

Guarde las hojas de nabo en una bolsa plástica en el refrigerador por hasta cinco días.

Calabacín
▪ ▪ ▪ ▪ ▪ ▪ ▪ ▪ ▪ ▪ ▪ ▪

Disfrute de una máquina de salud verde y eficiente

Se dice que tanto Thomas Jefferson como George Washington cultivaban calabacín en sus fincas—credenciales no tan malas para una humilde calabaza de verano de Italia. Pero considere lo que éste tiene que ofrecer.

El calabacín es bajo en calorías, libre de grasa y de colesterol. Sin embargo, éste provee manganeso, vitaminas A y C y dos reguladores de la presión arterial—magnesio y potasio. El calabacín hasta le da nutrientes adicionales que resuelven

Nutrientes estrellas

Vitamina A	40%
Manganeso	16%
Vitamina C	14%
Potasio	13%
Fibra	10%
Luteína y zeaxantina	

Tamaño de porción es 1 taza, cocida
Porcentajes son del Valor Diario

problemas para luchar contra problemas específicos de salud. Usted aprenderá más acerca de esos más adelante en este capítulo.

Como si eso no fuera suficiente, el calabacín está bien condicionado para los jardines domésticos y es delicioso tanto crudo como cocido. Si usted todavía no está disfrutando de este versátil vegetal, pruébelo.

■ ■ ■ ■ ■ **Aumente los beneficios** ■ ■ ■ ■ ■

No pele su calabacín a menos que la cáscara esté demasiada dura. Todo el beta caroteno del calabacín está en la cáscara. Simplemente estregue el calabacín para limpiarlo y corte los extremos. Usted puede saltear las rebanadas en aceite y ajo y añadirlos a la pasta o usarlos como un plato acompañante. Añada las rebanadas a las ensaladas y a los sándwiches. Ellos son buenos para las salsas, también.

Póngale los frenos a la degeneración macular. Hasta una cuarta parte de las personas mayores de 65 años muestran señales de degeneración macular relacionada a la edad (AMD, por sus siglas en inglés)—una enfermedad que puede debilitar su visión o hasta causar pérdida de la vista. Afortunadamente, las calabazas de verano como el calabacín contienen una "fórmula mágica" de nutrientes que podrían ayudar a evitar la AMD.

Uno de los villanos claves detrás de la AMD es la luz azul y ultravioleta que forma parte de la luz solar. Los fitoquímicos luteína y zeaxantina se unen para proteger a sus ojos de esta luz al igual que del daño al tejido que ésta causa. Un estudio reciente de más de 4,000 personas halló que aquellos que comían la mayor cantidad de luteína y zeaxantina tenían el menor riesgo de degeneración macular. Debido a que años de daño por la luz solar puede llevar a la AMD, nunca es muy temprano para comenzar a proteger sus ojos obteniendo más luteína y zeaxantina en su dieta.

El calabacín y otras calabazas de verano son un buen comienzo, pero usted también debería incluir otras fuentes como el maíz, la col rizada, las calabazas de invierno, las hojas de nabo, los pimientos dulces anaranjados y la espinaca. Para mejores resultados, coma estos alimentos con un poco de una grasa saludable como el aceite de oliva. La grasa le ayuda a su cuerpo a absorber más de estos ingredientes "mágicos".

Descubra la manera de perder peso sin hambre. Usted quiere perder peso, pero usted cree que el estar a dieta significaría pasar hambre y dejar sus comidas italianas favoritas. No se preocupe. Usted puede comer hasta que se llene, disfrutar de las golosinas italianas y aún perder peso. El calabacín puede ayudar porque es rico en fibra y agua.

¿Por qué es esto importante? Los alimentos que son ricos en agua, fibra o ambos generalmente tienen menos calorías por gramo de peso. Investigaciones sugieren que las personas comen la misma cantidad de comida, sin importar su contenido de calorías. Así que un alimento bajo en calorías y rico en fibra y agua le satisfaría tanto como la versión rica en calorías. Por ejemplo, si usted reemplaza algunos de los quesos ricos en grasas en los platos de pasta con rebanadas de calabacín, usted comería la misma cantidad de comida, pero se llenaría con menos calorías.

Si usted no cree en eso, considere esto. La fibra absorbe agua, se hincha y reduce el movimiento de la comida a través de su tracto digestivo superior. Cuando esto sucede, los receptores nerviosos en su estómago le envían un mensaje a su cerebro que su estómago está lleno y que usted no tiene que comer más. Esto le hace sentirse lleno, aunque usted no haya comido tantas calorías como haría normalmente. Añadir fibra también hace a la proteína y a la grasa menos digeribles así que usted también absorbe menos de esas calorías.

El agua no sólo ayuda a la fibra a hacer su trabajo sino que también podría proveer una ayuda adicional. Estudios han mostrado que las personas que comen alimentos con un alto contenido de agua—como las ensaladas y las sopas—comen menos calorías en la comida que les sigue. Así que trate de reemplazar algunas de las calorías y la grasa con alimentos ricos en agua y fibra como el calabacín. Usted quedará más satisfecho después de las comidas y las libras se desvanecerán más fácilmente.

■ ■ ■ ■ *Rincón del cocinero* ■ ■ ■ ■

Los calabacines más sabrosos son casi del tamaño de un billete de un dólar, un par de pulgadas más o menos.

Guarde los calabacines de tamaño regular en una bolsa plástica en la gaveta de hortalizas de su refrigerador por hasta cuatro días. Los calabacines "bebés" más pequeños pueden durar solamente hasta dos días, así que planifique apropiadamente.

Pruebe una dieta a base de plantas para una estupenda salud

Halle la dieta vegetariana correcta y usted podría reducir su riesgo de caries, hemorroides, cálculos biliares, diabetes, enfermedad cardiaca, cáncer y hasta obesidad. Considere estas opciones.

- **Flexitariana o semi-vegetariana.** Las comidas son al menos 80 por ciento vegetarianas. Ocasionalmente come carnes, pescado, aves, huevos, leche y queso, pero las comidas consisten mayormente de frutas, vegetales, granos y nueces.

- **Veganismo.** Come hortalizas, nueces y granos, pero no come carnes, aves, pescado, huevos ni productos lácteos.

- **Ovo-vegetariana.** Similar al veganismo pero también permite los huevos.

- **Lacto-vegetariana o Lacto-ovo-vegetariana.** Similar al veganismo pero se permiten los productos lácteos y los huevos.

- **Pescovegetariana.** Similar al veganismo pero incluye los mariscos.

Las carnes, los pescados y los productos lácteos son las fuentes principales de algunos nutrientes, así que el excluir estos alimentos podría causar deficiencias peligrosas a menos que planifique cuidadosamente.

La deficiencia en vitamina B12 puede causar daño a los nervios que podría ser irreversible. Si usted no come carnes, halle un cereal o un alimento vegetal fortificado con B12 o tome un suplemento de B12. Coma también los cereales fortificados para ayudar a evitar las deficiencias de vitamina D. Mientras tanto, obtenga calcio adicional de la col rizada, el brócoli y las versiones fortificadas de la leche de arroz o de almendras. Añada zinc de los alimentos como las semillas de girasol, los frijoles lima, los granos integrales y la levadura de cerveza. Y, a menos que usted ya tome un suplemento de hierro o una multivitamina, coma los alimentos fortificados con hierro y los frijoles y guisantes secos.

Pero no se olvide de la proteína. Es más difícil obtener significante proteína de las plantas que de las carnes, pero usted puede combinar los alimentos para cumplir con su requisito diario. Escoja granos o semillas y luego apáreelos con frijoles, guisantes o lentejas. Para comenzar, pruebe los deliciosos frijoles rojos con arroz.

Frutas: golosinas dulces proveen grandes recompensas

Aguacates

■ ■ ■ ■ ■ ■ ■ ■ ■ ■ ■ ■ ■ ■

'Peras de caimán' le dan un pellizco a la mala salud

Su textura arrugada y forma de pera le han dado a los aguacates el sobrenombre de "peras de caimán"—y estas deliciosas frutas ciertamente se merecen un mordisco. Los aguacates están repletos de nutrientes beneficiosos para luchar contra una variedad de condiciones, proteger su salud y deleitar su paladar.

La mayoría de los aguacates provienen de México, pero también son cultivados en California y Florida. Los aguacates Haas, el tipo más común, son cultivados en México y en California y tienen una cáscara rugosa de color púrpura oscuro y una pulpa verde blanda y cremosa. Los aguacates más grandes de Florida tienen una cáscara lisa y verde y tienen la mitad de la grasa de los aguacates Haas y tampoco tienen el mismo delicioso sabor.

Los aguacates, cuyo nombre proviene de la palabra azteca para "testículo", tienen una larga historia. De hecho, arqueólogos en Perú descubrieron semillas de aguacate en las tumbas de momias incas fechadas al año 750 A.C.

Usted no tiene que ser un arqueólogo para descubrir los muchos beneficios de los aguacates. Simplemente siga leyendo para hallar qué pueden hacer los aguacates por usted.

Protéjase de los problemas cardiacos. De la misma forma que la piel rugosa protege su delicioso interior, los aguacates protegen a su corazón. Gracias a un sinnúmero de nutrientes beneficiosos para el corazón, su corazón se enamorará con los aguacates.

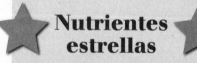

Nutrientes estrellas

Fibra	54%
Vitamina K	53%
Folato	30%
VitaminaC	33%
Potasio	28%
Vitamina E	21%
Grasa monoinsaturada	★

Tamaño de porción es 1 fruta
Porcentajes son del Valor Diario

■ ■ ■ ■ ■ Aumente los beneficios ■ ■ ■ ■ ■

Cuando usted piensa en aguacates, puede que piense en guacamole. Pero hay formas más saludables de disfrutar esta fabulosa fruta. En vez de untar mantequilla en su tostada o untar mayonesa en su emparedado, use un poco de aguacate majado. Obtendrá un fabuloso sabor sin la grasa saturada.

Añada un poco de aguacate picado a sus ensaladas para obtener una ventaja adicional. La saludable grasa en los aguacates le ayuda al cuerpo a absorber nutrientes como las vitaminas A, D, E y K de las otras frutas y vegetales de la ensalada. Usted también puede crear un aderezo saludable, mezclando aguacate con vinagre balsámico.

- *Potasio.* Este mineral juega un papel importante para regular su presión arterial. Éste también ayuda a reducir su riesgo de una apoplejía—probablemente porque la hipertensión está clasificada como el factor de riesgo número 1 para apoplejía. Buenas noticias— un aguacate tiene más que el doble del potasio que una banana.

- *Fibra.* Como el potasio, la fibra también reduce su riesgo de apoplejía. La fibra soluble también puede ayudar a reducir el colesterol. Afortunadamente, los aguacates contienen ambas fibras solubles e insolubles.

- *Folato.* Esta vitamina B contrarresta una sustancia llamada homocisteína, la cual aumenta su riesgo de enfermedad cardiaca.

- *Grasas monoinsaturadas.* Siéntase libre para disfrutar del guacamole en su próxima fiesta del Súper Bowl. Apartarse de los aguacates debido a su alto contenido de grasa es un error. Estas frutas "de Súper Bowl" ricas en grasas en realidad protegen su colesterol bueno y luchan contra el tipo malo que bloquea las arterias. Esto es porque los aguacates contiene mayormente grasas monoinsaturadas saludables. Cuando usted sustituye la grasa saturadas con las monoinsaturadas, usted puede reducir sus niveles de mal colesterol LDL y aumentar su nivel de buen colesterol HDL.

- *Vitaminas C y E.* Estas vitaminas antioxidantes ayudan a evitar que el colesterol LDL se oxide y, por ende, se vuelva más peligroso. La vitamina C podría también ayudar a controlar la presión arterial.

No es sorprendente, entonces, que un estudio incluyó a los aguacates entre las frutas y vegetales importantes que pueden reducir la presión arterial y protegerle contra un paro cardiaco y una apoplejía.

Evite las alergias

¿Es usted alérgico al látex? Puede que usted también reaccione al aguacate, el cual está relacionado con la planta de goma.

Maneje mejor a su diabetes. Si usted tiene diabetes, usted debería tratar de comer más aguacates. De hecho, la Sociedad Americana de la Diabetes (ADA, por sus siglas en inglés) recomienda justo eso. Los aguacates le dan una dosis generosa de grasas monoinsaturadas, las cuales hacen un sustituto saludable para las grasas saturadas y incluso los carbohidratos. Como ellos contienen pocos o nada de carbohidratos, los aguacates ni tienen un valor en el índice glucémico. Esto significa que ellos casi no tienen efecto en su glucemia. La ADA ha hallado que una dieta rica en grasas monoinsaturadas puede mejorar la tolerancia a la glucosa y podría reducir la resistencia a la insulina, lo cual podría ayudarle a controlar su enfermedad.

Además de sus muchos beneficios cardiacos, los aguacates también ayudan con el control de peso, otra preocupación común para las personas con diabetes. Como las grasas monoinsaturadas le llenan y le mantienen satisfecho por más tiempo, es menos probable que usted coma de más.

Evite la osteoporosis con huesos más fuertes. Los aguacates son una sorprendente fuente de vitamina K, una vitamina hallada más comúnmente en los vegetales de hoja verde. Esta vitamina ayuda a proteger sus huesos de la osteoporosis. Estudios asocian el bajo consumo de vitamina K con una densidad ósea menor y un mayor riesgo de fracturas. Como un beneficio adicional, el potasio, el magnesio y la vitamina C hallada en los aguacates también podrían ayudar a desarrollar la masa ósea y prevenir la pérdida ósea y las fracturas.

Proteja su próstata contra el cáncer. Con un nombre que significa "testículo" no es sorprendente que los aguacates tengan un efecto positivo en la salud de los hombres. Un laboratorio de la Universidad de California en Los Ángeles halló que el extracto de aguacate añadido a dos tipos de células del cáncer de la próstata inhibió el crecimiento celular por hasta un 60 por ciento. Los aguacates tienen varios nutrientes que pueden ayudar a explicar estos resultados. Las vitaminas C y E ayudan a limpiar los radicales libres que causan el daño celular y la luteína, un carotenoide hallado en los aguacates que actúa como antioxidante y que ha sido asociado con un riesgo reducido de cáncer de la próstata. Otros posibles contribuyentes incluyen los fitoquímicos glutationa y el beta-sitoesterol.

Investigadores en la Universidad Estatal de Ohio también hallaron que los fitoquímicos del aguacate podrían ayudar a combatir el cáncer oral. Ellos creen que éstos podrían eventualmente estar asociados con otros cánceres también.

▪ ▪ ▪ ▪ *Rincón del cocinero* ▪ ▪ ▪ ▪

- ▪ Al elegir un aguacate, pruebe su firmeza y evite las frutas con la cáscara arrugada. Para acelerar el proceso de maduración, coloque un aguacate en una bolsa de papel. Su gas etileno natural hará el truco.

- ▪ Los aguacates se tornan marrón pronto después de cortarlos, pero el rociarlos con jugo de limón o lima ayuda a prevenir esto. Esto también añade sabor

- ▪ Usted puede servir los aguacates de varias maneras. Sirva las rebanadas de éstos con la comida cocida, píquelos en pedazos y mézclelos en las ensaladas, májelos para crear aderezos o para salsas o hasta los puede hacer puré para sopas frías o postres. Simplemente no los cocine o se vuelven amargos.

Bananas

Para una mejor salud, sólo pele y sane

¿Por qué monear con pastillas? Simplemente pele una banana y obtenga los muchos beneficios de esta fruta tropical. Las bananas están clasificadas como la fruta fresca más popular vendida en los Estados Unidos. Estas frutas curvas crecen en racimos en los árboles de bananas—los cuales son técnicamente hierbas que pertenecen a la familia del césped. Una planta de bananas puede crecer hasta 40 pies de alto.

India, Brasil, las Filipinas, Ecuador e Indonesia producen la mayor cantidad de bananas en el mundo, pero éstas también se cultivan en Estados Unidos. La variedad más popular, la Cavendish, tiene una cáscara amarilla y una pulpa blanda, blanca, dulce y olorosa. Las bananas están repletas de potasio, manganeso, vitamina C, vitamina B6 y fibra, así que ellas proveen más que un buen sabor.

Una leyenda hindú dice que las bananas—no una manzana—fue la fruta ofrecida a Adán en el Jardín de Edén, así que las bananas se llaman la "fruta del paraíso" en India. Lo que sea que usted desee llamarlas, las bananas son un bocadillo portátil y saludable. ¡Sólo tenga cuidado de no resbalar en la cáscara!

Dulce golosina combate la hipertensión. Si usted no toma precauciones, su presión arterial puede subir más alta que un árbol de bananas. Afortunadamente, la fruta de ese árbol puede ayudarle. De hecho, un estudio hindú halló que el comer dos bananas al día puede ayudar a reducir la presión arterial por un 10 por ciento. Esto es porque las bananas proveen

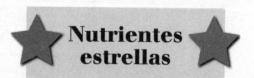

Nutrientes estrellas

Vitamina B6	22%
Vitamina C	17%
Manganeso	16%
Potasio	12%
Fibra	12%

Tamaño de porción es 1 mediana
Porcentajes son del Valor Diario

bastante potasio y casi nada de sodio. Esta combinación victoriosa mantiene su presión arterial bajo control.

Éstas también reciben el sello de aprobación de la Administración de Drogas y Alimentos (FDA, por sus siglas en inglés). La FDA le permite a los productores de bananas hacer la siguiente declaración de salud: "Alimentos dietéticos que son una buena fuente de potasio y que son bajos en sodio podrían reducir el riesgo de hipertensión y apoplejía".

Estudios muestran que una dieta rica en potasio puede reducir el riesgo de apoplejía en un 22 a un 40 por ciento. Guías recientes del Instituto de Medicina recomiendan obtener al menos 4.7 gramos (4,700 mg) de potasio al día. La dieta de Propuestas Dietéticas para Detener la Hipertensión (Dietary Approaches to Stop Hypertension, o DASH por sus siglas en inglés) también recomienda 4,700 mg de potasio—e incluye bastantes frutas y vegetales, como las bananas. Una banana mediana le provee alrededor de 420 mg de potasio.

Mientras que el potasio recibe mucho del crédito, otros nutrientes en las bananas también contribuyen. Un análisis reciente de 25 estudios de la Universidad de Tulane halló que el aumentar su consumo de fibra puede reducir significativamente su presión arterial. Las personas que se beneficiaron comieron entre 7 y 19 gramos de fibra al día por al menos ocho semanas. Una banana mediana le provee 3 gramos de fibra. La vitamina C podría ayudar también con la hipertensión ayudando a mantener sus arterias flexibles.

■ ■ ■ ■ ■ Aumente los beneficios ■ ■ ■ ■ ■

Aumente su energía sabiendo qué comer. Comience su día añadiéndole rebanadas de banana a su cereal de desayuno. Este desayuno rico en fibra con sabor a fruta es una gran manera de mantener su energía a través de una mañana ajetreada.

A medida que comienza a perder energía durante la tarde, una banana es el bocadillo perfecto para mantenerse alerta. Después de todo, una banana provee todos los nutrientes que una barra de energía—sin las calorías adicionales ni el costo adicional. Y el comerse una banana alrededor de una hora antes de hacer ejercicios le dará la energía que usted necesita para completar su sesión.

Alivie la incomodidad de la diarrea. Usted pasa mucho tiempo en el trono, pero ciertamente usted no se siente como un rey o una reina. Obtenga alivio de la diarrea y otros problemas gastrointestinales con las bananas.

Las bananas sirven como el alimento perfecto después de un ataque de diarrea o vómitos. Una vez usted pueda comer alimentos sólidos nuevamente, los alimentos suaves y blandos como las bananas le proveen nutrientes sin afectar su estómago.

Aún si usted tiene una condición más seria, como colitis, las bananas pueden ser una parte importante de una dieta blanda y segura. El potasio en las bananas también ayuda a proteger sus intestinos. Puede obtener más protección de sustancias llamadas fructo-oligosacáridos (FOS). También conocidos como prebióticos, estas moléculas estimulan el crecimiento de probióticos, bacterias buenas que ahuyentan las bacterias peligrosas.

Un estudio halló que las bananas verdes—las cuales son diferentes que las bananas que no están maduras—podrían ayudar a tratar a los niños con diarreas persistentes. Las bananas también pueden ayudar a endurecer su materia fecal, lo cual ayuda a evitar la incontinencia fecal o la pérdida de control del intestino.

Evite la osteoporosis con un mineral que refuerza los huesos. Ver a alguien resbalar sobre una cáscara de una banana en una película vieja podría ser gracioso, pero el riesgo de las caídas asociadas con la osteoporosis no es nada de gracioso. Para protegerse de la osteoporosis o la enfermedad de los huesos, esté alerta de no pisar la cáscara y cómase el resto de la banana.

Un estudio de la Universidad de California en San Francisco halló que el potasio ayuda a prevenir la pérdida de calcio causada por una dieta rica en sal. Este importante mineral podría también contrarrestar los efectos negativos de una dieta rica en proteínas. La vitamina C y el manganeso también juegan un papel importante en la salud ósea.

Deshágase de los dolorosos cálculos renales. Evite el dolor de los cálculos renales con una dosis adicional de bananas. Los alimentos ricos en potasio podrían reducir su riesgo de desarrollar esta condición. De hecho, los estudios muestran que un consumo elevado de potasio, proveniente de una dieta rica en frutas y vegetales, podría reducir su riesgo de cálculos en un 30 y hasta un 50 por ciento.

Rincón del cocinero

- Escoja bananas amarillas con pequeños puntos marrones, los cuales son una indicación de madurez. Evite las frutas excesivamente blandas o dañadas o aquellas con puntas verdes.

- Si usted necesita acelerar el proceso de maduración, puede colocar las bananas en una bolsa de papel o envolverlas en papel periódico. Usted no debería refrigerar las bananas, pero sí puede congelarlas para consumirlas más tarde.

- Las bananas se vuelven marrones al estar expuestas al aire. Para evitar esto, cepíllelas con un poco de jugo de limón o de lima, o sumérjalas en agua acidulada—agua fría con un chorrito de vinagre o jugo cítrico.

Arándanos

Cosas buenas vienen en paquetes pequeños

Los arándanos aparecieron en Norteamérica mucho antes que los colonos europeos, quienes aprendieron de los indios y usaron estas dulces y jugosas bayas como alimento y medicina.

Usted puede hallar más de 50 especies de arándanos, tanto cultivados como silvestres, con matices variados desde azul claro a púrpura oscuro. Los arándanos son cultivados mayormente en Canadá y los Estados Unidos. Estos arándanos son más grandes y más dulces que los arándanos silvestres que son más agrios. Pero todas estas frutas pequeñas tienen nutrientes bastante poderosos, incluyendo vitamina C, vitamina K y manganeso y antioxidantes como polifenoles y antocianina.

En el mundo de las bayas los arándanos quedan en segundo lugar, detrás de solamente las fresas, en términos de popularidad. Pero estos pequeños dínamos no se quedan detrás de nadie. Después de todo, los arándanos eran llamados bayas estrellas. Aunque este apodo venía por el cáliz en forma de estrella encima de cada fruta, éste podría igualmente referirse al poder nutricional de los arándanos cuando se trata de su salud.

Dele a su cerebro un empujón. Recuerde comerse sus arándanos. Ellos pueden ayudarle a recordar todo lo demás. Eso es porque los arándanos están repletos de polifenoles que benefician su cerebro.

En un estudio reciente, un flavonol llamado epicatequina y hallado en los arándanos—al igual que en el chocolate y en otras frutas y verduras— mejoró la memoria en ratones. Otros estudios han mostrado que los arándanos, gracias a sus polifenoles antioxidantes, pueden dar marcha atrás al deterioro normal relacionado a la edad en la señales cerebrales y mejorar las destrezas motoras y el razonamiento. En otras palabras, simplemente comer arándanos puede mantener su cerebro agudo a medida que envejece.

Los arándanos también podrían protegerle de una apoplejía y ayudar a limitar el daño y acelerar la recuperación si sufre de una. Ellos hasta podrían ayudar a evitar el alzheimer. Usted también puede reducir su riesgo de alzheimer con fresas, otra baya rica en antioxidantes que ha mostrado promesa en estudios. Mientras que la mayoría de estos estudios involucraban animales, los científicos están trabajando para demostrar los beneficios de los arándanos para las personas, también. Si estas pequeñas frutas pueden ayudar a las ratas viejas a navegar a través de un laberinto, ellas podrían ayudarle a balancear su chequera o recordar dónde usted dejo sus llaves del carro.

Bayas están repletas de protección contra el cáncer. El mismo pigmento que le da a los

Nutrientes estrellas

Vitamina K	36%
Manganeso	25%
Vitamina C	24%
Fibra	14%
Antioxidantes	★

Tamaño de porción es 1 taza
Porcentajes son del Valor Diario

arándanos su color azul brillante también podría protegerle contra el cáncer, particularmente el del colon. Investigadores de la Universidad de Georgia hallaron que las antocianinas en los arándanos significativamente inhibieron el crecimiento de dos tipos de células cancerosas del colon. Las antocianinas también pueden provocar la apoptosis—la muerte de las células cancerosas. Otras sustancias en los arándanos, incluyendo los flavonoles y los taninos, también ayudan a combatir en un menor grado las células del cáncer del colon.

Otra sustancia antioxidante en los arándanos, llamada pterostilbeno, ha mostrado resultados prometedores contra el cáncer del colon en estudios de laboratorio en ratas. Éste podría funcionar al reducir los lípidos, o grasas, en la sangre. Estudios previos han mostrado que el pterostilbeno puede reducir el colesterol. Otros investigadores han hallado que los extractos de arándanos ayudan a combatir el cáncer del esófago en los roedores y el cáncer oral y de la próstata en estudios de tubos de ensayo.

La vitamina C, una vitamina antioxidante, y la fibra—ambas halladas en los arándanos—han sido asociadas con la prevención de cáncer. El comer más arándanos, al igual que otras frutas y vegetales, podría ayudar a protegerle contra esta temible enfermedad. Trate de comer dos tazas de arándanos a la semana para protección óptima.

■ ■ ■ ■ ■ **Aumente los beneficios** ■ ■ ■ ■ ■

Aunque los coma frescos o secos, los arándanos hacen el bocadillo perfecto. Pero usted puede hallar varias otras maneras de introducir más de estas fabulosas frutas en su dieta.

Por ejemplo, rocíe unos arándanos sobre su cereal de desayuno, o añádalos a sus ensaladas, yogur o al helado. Mezcle los arándanos en batidos, hágalos puré para crear mermeladas o jaleas. Usted también puede usarlos en panqueques, panecillos, tortas, panes, jarabes y salsas.

Deshágase de las bacterias responsables por las infecciones del tracto urinario. Cuando se trata de las infecciones del tracto urinario, los arándanos agrios reciben la mayoría de la atención. Pero los arándanos pueden tener el mismo efecto positivo gracias a las proantocianidinas. Estos poderosos antioxidantes evitan que la bacterias se peguen a las células que revisten su tracto urinario. Los arándanos podrían también aumentar la acidez de su orina, lo cual ayuda a destruir las bacterias dañinas.

Una manera fácil de mejorar su vista. Los arándanos podrían ser un deleite para su paladar, pero también son buenos para los ojos cansados. El mirtillo, la versión europea del arándano, ha sido asociado con una mejoría en la vista en varios estudios europeos. Su poder proviene de las antocianinas que le dan al mirtillo su color azul oscuro. Como los arándanos también tienen bastantes antocianinas, ellos también deberían proteger su vista. De hecho un estudio japonés halló que los arándanos aliviaban la fatiga de los ojos. Haga de los alimentos de colores brillantes como los arándanos una parte de su dieta y usted verá bastantes beneficios.

■ ■ ■ ■ *Rincón del cocinero* ■ ■ ■ ■

Escoja arándanos grandes y jugosos. Ellos deberían tener un color de azul morado a azul casi negro con una escarcha plateada por encima. Evite las bayas verdes, opacas o blandas.

Si éstas vienen en un envase, incline el envase para verificar que las bayas puedan moverse libremente. Si se pegan unas a otras, podrían tener hongos. También asegúrese que el envase esté seco y sin manchas.

Refrigere los arándanos sin lavar por hasta seis días. Enjuague los arándanos brevemente en agua fría antes de usarlos. Usted también puede congelar los arándanos en el envase de cartón para su uso más tarde.

Buena nutrición desde una lata

Nada le gana al sabor de las frutas y vegetales frescos en temporada. Pero usted no tiene que comprar frutas y vegetales frescos para obtener sus beneficios. Las variedades enlatadas y congeladas también mejoran su salud. De hecho, ellas son tan nutritivas como las frutas o los vegetales frescos. A veces son hasta mejores. Los tomates enlatados, por ejemplo, tienen mucho más licopeno que los tomates frescos. Todos los alimentos pierden algunas vitaminas en el procesamiento, pero las frutas y verduras frescas que están por mucho tiempo en el supermercado o en su refrigerador, también. Los alimentos congelados o enlatados cuando se encuentran en su nivel máximo podrían tener más nutrientes que los productos agrícolas frescos. El comprar estos artículos es una manera fácil y barata de disfrutar su alimento favorito fuera de temporada.

Las frutas enlatadas vienen con calorías adicionales si éstas están empacadas en un almíbar azucarado. En cambio, escoja aquellas empacadas en sus propios jugos. Lea las etiquetas y evite los alimentos con demasiada sal o azúcar añadida. Enjuague los vegetales enlatados para deshacerse de la sal adicional. Evite los paquetes congelados con cristales de hielo o señales de recongelamiento y evite las latas con polvo o con abolladuras, y las que están hinchadas. Compre los alimentos congelados justo antes de pagar y llévelos directos a su casa.

Una vez ahí, mantenga todo fresco, desde fresas a cebollas, por más días o semanas con estos consejos simples. Guarde las fresas frescas, sin lavar en un colador en su refrigerador. Envuelva las cebollas en papel de aluminio para evitar que retoñen. Coloque una esponja seca en la gaveta de las hortalizas para absorber la humedad. Evite las quemaduras por congelación siguiendo estos consejos para alimentos congelados sin escarcha. Empaque las frutas como las fresas en almíbar simple para reducir la formación de cristales de hielo. Escaldar los vegetales hará lo mismo. Coloque los artículos en bolsas plásticas de congelador con una etiqueta y la fecha y sáquele el aire del interior. Para aún más protección, coloque esa bolsa dentro de otra bolsa de congelador antes de guardarla.

Cerezas

■■■■■■■■■■■■■

Dulce o agria, esta pequeña fruta tiene poder

La vida no siempre será un tazón de cerezas, pero un tazón ocasional de cerezas podría hacer su vida más saludable.

Las cerezas vienen en variedades dulces y agrias. Ambas clases proveen vitamina C, fibra y potasio. Ellas también están repletas de antioxidantes. Las cerezas agrias también le dan mucha vitamina A al igual que cobre y magnesio.

La jugosa cereza Bing es la cereza dulce más popular, mientras que las variedades agrias comunes incluyen la Montmorency, Morello y Balanton. Estas frutas agrias de color rojo oscuro generalmente se cocinan en vez de comerlas crudas.

En los Estados Unidos, la mayoría de los cerezos crecen en Michigan, pero las cerezas también provienen de Washington, Oregón, Idaho, Nueva York, Pensilvania, Wisconsin y Utah. Un cerezo puede producir más de 100 libras fruta cada temporada.

La Administración de Drogas y Alimentos (FDA, por sus siglas en inglés) les ha prohibido a los productores de cerezas hacer reclamos de salud, pero eso no significa que las cerezas no están repletas de beneficios. Vea lo que estas dulces y agrias golosinas pueden hacer por usted.

Deshágase del dolor de la gota. Las cerezas han sido un remedio casero popular para la gota por mucho tiempo. Nuevas investigaciones del Departamento

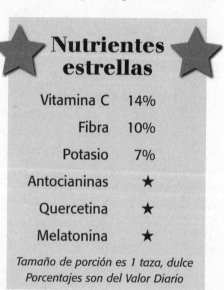

Nutrientes estrellas

Vitamina C	14%
Fibra	10%
Potasio	7%
Antocianinas	★
Quercetina	★
Melatonina	★

Tamaño de porción es 1 taza, dulce
Porcentajes son del Valor Diario

de Agricultura de EE.UU. apoyan el uso de las cerezas para tratar esta dolorosa condición.

En un estudio reciente, 10 mujeres comieron 45 cerezas Bing frescas sin semillas cada una. Cinco horas más tarde, sus niveles sanguíneos de urato—una sustancia que su cuerpo convierte en ácido úrico y que contribuye a la gota—fueron significativamente menores. A la misma vez, más urato apareció en su orina lo que significa que lo habían extraído de su cuerpo. Sus niveles sanguíneos de la proteína C reactiva y de óxido nítrico, dos indicadores comunes de inflamación, también se redujeron un poco.

Compuestos en las cerezas podrían bloquear las vías inflamatorias, haciendo las cerezas una buena arma contra no sólo la gota sino otras condiciones inflamatorias también.

Estudios tempranos de laboratorio hallaron que las antocianinas en cerezas—los pigmentos que le dan a las cerezas su color rojo—ayudan a suprimir la inflamación. De hecho, las cerezas fueron diez veces más efectivas que la aspirina para tratar el dolor y la inflamación de la artritis. Ellas tampoco tienen los efectos secundarios de los medicamentos antiinflamatorios no esteroideos (AINEs, o NSAIDs por sus siglas en inglés).

Los remedios caseros incluyen comer seis a ocho cerezas frescas al día para aliviar los síntomas de la gota. Si usted siente que tiene un ataque de gota, trate de comer 20 a 30 cerezas inmediatamente. Las cerezas podrían hasta ayudar a los músculos adoloridos a recuperarse después de hacer ejercicios.

Si usted no puede obtener cerezas frescas, las cerezas disecadas y el jugo de cereza también podrían funcionar.

Disfrute un camino dulce a un sueño más profundo. Las cerezas agrias podrían proveer sueños más dulces. Investigadores recientemente descubrieron que las cerezas contienen melatonina, una hormona natural que es esencial para el ciclo de sueño de su cuerpo.

Como una de las pocas fuentes de melatonina, las cerezas podrían actuar como un antídoto contra el insomnio. Los expertos dicen que comer un puñado de cerezas agrias antes de dormir podría aumentar los niveles de melatonina y promover un sueño más reparador. La melatonina, un antioxidante, podría también ayudarle a sobrellevar el desfase horario (jet lag) o a ajustarse a un horario de trabajo nocturno.

Usted también puede aumentar su energía aprendiendo a tomar siestas. Una siesta puede ser tan corta como cinco minutos o tan larga como dos horas. Generalmente, 20 minutos es justo lo correcto. El mejor tiempo para tomar una siesta es temprano en la tarde. Escoja una habitación cómoda y oscura, pero asegúrese de despertarse al menos tres horas antes de acostarse a dormir para que no interfiera con su sueño nocturno.

■ ■ ■ ■ ■ **Aumente los beneficios** ■ ■ ■ ■ ■

Cierto es que las cerezas hacen sabrosas tartas, jaleas y otras golosinas dulces. Pero usted puede hallar mejores maneras de introducir estas saludables frutas a su dieta.

Las cerezas disecadas, las cuales hacen buenos bocadillos, son especialmente versátiles. Añada las cerezas disecadas a un coctel de frutos secos, al cereal, a la avena, al yogur o a los panqueques. Usted también las puede usar en los panecillos, el cuscús, el arroz pilaf, el risotto, la pasta y en las ensaladas verdes o de frutas. Cuando haga ejercicios, intercambie su barra de energía tradicional por media taza de cerezas secas.

Para una bebida refrescante, mezcle el jugo de cereza concentrado con agua o con agua carbonatada. O mezcle las cerezas congeladas con el jugo de cereza concentrado y el yogur para una fresca delicia.

Los nutrientes podrían ser la respuesta al cáncer. Ciertamente las cerezas no se ven intimidantes. Pero estas pequeñas frutas redondas y rojas ponen a temblar a las células cancerosas. Esto es porque las cerezas contienen varias sustancias que combaten el cáncer.

Las antocianinas y la cianidina, dos flavonoides hallados en las cerezas, han mostrado promesa contra el cáncer del colon en estudios animales y en estudios de laboratorio en células cancerosas humanas. Estos flavonoides inhiben el desarrollo de tumores y ayudan a detener el crecimiento de células del cáncer del colon.

El alcohol perílico, un fitonutriente en las cerezas, bloquea el desarrollo y el progreso del cáncer. Estudios han hallado que éste ayuda a tratar y prevenir los cánceres de la mama, de la próstata, del pulmón, del hígado y de la piel.

También se conoce que las cerezas contienen combatientes conocidos del cáncer como el ácido elágico y la quercetina. Y ellas proveen fibra y vitamina C—ingredientes claves en cualquier dieta saludable anti cáncer.

Dele a su corazón protección de primera. Como las antocianinas en las cerezas combaten la inflamación, éstas también podrían protegerle de la enfermedad cardiaca. Una señal de la inflamación es una sustancia llamada

144

la proteína C reactiva (PCR)—la cual podría ser un indicador más importante de riesgo de enfermedad cardiaca que el colesterol LDL elevado.

En un estudio reciente, 18 hombres y mujeres saludables comieron alrededor de 45 cerezas Bing frescas sin semilla al día por 28 días. Después de 28 días, sus niveles de PCR en la sangre se redujeron en un 25 por ciento. Menos PCR en la sangre significa menos inflamación y un menor riesgo de enfermedad cardiaca. Ellos también tuvieron niveles más bajos de óxido nítrico, otro indicador de inflamación.

Otros nutrientes en las cerezas, tales como el potasio, el cual regula la presión arterial, la vitamina C y la fibra también hacen maravillas para su salud cardiaca.

Manera deliciosa de evitar la diabetes. Las cerezas podrían tener la clave para vencer la obesidad y la diabetes. En un estudio reciente, investigadores de la Universidad Estatal de Michigan colocaron a unos ratones en una dieta alta en grasa y otros en una dieta baja en grasa. Los ratones en la dieta alta en grasa rápidamente aumentaron de peso, desarrollaron hígados grasos y se volvieron intolerantes a la glucosa. Los investigadores entonces comenzaron a alimentarlos con antocianinas, compuestos hallados en las cerezas, en adición a su comida grasa. Después de ocho semanas, los ratones obesos e intolerantes a la glucosa habían perdido peso, reducido su colesterol, aumentado sus niveles de insulina y su sensibilidad a la glucosa, y una vez más tenían hígados saludables. Los investigadores usaron cerezas Cornelian pero dicen que las cerezas agrias más populares son similares.

■ ■ ■ ■ *Rincón del cocinero* ■ ■ ■ ■

- Compre cerezas orgánicas cuando sea posible. Usted pagará más, pero el costo adicional podría valer la pena. Esto es porque las cerezas están entre las frutas y vegetales con mayor probabilidad de tener niveles altos de pesticidas en ellas.

- Escoja cerezas firmes y carnosas, con colores brillantes. Evite las cerezas pálidas, pequeñas y duras, al igual que las blandas con puntos marrones o con la cáscara magullada o arrugada.

- Usted puede refrigerar las cerezas por hasta una semana o congelarlas por hasta un año. Sin embargo, ellas tienden a absorber los olores, así que manténgalas alejadas de los alimentos con olores fuertes.

■ Enjuague las cerezas debajo de agua fresca antes de usarlas. Para sacarles la semilla a las cerezas, compre un descarozador de cerezas simple o córtelas por la mitad. Sin embargo, tenga cuidado. Ellas pueden manchar sus manos o la ropa.

Arándanos agrios

Dele gracias al poder sanador de las bayas

Ninguna cena del Día de Acción de Gracias estaría completa sin la salsa de arándanos agrios—ni siguiera la primera. Oriundos de Norteamérica, estos primos agrios de los arándanos azules fueron parte de la cena original de Acción de Gracias. De hecho, los indios no sólo comían los arándanos agrios, sino que ellos los usaban como tintes y cataplasma para sus heridas. Más tarde, los balleneros y marineros norteamericanos llevaron los arándanos agrios—una buena fuente de vitamina C—en sus viajes para combatir el escorbuto.

La mayoría de los arándanos agrios provienen de Massachusetts, pero Wisconsin, Nueva Jersey, Washington, Oregón y Canadá también los producen. Los arándanos agrios crecen en enredaderas sembradas en pantanos arenosos. Esto le permite a los cultivadores cubrir las plantas con agua para protegerlas del frío.

Pero no hay necesidad de quedarse "estancado" en los detalles. Sólo esté agradecido por todas las maravillosas maneras que los arándanos agrios protegen su salud.

Detenga las infecciones del tracto urinario. El beber jugo de arándanos agrios es un antiguo remedio casero para las infecciones del tracto urinario (ITU). No es sorprendente que este remedio ha sobrevivido el pasar del tiempo— de veras funciona.

Nutrientes estrellas

Vitamina C	21%
Fibra	17%
Manganeso	17%
Fitoquímicos	★

Tamaño de porción es 1 taza, crudo
Porcentajes son del Valor Diario

Varios estudios han hallado que el jugo de arándanos agrios puede evitar e incluso tratar las ITU. Un estudio de residentes de un hogar de convalecencia halló que el tomar 4 a 6 onzas de jugo de arándanos agrios cada día por siete días evitó las ITU en dos terceras partes de los residentes.

Un estudio finlandés halló que el jugo de arándanos agrios fue mucho más efectivo que una bebida probiótica para prevenir las ITU. Hasta las bacterias que han desarrollado una resistencia a los antibióticos pueden ser derrotadas con jugo de arándanos agrios.

Compuestos llamados proantocianidinos, o taninos condensados, le dan a los arándanos agrios su poder sobre las ITU. Esto se debe a que éstos evitan que las bacterias se peguen a las paredes del tracto urinario. Puede que los taninos funcionen al aplastar los pequeños pelos en la superficie de las bacterias, evitando así que se puedan adherir a las células del tracto urinario.

Usted ni siquiera tiene que recibir sus arándanos agrios en forma líquida. Un estudio reciente reportó que los arándanos agrios secos podrían funcionar también.

Para alejar las ITU, muchos profesionales de la salud recomiendan beber dos a tres vasos de ocho onzas al día de jugo de arándanos agrios sin azúcar. O usted puede comer alrededor de un tercio de taza de arándanos agrios secos.

Contrarreste el cáncer con fitoquímicos. Los arándanos agrios están repletos de fitoquímicos que se unen para combatir el cáncer. Las proantocianidinas en los arándanos agrios—los compuestos que los hacen efectivos contra las infecciones del tracto urinario—también inhiben las células de cáncer del pulmón, del colon y de la leucemia en pruebas de laboratorio. Ellas podrían hasta ayudar a mejorar los tratamientos existentes para el cáncer. En estudios recientes, el extracto de jugo de arándanos agrios hizo la quimioterapia basada en compuestos de platino, el estándar para el tratamiento del cáncer del ovario, seis veces más efectiva.

La quercetina, un flavonoide abundante en los arándanos agrios, destruye las células cancerosas en la mama, el colon, el páncreas y en la leucemia. El ácido ursólico, hallado en la cáscara de los arándanos agrios, detiene el crecimiento de tumores en el colon, la próstata, el pulmón y el cuello uterino, y de las células de leucemia.

Las antocianinas, los pigmentos que le dan a los arándanos agrios su color rojo, podrían también darle una ventaja contra el cáncer. Ellas podrían combatir la inflamación, reduciendo su riesgo de desarrollar ciertos cánceres.

Los investigadores no están seguros exactamente cómo cada fitoquímico combate el cáncer. Los mecanismos probables incluyen la activación de la apoptosis, o la muerte de células cancerosas, la detención de la formación y reproducción de colonias y la limitación de la habilidad del cáncer de invadir y propagarse. Pero una cosa es cierta—cuando usted lo suma todo, los arándanos agrios tienen un tremendo impacto sobre el cáncer.

▪ ▪ ▪ ▪ ▪ Aumente los beneficios ▪ ▪ ▪ ▪ ▪

Aunque los arándanos agrios por lo general son demasiado ácidos para comerlos crudos, usted puede hallar varias maneras de incluirlos en su dieta. Ellos hacen buenos jugos, bocadillos disecados, salsas, salsas escabechadas, jaleas y chutneys. Usted también puede hornearlos en panecillos o panes o colocar arándanos agrios secos sobre su avena o cereal frío.

Una manera de contrarrestar la acritud de los arándanos agrios es mezclarlos con otras frutas, como las naranjas, las manzanas, las peras o las piñas. La próxima vez que hornee una tarta de manzana, pruebe cubrir la mitad con arándanos agrios en vez de manzanas.

Usted puede hasta aprovechar su acritud usándolos en las ensaladas en vez de vinagre. Sólo mezcle las hojas verdes con aceite de oliva y añada un puñado de arándanos agrios.

Proteja su corazón. El alto contenido de polifenol en los arándanos agrios significa buenas noticias para su corazón.

Pruebas muestran que los extractos de arándanos agrios, ricos en flavonoides como quercetina, miercetina y antocianidinas, inhiben la oxidación del LDL (colesterol malo). Si las partículas de LDL no se oxidan, ellas no pueden hacerle daño a las paredes de sus arterias. Como un beneficio adicional, el jugo de arándanos agrios también podría aumentar sus niveles de colesterol HDL o bueno.

En un estudio de cerdos, el juego de arándanos agrios ayudó a mejorar la habilidad de sus vasos sanguíneos para relajarse. Por supuesto, usted no tiene que ser un cerdo para cosechar los beneficios de los arándanos agrios. Sólo "llénese" de estas deliciosas frutas.

Sobrevenga las úlceras. El mismo mecanismo que ayuda a los arándanos agrios a evitar las infecciones del tracto urinario también les ayuda a vencer las úlceras.

De la misma manera que el jugo de arándanos agrios evita que la bacteria *E. coli* se pegue en las paredes de su tracto urinario, esta sabrosa bebida también funciona contra el *H. pylori,* la bacteria responsable por las úlceras. Si la *H. pylori* no puede pegarse al revestimiento mucoso de su estómago, ésta no puede colonizarlo.

Aún si usted ya tiene una infección de *H. pylori,* el jugo de arándanos agrios puede ayudar. En un estudio chino, las personas que tenían infecciones de *H. pylori* tomaron dos cajitas de jugo de arándanos agrios o una bebida placebo cada día por 90 días. Al final del estudio, las pruebas para detectar *H. pylori* de aquellos que tomaron el jugo de arándanos agrios fueron significativamente más negativas.

Proteja sus dientes y encías. Sonría si a usted le gustan los arándanos agrios. Considerando todo lo que ellos hacen por su boca, es difícil reprimir una sonrisa.

Un estudio japonés halló que los arándanos agrios evitan que las variedades de bacterias estreptococo se peguen a la superficie de sus dientes. Esto retrasa el desarrollo de la placa dental y de las caries dentales. Investigadores de la Universidad de Rochester también hallaron que el jugo de arándanos agrios contrarrestó efectivamente a las bacterias orales. Ellos también acreditaron a la quercetina al igual que a las proantocianidinas, por el éxito del jugo de arándanos agrios.

Sólo recuerde beber el jugo de arándanos agrios sin azúcar. De lo contrario, el azúcar añadido podría hacerle más daño que bien a sus dientes.

 ▪ ▪ ▪ ▪ *Rincón del cocinero* ▪ ▪ ▪ ▪

A los arándanos agrios antes se les conocían como bayas rebotadoras, porque ellos rebotan cuando están maduros. Afortunadamente, usted no tiene que rebotar los arándanos agrios para hallar los buenos. Sólo busque bayas de color brillante, que sean firmes y carnosas. Evite las frutas pálidas, blandas o arrugadas.

Usted puede guardar los arándanos agrios en el refrigerador por hasta un mes o congelarlos por varios meses.

Cocine los arándanos agrios con una cantidad pequeña de agua y mantenga la cacerola destapada. De lo contrario, el vapor causará que se hinchen y exploten como las palomitas de maíz.

Higos

■■■■■■■■■

Acepte el poder de las flores para una mejor salud

Mitrídates, rey de la antigua ciudad griega de Ponto, consideraba los higos como un antídoto para todas las dolencias y hasta les ordenó a sus ciudadanos comer higos diariamente. Ciertamente, han habido peores leyes. Estas dulces y masticables golosinas están repletas de fibra y polifenoles. Ellas también proveen potasio, manganeso, vitamina B6, vitamina K y calcio.

Aunque se considera una fruta, el higo es en realidad una flor invertida. Sus pequeñas semillas, las cuales le añaden una placentera textura, son las verdaderas frutas del árbol de higo. Los higos americanos vienen de California, mientras que Turquía, Grecia, Portugal y España también están clasificados como los principales productores de higos.

Puede que usted conozca los higos de las galletitas Fig Newton, uno de los primeros productos horneados comercializados en Estados Unidos. Pero ellos eran un bocadillo popular antes de esto. La biblia contiene varias referencias a este valorado alimento, el cual también era la fruta favorita de Cleopatra. De hecho, el áspid que la mató estaba escondido en un canasto de higos. Es probable que usted no halle serpientes venenosas entre sus higos, pero hallará una riqueza de beneficios para su salud.

Conquiste el estreñimiento naturalmente. En vez de depender de los laxantes, pruebe la cura natural para el estreñimiento—la fibra. La fibra ayuda a mover las cosas en sus intestinos, aumentando el volumen y ablandando su materia fecal.

Coma más higos y usted recibirá más fibra. Sólo dos higos medianos le proveen casi 3 gramos

Nutrientes estrellas

Nutriente	Valor
Fibra	12%
Potasio	6%
Manganeso	6%
Vitamina B6	6%
Vitamina K	6%
Polifenoles	★

Tamaño de porción es 2 medianos
Porcentajes son del Valor Diario

de fibra, o 12 por ciento del Valor Diario recomendado. Los higos secos tienen aún más fibra en un paquete más pequeño. Una taza de higos secos provee 15 gramos de fibra o un sorprendente 58 por ciento del Valor Diario.

Los higos pueden mejorar su salud digestiva de otras formas, también. Eso es porque el añadir más fibra a su dieta también puede ayudar a combatir las hemorroides, la enfermedad diverticular, el síndrome de intestino irritable (IBS, por sus siglas en inglés) y el cáncer de colon.

Sólo recuerde añadir la fibra a su dieta gradualmente. Añadir demasiada fibra muy rápido puede producir gas y distención abdominal. Usted también quiere asegurarse de tomar suficiente agua cuando come una dieta rica en fibra.

■ ■ ■ ■ ■ Aumente los beneficios ■ ■ ■ ■ ■

Los higos van más allá de las Fig Newton. Usted puede añadir los higos rebanados a las ensaladas verdes para dulzura, textura y fibra adicional. Usted también los puede usar como ingrediente para la pizza. Ellos también son buenos postres. Sólo moje los higos en yogur usando el tallo como mango.

Rocíe higos secos y picados sobre su calabaza antes de hornearla o sobre su cereal frío o avena. Los higos también son un buen acompañamiento para la pasta o para los granos cocidos como la cebada, el cuscús o el arroz integral. Usted hasta puede hacer puré de higos para usarlo como un sustituto del aceite en los productos horneados.

Vele su peso. Quizás usted quiere perder un par de libras o simplemente quiere evitar volver a ganar el peso que ya perdió. De cualquier manera, si usted es goloso, le será difícil controlar su peso.

No busque más allá de los higos. Estas sabrosas golosinas pueden satisfacer sus antojos de algo dulce—sin añadir grasa. Esta combinación hace a los higos el bocadillo ideal de las personas que están tratando de controlar su peso.

La fibra en los higos también le llena rápido y le mantiene lleno por un rato, así que usted tiene menos propensión a comer de más. Y ya que su cuerpo no puede digerir la fibra, ésta pasa por su sistema digestivo sin añadir calorías adicionales.

Evite el cáncer. Adán y Eva se cubrieron con hojas de higo en el Jardín del Edén. Estos días usted puede hallar mejores maneras de proteger y cubrir su cuerpo—pero aún así los higos podrían protegerle del cáncer.

Un estudio reciente en la Universidad de Scranton halló que los higos, especialmente los higos secos, prácticamente estaban rebosando de polifenoles antioxidantes. Estas sustancias han sido asociadas con la prevención de la enfermedad cardiaca y del cáncer. En un estudio de laboratorio israelí, los compuestos aislados de la resina de los higos suprimieron fuertemente la propagación de varias células cancerosas.

Expertos también recomiendan el aumentar su consumo de fibra para proteger contra ciertos tipos de cáncer. Comer más higos ricos en fibra es una manera fácil de hacer esto.

Dele una mano a su corazón. En vez de medallas de oro, los ganadores de los antiguos eventos olímpicos recibían higos como premios. Cuando se trata de la salud de su corazón, un higo es un tremendo premio. A continuación verá lo que hace a los higos tan especiales.

- *Polifenoles.* Con más polifenoles antioxidantes que el vino tinto o el té, los higos combaten activamente la enfermedad cardiaca. Estos polifenoles ayudan a evitar que el colesterol LDL, o malo, se oxide, un paso clave en la formación de placa en las paredes de sus arterias.

- *Potasio.* Este importante mineral ayuda a mantener a su presión arterial bajo control. Éste también ayuda a reducir su riesgo de apoplejía.

- *Calcio.* Como el potasio, el calcio ayuda a regular su presión sanguínea.

- *Fibra.* Los higos contienen tanto fibra insoluble como fibra soluble, la que reduce el colesterol.

▪ ▪ ▪ *Rincón del cocinero* ▪ ▪ ▪

Escoja higos carnosos y bastante suaves que huelan dulces. Sus tallos deberían estar intactos. Evite las frutas secas, verdes o magulladas. Siempre maneje estas delicadas frutas con cuidado.

Usted puede refrigerar los higos, los cuales se deterioran fácilmente, por varios días. Sólo asegúrese de envolverlos bien para que no absorban olores. También los puede congelar por hasta un año.

Si usted tiene higos muy maduros o magullados, no se preocupe. Aún así usted puede guisarlos, cocinarlos o usarlos para hornear.

Convierta el ir de compras en una bonanza de supermercado

El saber cuáles alimentos son saludables es importante. Pero el saber cómo ahorrar dinero en estos alimentos no tiene precio. Halle cómo recortar $50 a $150 al mes de sus cuentas del supermercado sin reducir la comida. Sólo siga estos consejos útiles.

- **Asegúrese que el precio es correcto.** Aprenda los precios de los artículos comunes para que pueda reconocer un buen precio cuando lo ve. Preste atención al precio por unidad para que pueda comparar los precios más efectivamente.

- **Dóblese para los especiales.** Los artículos más populares y más caros están a nivel del ojo. Busque en los estantes de abajo para encontrar los mejores precios.

- **Escoja el tiempo correcto.** Vaya de compras los martes o los miércoles, cuando los supermercados tienen la mayoría de sus ventas especiales y las tiendas están menos llenas.

- **Sea genérico.** Las marcas genéricas o de la tienda frecuentemente son tan buenas—y más baratas—que los productos de primera.

- **Reduzca la escala.** Pídale a la tienda que rompa los paquetes grandes de vegetales y frutas para que usted pueda comprar una cantidad más pequeña. No pague por más de lo que necesita.

- **Pase por alto los trucos.** Los supermercados muestran artículos al final del pasillo para que usted crea que está recibiendo un precio especial. Por lo general no lo son.

- **Compre en temporada.** Los precios bajan cuando los mercados tienen una abundancia de ciertos alimentos.

- **Obtenga consejos internos.** Hable con los tenderos. Usted podría obtener información acerca de precios especiales de los empleados, los carniceros y los gerentes de las tiendas.

- **Verifique dos veces al pagar.** Vele la caja registradora y verifique sus recibos. Los errores ocurren. Puede que la persona cobrándole cobre el mismo artículo dos veces o que el precio de venta podría no ser el marcado.

153

Toronja

■ ■ ■ ■ ■ ■ ■ ■ ■ ■ ■

Gran fruta cítrica con grandes beneficios

En una escena famosa de la película "The Public Enemy" *(El enemigo público),* James Cagney empuja una toronja en la cara de Mae Clark. Pero esta deliciosa fruta cítrica se merece más que una corta aparición en una película. Con su amplio suministro de vitamina C, más vitamina A, potasio y fibra, la toronja se merece un papel estelar en su dieta.

La toronja, un cruce entre una pampelmusa y una naranja, es una de las frutas cítricas más grandes. Ésta viene en variedades blancas, rosadas y rojas y tiene un sabor agrio refrescante. Como todas las frutas cítricas, ésta también tiene una pulpa segmentada.

Las toronjas crecen en grupos, como las uvas, lo que probablemente explica como la fruta recibió su nombre en inglés (el cual literalmente significa "fruta de uva"). La mayoría de las toronjas son cultivadas en Florida, Texas y California, pero ellas también provienen de Suramérica, México, Israel y los países mediterráneos.

No importa de dónde usted obtiene su toronja, asegúrese de tratarla— y su compañera de desayuno— con más respeto de lo que Cagney hizo. A cambio, esta sorprendente fruta puede ayudarle a reducir su colesterol, perder peso y hasta evitar el cáncer.

Reduzca su colesterol. Una toronja al día evita el colesterol alto. Eso es lo que descubrieron los investigadores israelitas en un estudio reciente.

El estudio de 30 días involucró a 57 personas con colesterol alto, divididas al azar en tres grupos. En un grupo, los participantes

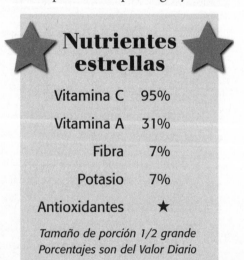

Nutrientes estrellas

Vitamina C	95%
Vitamina A	31%
Fibra	7%
Potasio	7%
Antioxidantes	★

Tamaño de porción 1/2 grande
Porcentajes son del Valor Diario

154

comieron una toronja roja cada día, mientras que las personas en otro grupo comieron una toronja blanca del mismo tamaño. El tercer grupo funcionó como el grupo control y no comió toronjas.

■ ■ ■ ■ ■ **Aumente los beneficios** ■ ■ ■ ■ ■

El desayuno puede ser la comida más importante del día, pero no es el único tiempo para disfrutar de una toronja. Obtenga más de esta gran fruta usándola de diferentes maneras.

Sirva mitades de toronja como el primer plato de una cena o use la toronja en ensaladas de frutas o de vegetales, vinagretas y sorbetes. La toronja asada a la parrilla va bien con platos de pollo, pato, cerdo y de camarones. Sustituya las naranjas o piñas con toronja en muchas recetas. Usted puede hasta cubrir media toronja con un poco de azúcar y hornearla para un postre.

Ambos grupos de toronjas mostraron tremendas mejorías en sus niveles de colesterol, pero aquellos que comieron la toronja roja salieron mejor. Ellos redujeron su colesterol total en un 15.5 por ciento, su colesterol LDL en un 20.3 por ciento y sus triglicéridos en un 17.2 por ciento. El grupo con toronja blanca redujo su colesterol total en un 7.6 por ciento, el colesterol LDL en un 10.7 por ciento y sus triglicéridos en un 5.6 por ciento.

Los muchos antioxidantes en las toronjas—incluyendo la vitamina C y A—probablemente se merecen el crédito por su parte en la reducción del colesterol. La fibra y el potasio en la toronja también le sirven a su corazón.

Usted no tiene que saber exactamente por qué la toronja funciona. Sólo recuerde este poco de matemáticas. Sume una toronja diaria a su dieta y usted restará de su colesterol.

Destruya los cálculos renales. Pocas cosas son más dolorosas que los cálculos renales. Afortunadamente, prevenirlos puede ser indoloro. Sólo beba más jugo de toronja.

Un estudio italiano halló que el jugo de toronja no sólo aumentó el flujo urinario, sino que también aumentó significativamente los niveles de citrato, calcio y magnesio en la orina. Esto significa que el jugo de toronja podría ser una alternativa más segura y más barata a los medicamentos como el citrato de potasio para el manejo de cálculos renales. Para mejores resultados, busque un jugo con azúcar reducida.

Investigadores alemanes también hallaron que el jugo de toronja reduce el riesgo de la formación de cálculos renales. El jugo de manzana y de naranja también redujo el riesgo.

Las frutas cítricas bloquean ciertos cánceres. Cuando se trata de la toronja y el cáncer, hay buenas noticias y malas noticias. Un análisis italiano de varios estudios nutricionales halló que las frutas cítricas, como la toronja, ayudan a protegerle del cáncer oral. Sólo comer una fruta cítrica al día puede reducir su riesgo de cáncer oral por un 62 por ciento. Mientras que otras frutas y vegetales también ayudan, las frutas cítricas proveen la mayor protección.

La toronja también podría ayudar a combatir el cáncer de la próstata, según un estudio reciente de laboratorio. La pectina, un tipo de carbohidrato complejo hallado en las frutas cítricas, ayuda a corregir la mala comunicación entre las células de la próstata que puede llevar a cáncer. Ésta también podría ayudar a combatir otros cánceres. Para mejores resultados, cómase la fruta entera en vez de sólo el jugo. La carne de la fruta y la membrana que separa los segmentos contienen la mayor concentración de pectina.

Desafortunadamente, la toronja podría también aumentar su riesgo de cáncer de la mama porque ésta aumenta sus niveles de estrógeno. Un estudio reciente halló que el comer un cuarto de toronja al día o más aumentó el riesgo de cáncer de la mama por un 30 por ciento en mujeres posmenopáusicas.

Evite interacciones peligrosas entre medicamentos

A veces los alimentos saludables pueden ser peligrosos. Eso es lo que pasa cuando usted mezcla la toronja o el jugo de toronja con ciertos medicamentos recetados, incluyendo los bloqueadores de canal de calcio para la hipertensión, las estatinas para reducir el colesterol y medicamentos para la ansiedad, el insomnio o la depresión.

Los químicos en la toronja llamados furanocumarinas son los responsables por la interacción, la cual resulta en niveles más altos del medicamento en su torrente sanguíneo—un efecto secundario potencialmente serio. Pregúntele a su médico si su medicamento es seguro para tomarlo con toronja o jugo de toronja.

Manera fácil de controlar su peso. Las dietas de moda de toronja frecuentemente prometen resultados increíbles—e imposibles. Pero un estudio reciente de la Clínica Scripps en San Diego halló que la toronja de veras le ayuda a perder peso.

Las personas que comieron media toronja tres veces al día, antes de cada comida, perdieron un promedio de 3.6 libras en el transcurso del estudio de 12 semanas. Algunos perdieron tanto como 10 libras. Ellos también mostraron pequeñas mejorías en sus niveles de insulina, lo que significa que la toronja también podría reducir su riesgo de diabetes. Beber 8 onzas de jugo de toronja tres veces al día también produjo pérdidas moderadas de peso, un promedio de 3.3 libras.

La toronja podría ayudar a controlar su peso de varias maneras. El reducir su nivel de insulina le hace sentirse menos hambriento. Además la naringina, un compuesto hallado en la toronja, reduce la acción de las enzimas en el intestino delgado que ayudan a metabolizar algunas grasas y carbohidratos. El alto contenido de agua y fibra de la toronja también podría ayudar a llenarle, así que es menos probable que coma de más.

■ ■ ■ *Rincón del cocinero* ■ ■ ■ ■

Escoja toronjas pesadas para su tamaño. Esto significa que son más jugosas. Éstas deberían ser brillosas y firmes, pero ceder un poco al apretarlas. Evite las toronjas opacas, con cáscaras arrugadas o las frutas livianas.

Usted puede dejar la toronja a temperatura ambiente por hasta una semana o mantenerlas en el refrigerador por dos semanas. También puede congelar el jugo y la cáscara.

Un cuchillo serrado puede ayudar a soltar los segmentos de la toronja. Usted también puede usar una cuchara para toronjas, la cual tiene una punta serrada.

Uvas

■ ■ ■ ■ ■ ■ ■ ■

Fruta del viejo mundo sigue combatiendo enfermedades

La próxima vez que usted disfrute de una copa de vino con su cena, usted debería brindar—por las uvas. Estas pequeñas frutas con una pulpa dulce y jugosa están entre las frutas más antiguas y más cultivadas del mundo.

Ellas han sobrevivido la prueba del tiempo por una razón. Las uvas no solamente proveen mucha vitamina C y vitamina K, junto con cobre, potasio y fibra, ellas además están repletas de fitoquímicos que combaten enfermedades.

Las uvas se usan para hacer jaleas y mermeladas, disecadas para hacer pasas y exprimidas para hacer jugo de uva y vino. Estudios muestran que este jugo de fruta común puede reducir la presión arterial y podría ayudar a combatir el cáncer y aumentar su capacidad mental también. Pero usted no tiene que convertir las uvas en algo más para disfrutarlas. Las uvas de mesa hacen deliciosos bocadillos.

Las uvas vienen en variedades verdes, rojas o negras, con o sin semillas. Ellas crecen en racimos en enredaderas. California produce casi todas las uvas de los Estados Unidos, mientras que Italia, Francia y España son los productores principales de uvas en el mundo. No importa de dónde vengan sus uvas, ellas mejoran su salud en una variedad de maneras. ¡Salud!

Disfrute "un racimo" de beneficios para su corazón. Las uvas vienen en racimos—igual que sus poderes para la salud cardiaca.

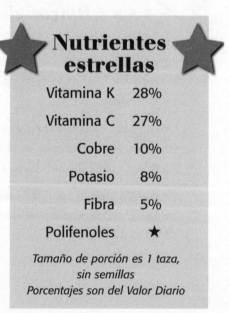

Nutrientes estrellas

Vitamina K	28%
Vitamina C	27%
Cobre	10%
Potasio	8%
Fibra	5%
Polifenoles	★

Tamaño de porción es 1 taza, sin semillas
Porcentajes son del Valor Diario

158

Beber vino o jugo de uva puede ayudar a mejorar sus niveles de colesterol, su presión arterial y la función de sus vasos sanguíneos. Éste hasta podría ayudarle a vivir más tiempo.

Investigadores han notado por mucho tiempo algo llamado la Paradoja Francesa. A pesar de comer una dieta alta en grasa, los franceses tienen niveles bajos de problemas cardiacos. Pero ellos también toman vino tinto, el cual parece proveer protección. Y aunque el alcohol, incluyendo el vino, tiende a elevar la presión arterial, los bebedores moderados de vino con alta presión arterial tienen tasas de mortalidad menores.

Según un estudio holandés de 40 años, las personas que tomaron aproximadamente media copa de vino al día vivieron más que los que no tomaban por un promedio de cuatro años. Los bebedores de vino tuvieron una probabilidad un 46 por ciento menor de morir de problemas cardiacos durante el estudio.

Pero esa no es una razón para comenzar a tomar alcohol, el cual trae sus propios riesgos de salud. Usted puede obtener los mismos beneficios del jugo de uva. Estudios han mostrado que el jugo de uva reduce el colesterol LDL o malo. Éste también evita que el LDL se oxide, lo cual lo hace más peligroso para las paredes arteriales. El jugo de uva también aumenta el nivel de colesterol HDL o bueno y reduce algunos marcadores de inflamación, lo cual ha surgido como un factor de riesgo clave para la enfermedad cardiaca.

Otros estudios han hallado que el jugo de uva reduce la presión arterial en las personas con hipertensión y presión normal. Aunque el efecto fue modesto, aún una pequeña reducción en la presión arterial puede reducir dramáticamente su riesgo de muerte por apoplejía y de muertes relacionadas al corazón.

Para evidencia adicional de que algo más que el alcohol en el vino se merece el crédito por sus beneficios de salud, otro estudio halló que un producto de uva no alcohólico mejoró la función de los vasos sanguíneos y hasta amortiguó los efectos negativos de una comida rica en grasa.

Así que si no es el alcohol, ¿qué le da al vino su poder? Podría ser el resveratrol, un antioxidante hallado en la piel de las uvas usado para hacer el vino tinto. Mientras que los estudios animales del resveratrol mostraron mucha promesa, usted probablemente necesita tomar una cantidad irrazonable de vino para obtener los beneficios. En cambio, las procianidinas en el vino probablemente ayudan a su corazón. Estos taninos condensados son sólo algunos de los muchos fitoquímicos hallados en las uvas.

Los flavonoides en el jugo de uva aumentan la producción de óxido nítrico, el cual ayuda a relajar los vasos sanguíneos y mejorar la función de los vasos sanguíneos. El jugo de uva púrpura tiene el mayor número de proantocianidinas por porción de cualquier bebida, incluyendo el vino tinto, el té y el jugo de arándanos agrios. Estos potentes antioxidantes podrían ser el secreto del éxito de las uvas.

Tanto el jugo de uva purpura como el rojo protegerá su corazón. Si usted prefiere el vino, siga con el vino tinto, el cual tiene más polifenoles antioxidantes que el vino blanco. Sólo recuerde tomar en moderación. Esto significa no más de 4 onzas de vino cada día para las mujeres y 8 onzas para los hombres.

■ ■ ■ ■ ■ Aumente los beneficios ■ ■ ■ ■ ■

Su copa de vino no es el único lugar para aprovechar los beneficios de salud de las uvas. Añádale algunas uvas a sus ensaladas o añádalas a las salsas cremosas o los platos de arroz. Ellas van bien con el pollo, la carne de animales de caza, el conejo, el pescado y los mariscos. Usted puede usarlas en vez de manzanas o cerezas en los pastelillos, hervirlas para crear un jarabe para panqueques o helados o convertirlas en mermeladas, jaleas o conservas.

Llame a un grupo de combatientes de cáncer. Puede que el vino haga más que ayudar a su corazón. Una copa de vino semanal también podría protegerle del cáncer del colon. Un estudio halló que sólo 1 por ciento de los bebedores de vino tenían un número significativo de pólipos colorectales, precursores del cáncer del colon, comparado con un 18 por ciento de los bebedores de cerveza o de licor y un 12 por ciento de los no bebedores. Otro estudio halló que tres o más copas de vino tinto a la semana reducen su riesgo de cáncer del colon.

Los polifenoles en las uvas probablemente son los que merecen el crédito. Un estudio de laboratorio de la Universidad de Georgia halló que los polifenoles de las uvas muscadina tenían propiedades anticáncer. En un estudio de laboratorio de la Universidad de Illinois, un extracto de las uvas Concord rico en antocianinas protegió las células humanas de la mama del daño al ADN. Las antocianinas son antioxidantes que le dan al jugo de uva su color púrpura oscuro.

El resveratrol, un polifenol antioxidante hallado en las uvas, inhibió el crecimiento de varias células cancerosas, incluyendo las de la leucemia, de la próstata, de la mama y del hígado. Éste también activa la muerte de las células, o apoptosis, en las células cancerosas del esófago.

Otro compuesto en las uvas llamado el pterostilbeno, el cual es similar al resveratrol, también podría combatir el cáncer. El pterostilbeno evitó el daño a las células en pruebas de laboratorio usando células mamarias de ratones. Antioxidantes como el pterostilbeno y el resveratrol destruyen los radicales libres, los cuales contribuyen al cáncer. Las uvas de cáscara oscura contienen la mayor cantidad de pterostilbeno. Sorprendentemente, el pterostilbeno no se encuentra normalmente en el vino.

Reduzca su glucemia para detener la diabetes. El pterostilbeno, un compuesto antioxidante hallado en las uvas, puede reducir su glucemia y combatir la diabetes. Un estudio mostró que éste podría reducir la glucemia en las ratas en un 42 por ciento.

El alcohol y los polifenoles en el vino también podrían ayudar con la diabetes. En un estudio de ratones diabéticos, aquellos que recibieron tanto alcohol como polifenoles después de una comida controlaron su glucemia tan bien como los ratones normales.

Un estudio italiano halló que el tomar una cantidad moderada de vino tinto con las comidas ayuda a las personas con diabetes a evitar complicaciones cardiacas después de un paro cardiaco. El beber vino antes o con la comida también puede reducir su glucemia después de comer por hasta un 37 por ciento según un estudio australiano reciente.

Otro estudio halló que mujeres que tomaron vino tinto al menos una vez a la semana tenían un riesgo de diabetes un 16 por ciento menor comparado con aquellas que tomaban vino menos de una vez a la semana.

Cultive un cerebro saludable. Tomar tres o más vasos de jugo de fruta a la semana podría reducir el riesgo de alzhéimer en un 76 por ciento comparado con personas que toman jugo menos de una vez a la semana. Como el jugo de uva contiene la mayor cantidad de polifenoles, éste es una excelente opción.

Varios estudios animales también muestran que las uvas podrían ayudar a los cerebros envejecidos. El jugo de uvas Concord mejoró el proceso mental y los movimientos corporales de ratas ancianas, mientras que el resveratrol añadido a la comida de peces ayudó a los peces a vivir por más tiempo y retrasar la reducción en las funciones mentales y motoras. Los vinos cabernet sauvignon y muscadino ambos ayudaron a reducir el riesgo de alzhéimer en las ratas y la epicatequina, un químico hallado en las uvas, al igual que en el chocolate, el té y los arándanos, mejoró la memoria de los ratones.

El consumo moderado de vino también puede tener un gran impacto sobre la salud de su cerebro. En un estudio de cuatro años de personas mayores, aquellas que tomaban hasta tres porciones de vino al día redujeron su riesgo de enfermedad de Alzhéimer en un 45 por ciento.

Otro estudio halló que una copa de vino al día no impide las destrezas mentales y hasta podría reducir el riesgo de deterioro mental en las mujeres.

El vino tinto protege a su cerebro, gracias al polifenol resveratrol. El resveratrol ayuda reduciendo los niveles de los péptidos amiloides beta, los cuales causan la placa encontrada en los cerebros de las víctimas de alzhéimer.

A pesar de estos resultados positivos en estudios, los profesionales de la salud no recomiendan que usted tome bebidas alcohólicas. Los beneficios podrían no superar los riesgos. Hable con su médico y siga sus recomendaciones.

▪ ▪ ▪ ▪ *Rincón del cocinero* ▪ ▪ ▪ ▪

- Busque uvas firmes, carnosas y fragantes. Evite las uvas blandas, arrugadas o marchitas. Guárdelas—sin lavar—en el refrigerador en una bolsa plástica perforada por hasta 10 días.

- Compre uvas orgánicas cuando sea posible porque las uvas frecuentemente son tratadas con químicos. Enjuáguelas bien en agua fría antes de servirlas.

- Remueva pequeños racimos de uva del tallo principal con tijeras. No hale uvas individuales o sino el tallo se secará y las otras uvas se pondrán blandas y se marchitarán.

Melón verde

Melón dulce le ayuda a vencer enfermedades

El Dr. Bunsen Honeydew (*Dr. Bunsen 'Melón verde'*), el científico loco de los Muppets no inventó el melón verde. Pero si lo hubiese hecho, este sabroso melón de invierno estaría entre sus mejores invenciones.

El melón verde, como todos los melones, tuvo su comienzo en África o India hace miles de años. Los melones, los cuales pertenecen a la misma familia que el pepino, el zapallo, la sandía y la calabaza, crecen en enredaderas rastreras en climas cálidos. Hoy día, la mayoría los melones americanos provienen de California.

Un poco más ovalado que redondo, los melones verdes generalmente pesan entre 4 y 8 libras. A medida que maduran, el color de su lisa cáscara exterior cambia de un verde pálido a blanco a un amarillo cremoso.

Con su extremadamente dulce y blanda pulpa de color verde claro, los melones verdes pueden ser un placer para su paladar. Con bastante vitamina C, potasio, folato, vitamina B6 y el carotenoide luteína, los melones verdes también pueden ser un placer para la salud de su cuerpo.

Detenga la hipertensión. Aquí tiene una manera fácil de reducir su presión arterial y su riesgo de apoplejía—aumente su consumo de potasio. Este mineral clave también ayuda a amortiguar los efectos del sodio sobre su presión arterial. La mejor manera de obtener potasio es de los alimentos y no de los suplementos. El comer más melón verde, el cual le da 388 miligramos de potasio por taza, ayudará a lograrlo. Porque la hipertensión es el factor de riesgo principal

Nutrientes estrellas

Vitamina C	51%
Potasio	11%
Folato	8%
Vitamina B6	7%
Luteína y zeaxatína	★

Tamaño de porción es una taza, cortado en cubitos
Porcentajes son del Valor Diario

para apoplejía, los melones verdes también evitan las apoplejías. De hecho, una dieta rica en potasio puede reducir el riesgo de apoplejía entre un 22 y un 40 por ciento.

Además del potasio, el melón verde provee mucha vitamina C, la cual puede ayudar a reducir su presión arterial manteniendo a sus arterias flexibles. Los melones verdes también le proveen bastante folato, una vitamina B saludable para el corazón que protege su corazón reduciendo los niveles de homocisteína. Los niveles elevados de este aminoácido podrían aumentar su riesgo de paro cardiaco y apoplejía.

■ ■ ■ ■ Aumente los beneficios ■ ■ ■ ■

El melón verde sabe fabuloso por sí solo, pero usted puede mejorarlo añadiéndole un poco de jengibre o jugo de lima o de limón. Usted también puede hallar varias maneras de introducir el melón verde a su dieta.

Añada el melón verde a los cereales, las ensaladas de frutas, las sopas frías o a los batidos. De hecho, la mitad hueca de un melón verde hace un buen envase para las ensaladas de fruta o las sopas frías.

Los melones verdes también van especialmente bien con el jamón, los fiambres, el prosciutto y otras carnes secas, el pescado ahumado y los quesos. Usted también puede espetar unos pedazos de melón verde en un palillo y usarlo como un adorno comestible para las bebidas.

Despídase de los cálculos renales. El potasio hace más que simplemente regular su presión arterial. Como un beneficio adicional, el potasio de las frutas y los vegetales como el melón verde también ayuda a combatir los cálculos renales. El potasio ayuda a reducir la cantidad de calcio excretado en la orina, lo que también reduce el riesgo de cálculos renales. Estudios muestran que un consumo elevado de potasio y magnesio como parte de una dieta rica en frutas y vegetales, puede reducir la formación de cálculos renales en hasta un 50 por ciento.

Descubra el secreto para los huesos fuertes. El melón verde podría ser blando, pero eso no lo hace un debilucho. De hecho, con su potasio y vitamina C, el melón verde puede fortalecer sus huesos.

El potasio protege contra la osteoporosis de la misma forma que protege contra los cálculos renales—reduciendo la cantidad de calcio excretado en la orina. De hecho, un estudio reciente de mujeres posmenopáusicas halló que el potasio ayudó a contrarrestar la pérdida de calcio asociada con una dieta rica en sal. Al retener más calcio, usted aumenta la fuerza de sus huesos.

La vitamina C también juega un papel clave en la formación de los huesos. Ésta ayuda a ciertas enzimas a funcionar correctamente y es esencial en el enlace cruzado de las fibras de colágeno en el hueso. El recibir más vitamina C en su dieta, quizás comiendo más melón verde, puede mejorar su salud ósea.

Reduzca las cataratas. Sin una buena vista, usted no sería capaz de apreciar la belleza de un melón verde. Afortunadamente, el comer melón verde mantiene a sus ojos en buena forma.

Los niveles bajos de vitamina C en el cristalino de su ojo podrían aumentar su riesgo de cataratas. El introducir más vitamina C, un antioxidante común, en su dieta podría ayudar. Un estudio, llevado a cabo en España, halló que los niveles más altos de vitamina C en la sangre redujeron el riesgo de cataratas en un 64 por ciento. Un estudio japonés reciente también halló que el consumo elevado de vitamina C dietética lleva a un menor riesgo de cataratas.

El melón verde también contiene los carotenoides luteína y zeaxantina, los cuales podrían protegerle de las cataratas y la degeneración macular. Las personas con cataratas frecuentemente tienen una deficiencia de estos carotenoides antioxidantes. Varios estudios muestran que el comer más alimentos ricos en luteína y zeaxantina reduce su riesgo de desarrollar cataratas o requerir cirugía para removerlas.

Esté alerta por una alergia poco común

Si usted es alérgico a la ambrosía, puede que quiera evitar el melón verde, el cual es un primo de esta yerba silvestre. El melón verde podría desencadenar algunos de los mismos síntomas, incluyendo estornudos, tos, congestión, goteo nasal, dolor de cabeza y ojos irritados.

■ ■ ■ ■ *Rincón del cocinero* ■ ■ ■ ■

Escoja un melón verde que sea pesado para su tamaño, sin magulladuras ni grietas. Éste debería ceder un poco a la presión. Un melón verdaderamente maduro se sentirá un poco pegajoso y dará un aroma a miel.

Puede dejar que el melón verde madure a temperatura ambiente por cuatro días. Si usted refrigera los melones, bien estén cortados o no, asegúrese de envolverlos ceñidamente con plástico para evitar que absorban olores de otros alimentos.

Siempre compre los melones enteros. La exposición al aire reduce su contenido de nutrientes. Así que evite las mitades, los cuartos o los cubitos.

Kiwi

■ ■ ■ ■ ■ ■ ■

Elévese a una mejor salud con una fruta poco común

Nombrado por el ave peluda, incapaz de volar y que es el ave nacional de Nueva Zelandia, el kiwi podría volar por debajo del radar en la sección local de hortalizas. Pero usted sería un tonto al pasar por alto esta rara fruta.

Alrededor del tamaño y forma de un huevo grande de gallina, el kiwi tiene una cáscara velluda de color marrón opaco. Adentro, éste tiene una pulpa verde esmeralda, con hileras de semillas negras comestibles. Estas semillas le dan al kiwi una textura similar a la fresa. El kiwi sabe como una mezcla de fresa, piña y melón dulce. Éste también provee una poderosa mezcla de nutrientes importantes, tales como vitamina C, vitamina K, fibra, potasio, vitamina E y cobre.

Los kiwis, los cuales crecen en enredaderas grandes y leñosas, tuvieron su comienzo en China. De hecho, antes se le llamaban grosellas chinas. En 1906, las semillas llegaron a Nueva Zelandia, donde la fruta obtuvo su nuevo nombre. California comenzó a cultivar los kiwis comercialmente en la década del 1960. Estados Unidos también importa el kiwi de Chile y Nueva Zelandia.

Mientras que el ave kiwi no puede volar, la fruta kiwi puede ayudar a su salud a alcanzar nuevas alturas.

Sabrosa manera de vencer los coágulos sanguíneos. Probablemente usted sabe que el tomar aspirina diariamente ayuda a prevenir los coágulos, los cuales pueden llevar a paro cardiaco o una apoplejía. Pero usted también puede protegerse con una opción más segura y más sabrosa—kiwi.

En un estudio llevado a cabo por la Universidad de Oslo en Noruega, las personas que comieron dos o tres kiwis al día por un mes redujeron significativamente su riesgo de desarrollar coágulos sanguíneos. Ellos también redujeron sus niveles de triglicéridos dañinos en un 15 por ciento. Los investigadores permanecen inseguros de por qué el kiwi ayuda, pero su vitamina C, vitamina E y polifenoles podrían todos contribuir. La vitamina C podría ayudar a evitar la obstrucción de las arterias y la hipertensión, mientras que la vitamina E sirve como un diluyente sanguíneo natural que también podría detener la formación de coágulos. El kiwi también provee bastante fibra saludable para el corazón y potasio, el cual ayuda a controlar su presión arterial.

Frutas de colores brillantes protegen su visión. Con su exterior velludo y pulpa verde brillante, el kiwi ciertamente llama la atención. También puede ayudar a proteger su vista. Esto es porque está repleto de vitamina C.

Esta vitamina antioxidante podría ayudar a evitar las cataratas y funciona con otros antioxidantes— como la vitamina E—para retrasar el progreso de la degeneración macular relacionada con la edad.

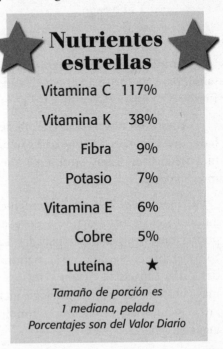

Nutrientes estrellas

Vitamina C	117%
Vitamina K	38%
Fibra	9%
Potasio	7%
Vitamina E	6%
Cobre	5%
Luteína	★

Tamaño de porción es 1 mediana, pelada Porcentajes son del Valor Diario

La vitamina E también podría ayudar a mejorar su visión si usted tiene glaucoma.

Además de las vitaminas antioxidantes, los kiwis contienen una cantidad sustancial de luteína. Este carotenoide juega un papel clave para proteger a sus ojos de las cataratas y la degeneración macular.

■ ■ ■ ■ ■ **Aumente los beneficios** ■ ■ ■ ■ ■

El kiwi sabe fabuloso por sí mismo, pero éste también puede mejorar otros alimentos. Las rebanadas de kiwi mejoran sus ensaladas de fruta, mientras que los trozos de kiwi pueden adornar cualquier comida.

Sirva una salsa de kiwi con las carnes o añada kiwi a los platos de pescado, de aves o de carnes. El kiwi también va bien con el aguacate, la achicoria y la escarola. Para una bebida refrescante, combine el puré de kiwi fresco, el jugo de naranja y el agua carbonatada.

Usted puede usar el kiwi en las tartas, los budines y los panes. Para un postre exótico, trate de añadirle salsa o rebanadas de kiwi a su helado.

Conquiste el estreñimiento con un remedio natural. Con la edad viene sabiduría. Desafortunadamente, la edad también suele traer el estreñimiento. En vez de confiar en laxantes sin recetas, trate de añadir kiwi a su dieta.

Un estudio neozelandés de 38 personas saludables mayores de 60 años halló que el comer kiwi por tres semanas llevó a defecaciones más fáciles y más frecuentes. Ellos también tuvieron defecaciones más voluminosas y más blandas.

La fibra en el kiwi probablemente se merece el crédito. Mientras que un aumento en la fibra ayuda a combatir el estreñimiento, la fibra del kiwi podría tener propiedades especiales. Las paredes celulares del kiwi se hinchan considerablemente durante la maduración, sugiriendo que la fibra en el kiwi tiene una capacidad mayor para retener agua. Esto llevaría a defecaciones más voluminosas y a una mejor función intestinal. Otros componentes del kiwi, incluyendo la enzima actinidina y oligosacáridos, también podrían jugar un papel.

Silencie un resuello con facilidad. Cuando se trata de asma, la vitamina C obtiene una "A". Un estudio italiano de 18,737 niños descubrió un efecto positivo de las frutas ricas en vitamina C con los síntomas del asma. Los niños que comieron cinco a siete kiwis o frutas cítricas por semana redujeron su riesgo de resuello asmático por un 34 por ciento comparado con los que comieron fruta menos de una vez a la semana. Ellos también salieron mejor en términos de falta de aliento y de la tos crónica o nocturna.

Otros estudios también han hallado que la vitamina C es beneficiosa para el asma. Ésta podría ayudar porque actúa como un antihistamínico, antiinflamatorio y antioxidante natural. Una dieta baja en vitamina C es un factor de riesgo para el asma.

La vitamina C también puede ser útil cuando está combatiendo con un resfriado. Estudios muestran que dosis altas de vitamina C podrían reducir la duración de los resfriados en un 5 a un 50 por ciento.

El kiwi es una fuente excelente de vitamina C. Sólo una fruta mediana provee unos sorprendentes 70.5 miligramos o un 117 por ciento del Valor Diario recomendado.

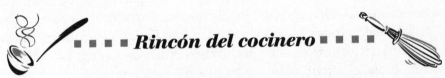

Rincón del cocinero

- Busque frutas carnosas que ceden un poco con presión leve. Evite los kiwis manchados, con hongo o que estén blandos. Usted puede dejar a los kiwis madurar por varios días a temperatura ambiente. Acelere el proceso colocándolo en una bolsa de papel con una manzana o una banana. Refrigere los kiwis maduros en una bolsa plástica por una semana o dos.

- La cáscara peluda del kiwi es comestible, pero rara vez es apetecedora. Recorte ambas puntas y remueva la cáscara con un pelador de vegetales.

- Gracias a una enzima llamada actinidina, el kiwi puede ablandar la carne. Sólo coloque unas rebanadas de kiwi sobre la carne o frote la carne con la fruta. Esta misma enzima hace cuajar a la leche y evita que la gelatina se endurezca.

169

Limas

■■■■■■■■■■

Pequeña fruta cítrica le da un apretón a las enfermedades

Es fácil añadir más sabor a su vida con las limas. Aunque ellas son demasiado agrias para morderlas, estas pequeñas frutas cítricas verdes añaden sabor a otros alimentos. Ellas también ayudan a combatir la enfermedad, gracias mayormente a la vitamina C. Para combatir el escorbuto, los marineros británicos cargaban sus naves con limas, recibiendo el sobrenombre de "limeros".

Como los marineros, las limas han viajado mucho. Ellas probablemente se originaron en Asia, alrededor de India, Myanmar y Malasia. Durante las Cruzadas, ellas llegaron a Europa. Cristóbal Colón las trajo hasta América.

Hoy día, el sur de Florida produce un 85 por ciento de las limas norteamericanas. Otros grandes productores de limas incluyen México, las Antillas, África, India, España e Italia. Las limas son un ingrediente básico de cocina en varias regiones, incluyendo América Latina, las Antillas, África, India, el sureste asiático y las Islas del Pacífico.

Las limas, parientes cercanos de los limones, vienen en dos tipos principales—persas o limas comunes y las limas ácidas, las cuales son más pequeñas y un poco más dulces. Además de la vitamina C, las limas proveen fibra y pequeñas cantidades de calcio, hierro y cobre.

Sorprendente manera de combatir el cáncer. Ya que son una buena fuente de vitamina C, las limas también son buenas armas contra el cáncer. Un nuevo estudio de corto plazo en la Universidad de Johns Hopkins mostró cómo la vitamina C podría combatir el cáncer. La sabiduría convencional dice que la vitamina C extrae radicales libres, los cuales causan daño al ADN. Pero este estudio más reciente, las células cancerosas no tratadas con vitamina

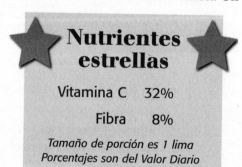

Nutrientes estrellas

Vitamina C	32%
Fibra	8%

Tamaño de porción es 1 lima
Porcentajes son del Valor Diario

170

C no mostraron ningún daño significativo en el ADN. Ellas sí contenían niveles elevados de una proteína llamada factor inducible de hipoxia (HIF-1), mientras que aquellos tratados con vitamina C no tenían nada de ella.

El HIF-1, el cual depende de los radicales libres para sobrevivir, ayuda a las células cancerosas a mantenerse vivas ayudándolas a compensar por la falta de oxígeno. Al bloquear los radicales libres, la vitamina C recorta los niveles de HIF-1, disminuyendo indirectamente los tumores.

Los limonoides, compuestos que le dan a las limas y a otras frutas cítricas su sabor amargo, han mostrado promesa anti-cáncer en estudios animales. El limoneno, un fitoquímico hallado en las cáscaras de las limas, también es posible que ayude a prevenir el cáncer.

Un estudio reciente de Harvard halló que el consumo elevado de frutas cítricas, jugos de frutas cítricas y de frutas y vegetales ricos en vitamina C ayudó a reducir el riesgo de cáncer oral en un 30 a un 40 por ciento.

■ ■ ■ ■ ■ Aumente los beneficios ■ ■ ■ ■ ■

Usted sabe acerca de la tarta de lima y las margaritas. Pero las limas pueden jugar un papel más grande y más saludable en su dieta.

Rocíe un poco de jugo de lima sobre la ensalada en vez de un aderezo para ensaladas lleno de grasa. Rocíe jugo de lima sobre las frutas, como el mango, la papaya o la piña, para evitar la descoloración y mejorar el sabor. O exprima un poco de jugo de lima sobre pescado asado, chuletas de cordero o bistec.

Si una receta pide limones, generalmente usted puede usar limas en su lugar. La cáscara picada o el jugo de limas va bien con las sopas, las salsas, las vinagretas, el helado y los sorbetes. Ésta puede añadir sabor a las gaseosas y a los jugos de frutas.

El jugo de lima puede servir como un ablandador de carnes y hasta "cocina" los mariscos en el ceviche, un plato peruano clásico de pescado crudo marinado en jugo de lima.

Tenga cuidado de las interacciones peligrosas con medicamentos

Las limas van bien con muchos alimentos, pero ellas no siempre se mezclan bien con los medicamentos. Como la toronja, las limas interactúan con algunos medicamentos recetados, llevando a una concentración más alta del medicamento que lo normal en su sangre. De hecho, investigadores japoneses aconsejan a las personas evitar cualquier jugo cítrico al tomar medicamentos. Pregúntele a su médico o farmacéutico si usted debería evitar las limas.

Proteja sus encías de enfermedad. El sabor de limas ciertamente le hace sonreír. Y eso es apropiado porque las limas le dan a su boca mucho de que sonreír.

Uno de los síntomas del escorbuto, causado por la deficiencia de vitamina C, es hemorragia en las encías. Las encías también pueden hincharse, tornarse púrpuras y esponjosas. Los marineros chupaban limas para evitar esta condición.

Aunque probablemente usted no tiene que preocuparse del escorbuto, usted debería estar preocupado de la enfermedad de las encías, la cual ocurre cuando las bacterias afectan las encías y a los huesos que anclan los dientes. La gingivitis y la periodontitis, una forma más avanzada de la enfermedad de las encías, son dos formas de la enfermedad de las encías. Ellas también son muy comunes. Alrededor de la mitad de la población de los Estados Unidos padece de gingivitis y aproximadamente una tercera parte tiene periodontitis.

Introducir más vitamina C a su dieta puede ayudar. La vitamina C es un poderoso asesino de la bacteria oral y también ayuda a reparar el tejido conectivo en sus encías. Una lima le provee 19.5 mg de vitamina C, o un 32 por ciento del Valor Diario recomendado.

▪ ▪ ▪ ▪ *Rincón del cocinero* ▪ ▪ ▪ ▪

Busque limas de color brillante y cáscara lisa. Ellas deberían ser pesadas para su tamaño, pero no sentirse duras al apretarlas. No se preocupe acerca de pequeñas manchas marrones en la cáscara. Éstas no afectarán el sabor. Pero evite las limas con cáscaras duras o arrugadas o con indicios de hongo.

Usted puede guardar las limas a temperatura ambiente por hasta una semana o refrigerarlas en una bolsa plástica por hasta 10 días. Envuelva las limas cortadas apretadamente en plástico y refrigérelas por cinco días. Estregue con jabón y agua si va a usar la cáscara.

Para extraer más jugo de una lima, ruédela firmemente entre sus manos o sobre el mostrador por un minuto y luego métala en el microondas por 30 segundos. Usted también puede usar las tenazas de cocina para exprimir el jugo.

Nectarinas

Manera interesante de vencer las enfermedades

Las nectarinas parecen melocotones sin la cáscara velluda. Aunque tienen la misma forma, el mismo tamaño y color que los melocotones, su pulpa es más firme y sabe más dulce. La pulpa de la nectarina también puede ser blanca o amarilla, con tonos de rojo cerca del carozo.

Nativas de la China, las nectarinas pertenecen a la familia de las rosas. Ellas reciben su nombre de la palabra griega nektar, que significa "líquido dulce". Hoy día, un 98 por ciento de los cultivos domésticos de nectarinas crecen en California. Estados Unidos también importa algunas nectarinas de Suramérica

Nutrientes estrellas

Vitamina C	13%
Fibra	10%
Vitamina A	9%
Niacina	8%
Potasio	8%

Tamaño de porción es 1 mediana
Porcentajes son del Valor Diario

y del Medio Oriente. De vez en cuando, un melocotonero producirá varias nectarinas lisas y viceversa.

Con bastante vitamina C, vitamina A, fibra, potasio y niacina, las nectarinas proveen más que un dulce sabor. Ellas también proveen algunos dulces beneficios a la salud.

■ ■ ■ ■ ■ Aumente los beneficios ■ ■ ■ ■ ■

Las nectarinas hacen fabulosos bocadillos. Sólo el morder una dulce y jugosa nectarina puede emocionar a su paladar. Pero usted no tiene que comerse las nectarinas crudas. Usted también puede cocinarlas. De hecho, el cocinarla ablanda la fruta y resalta su dulzura. Puede hornear, asar, escalfar o saltear las nectarinas para una alternativa diferente—y deliciosa—de esta golosina. También puede sustituir las nectarinas en cualquier receta que pida melocotones o albaricoques.

Proteja sus ojos con vitaminas antioxidantes. Mire la nectarina y notará sus hermosos colores. Si usted quiere seguir apreciando estos colores rojos y dorados, siga comiendo nectarinas.

Como ellas proveen vitamina C y vitamina A, las nectarinas también proveen protección contra los problemas de la vista. Al extraer los peligrosos radicales libres que pueden dañar el cristalino y la retina de su ojo, estas vitaminas antioxidantes protegen sus ojos de la degeneración macular y de las cataratas.

La luteína y la zeaxantina, dos carotenoides importantes hallados en las nectarinas, también protegen sus ojos de estos trastornos comunes.

Mientras que los estudios con suplementos de antioxidantes han tenido resultados mixtos, el añadir más frutas coloridas, como las nectarinas, a su dieta podría reducir los riesgos de cataratas y degeneración macular.

Fortifique su corazón con fruta sabrosa. Las nectarinas pueden ser pequeñas pero ellas están repletas de una dosis grande de nutrientes buenos para el corazón en cada bocado. Además del buen sabor, esto es lo que usted—y su corazón—recibe cuando come una nectarina.

- *Fibra.* Una nectarina mediana le provee 2.4 gramos de fibra dietética. Comer más fibra puede reducir su presión arterial y recortar su riesgo de enfermedad cardiaca y apoplejía. La fibra soluble también puede reducir su colesterol.

- *Potasio.* Este importante mineral ayuda a mantener su presión arterial bajo control—especialmente cuando usted también reduce el sodio. Afortunadamente, una nectarina le provee 285 miligramos de potasio y nada de sodio. Una dieta rica en potasio también puede protegerle de una apoplejía.

- *Vitamina C.* Al mantener sus vasos sanguíneos flexibles, la vitamina C puede ayudar a reducir su presión arterial. Usted recibe 7.7 miligramos de vitamina C en una nectarina.

- *Niacina.* Los médicos a veces recetan grandes dosis de esta vitamina B para elevar los niveles del útil colesterol HDL. Ésta eleva el HDL en hasta un 30 por ciento, a la vez que reduce el dañino colesterol LDL y los triglicéridos. Una nectarina provee 1.6 miligramos de niacina—y ninguno de los posibles efectos secundarios que vienen con las altas dosis de la vitamina.

▪ ▪ ▪ ▪ *Rincón del cocinero* ▪ ▪ ▪ ▪

Busque nectarinas fragantes y carnosas que estén firmes pero no muy duras. Las nectarinas cederán un poco ante una leve presión a lo largo de la hendidura. Éstas no serán tan blandas como un melocotón maduro.

Usted puede colocar las nectarinas un poco inmaduras en una bolsa de papel para acelerar la maduración. Refrigere las frutas maduras por hasta cinco días. Pero siempre debería evitar las frutas muy inmadutas. Si la nectarina tiene un color verduzco, ésta fue cosechada muy temprano y puede que no madure correctamente. Una vez cosechada, el contenido de azúcar de una nectarina no aumenta. Evite las frutas duras, arrugadas o blandas o aquellas con manchas, grietas o magulladuras.

Compre nectarinas orgánicas cuando sea posible porque las nectarinas—y los melocotones—están entre las frutas con mayor probabilidad de tener residuo de pesticidas.

Aceitunas

■ ■ ■ ■ ■ ■ ■ ■ ■ ■ ■ ■ ■

Cambie su aceite para una vida más larga y saludable

Jeanne Louise Calment, una mujer francesa que vivió hasta los 122 años de edad, acreditaba su longevidad a una dieta rica en aceite de oliva. Eso no es sorprendente. Con todos los beneficios que vienen de este sabroso aceite, es sorprendente que ella no esté viva todavía.

Este saludable aceite reduce el colesterol y la presión arterial, combate la diabetes y le ayuda a perder peso. Además, él lubrica su sistema, aliviando el malestar del estreñimiento, naturalmente.

Las aceitunas, al igual que Calment, han pasado mucho tiempo en la tierra. Una de las frutas cultivadas más antiguas, las aceitunas probablemente tuvieron su comienzo en la antigua Grecia. Los exploradores españoles las trajeron a Perú y los monjes franciscanos las llevaron luego a México y California. Hoy día, los olivos crecen exitosamente en los climas moderados, tales como en los países mediterráneos y California.

No todas las aceitunas son exprimidas para hacer aceite de oliva. Usted también puede hallar una variedad de aceitunas, las cuales pueden ser verdes, rojas, amarillas, cremas, marrones o negras. Cada aceituna contiene un carozo duro. Las aceitunas proveen hierro, cobre, fibra, vitamina E y calcio. Las aceitunas frescas también contienen taninos amargos, así que todas las aceitunas tienen que ser procesadas o curadas. Debido a esto, las aceitunas también son altas en sodio.

★ Nutrientes estrellas ★

Hierro	5%
Cobre	4%
Fibra	4%
Vitamina E	2%
Vitamina A	2%
Calcio	2%
Grasa monoinsaturada	★
Polifenoles	★

Tamaño de porción es 1 onza madura, enlatada
Porcentajes son del Valor Diario

Con las aceitunas y el aceite de oliva, usted también recibe más que un gran sabor. También obtiene beneficios de salud que duran una vida entera—en algunos casos una muy larga vida entera.

Grasa amigable reduce el colesterol. "Grasa" es una palabra común, pero para muchas personas conscientes de su salud, es una palabrota. El aceite de oliva es rico en grasa—sólo una cucharadita provee 13 gramos de grasa. Pero tenga en mente que la mayoría de esa grasa es monoinsaturada. De hecho, el aceite de oliva es una de las mejores fuentes de esta grasa saludable para el corazón.

Cuando usted reemplaza las grasas menos saludables, como las grasas saturadas, con grasas monoinsaturadas, usted reduce su mal colesterol LDL y aumenta sus niveles del buen colesterol HDL.

Además de las grasas monoinsaturadas, el aceite de oliva está repleto de compuestos antioxidantes llamados polifenoles. Un estudio griego halló que los polifenoles, la vitamina E y otros compuestos en el aceite de oliva contrarrestaron la oxidación del colesterol LDL. Si usted puede evitar que las partículas de LDL se oxiden, ellas pueden hacer menos daño a sus arterias.

El aceite de oliva es una parte clave de la dieta mediterránea, lo cual probablemente explica la tasa baja de enfermedad cardiaca en los países mediterráneos. Considere hacer de éste una parte clave de su dieta también.

Manera natural de reducir la presión arterial. Puede que el aceite de oliva no sea barato, pero es una ganga comparado con los medicamentos recetados para la hipertensión. También es mucho más sabroso y casi tan efectivo.

En un estudio italiano, las personas que añadieron aceite de oliva a su dieta redujeron su presión arterial significativamente en comparación con aquellas que añadieron aceite de girasol. Mejor aún, su presión arterial mejoró tanto que pudieron reducir su dosis diaria de medicamento para la hipertensión casi a la mitad. En algunos casos, ellos pudieron dejar de tomarlo por completo. Los investigadores sospechan que los polifenoles en el aceite de oliva son los responsables.

Según un estudio español, el aceite de oliva rico en polifenoles también puede evitar los coágulos de sangre. Como la hipertensión, la coagulación contribuye a las apoplejías y a los paros cardiacos.

Usted no obtendrá los mismos beneficios para la presión sanguínea al comer aceitunas del jarrón. Debido al alto contenido de sodio—sólo una onza de aceitunas provee 10 por ciento del Valor Diario para el sodio—las aceitunas no serían una buena idea si usted está tratando de controlar su presión arterial.

■ ■ ■ ■ ■ **Aumente los beneficios** ■ ■ ■ ■ ■

Para obtener lo mejor de su aceite de oliva, escoja la variedad extra virgen, la cual tiene la mayor cantidad de polifenoles antioxidantes. No sea engañado por el aceite de oliva light—la etiqueta de "light" se refiere a la fragancia y el color, no a las calorías. Todos los aceites de oliva son igual de altos en grasas y calorías, así que no se sobrepase.

Use el aceite de oliva para aderezos de ensalada, remojar el pan o al saltear. Cocinar los tomates picados en aceite de oliva ayuda a su cuerpo a absorber más licopeno de los tomates.

El aceite de oliva también funciona como un laxante leve. Así que si se siente estreñido, puede que sólo necesite un cambio de aceite.

Evite el cáncer con un arma poderosa. Añada más aceite de oliva a su dieta, y usted podría reducir su riesgo de cáncer. De hecho, un estudio estimó que si los países occidentales adoptaran la dieta mediterránea—la cual incluye más frutas y vegetales, menos carne y más aceite de oliva— ellos podrían prevenir hasta un 25 por ciento de los cánceres del colon, un 15 por ciento de los cánceres de la mama y alrededor de un 10 por ciento de los cánceres de la próstata, del páncreas y del endometrio.

Otros estudios también apoyan al aceite de oliva como un arma anti-cáncer. El consumo de aceite de oliva redujo el riesgo de cáncer de mama en España y en Grecia. Un estudio reciente halló que el ácido oleico, la forma principal de grasa monoinsaturada en el aceite de oliva, bloquea cierto gen que causa cáncer. Éste también aumentó la efectividad de un medicamento común contra el cáncer de la mama.

Los polifenoles en el aceite de oliva también juegan un papel importante en la prevención del cáncer porque ellos extraen los peligrosos radicales libres. Los polifenoles del aceite de oliva detuvieron el desarrollo y la propagación del cáncer del colon en pruebas de laboratorio. El consumo de aceite de oliva podría ayudar a prevenir el cáncer del colon, según datos de 28 países y cuatro continentes.

Un estudio español reciente halló que los polifenoles en el aceite de oliva tienen un potente efecto antibacteriano sobre *Helicobacter pylori*, la cual ha sido asociada con las úlceras y algunos tipos de cáncer estomacal. Los polifenoles hasta funcionaron contra ciertas cepas de bacterias resistentes a los antibióticos.

Combata la diabetes de forma sabrosa. El aceite de oliva le añade sabor a cualquier comida. Éste también añade varios beneficios para las personas con diabetes. Usted ya sabe cómo las grasas monoinsaturadas, como el aceite de oliva, ayudan a reducir el dañino colesterol LDL y a aumentar el buen colesterol HDL. Pero el aceite de oliva también podría mejorar los niveles de insulina y de glucemia.

Aunque tiene alrededor de 120 calorías en cada cucharada, el aceite de oliva podría ayudarle a perder peso. Esto es porque éste le llena más que otros aceites. Si usted tiene menos hambre, es menos probable que ronce y que aumente libras de más. Como el aceite de oliva tiene un sabor tan rico, usted tampoco necesita usar tanto de él.

Analgésico natural alivia la artritis. Bien sea que cocine, remoje o rocíe, el aceite de oliva hace desaparecer su dolor. En un estudio griego, las personas que consumieron la mayor cantidad de aceite de oliva redujeron su riesgo de desarrollar artritis reumatoide por un 61 por ciento comparado con aquellos que comieron la menor cantidad. Otros estudios han mostrado que el aceite de oliva alivia los síntomas de la artritis. La grasa monoinsaturada del aceite de oliva podría combatir la inflamación o sus antioxidantes podrían ayudar al neutralizar los radicales libres.

Pero una sustancia descubierta recientemente en el aceite de oliva—un compuesto llamado oleocantal—también podría explicar la conexión. El oleocantal actúa como un antiinflamatorio natural y es muy similar al ibuprofeno. La inflamación contribuye a varias condiciones de salud, incluyendo la artritis reumatoide, la enfermedad cardiaca, apoplejía, ciertos cánceres y algunos tipos de demencia.

Rincón del cocinero

Usted puede guardar las latas o envases de aceitunas sin abrir a temperatura ambiente por hasta dos años. Cubra las aceitunas sueltas o las latas abiertas con una envoltura de plástico y refrigere por hasta dos semanas.

Si es sellado correctamente, el aceite de oliva se mantendrá fresco por hasta dos meses a temperatura ambiente. Guárdelo en una botella de cristal opaco o en una lata de metal que selle bien y manténgalo alejado de la luz y el calor. Usted puede refrigerar el aceite de oliva por más tiempo. Éste se volverá nublado, pero se aclarará una vez que regrese a temperatura ambiente.

Papaya

Explore una fruta exótica y descubra una mejor salud

Cristóbal Colón una vez llamó a las papayas las "frutas de los ángeles". Pero usted no necesita una aureola y alas para disfrutar de esta fruta tropical celestial.

Las papayas crecen en plantas que parecen árboles pero en realidad son yerbas grandes. Son nativas del sur de México y América Central y hoy día se cultivan mayormente en Hawái, México, Puerto Rico y Brasil.

Hay dos tipos principales de papayas—hawaiana y mexicana. La papaya hawaiana, o Solo, pesa alrededor de una libra. Su piel cambia a amarilla cuando está madura y la pulpa puede ser color anaranjado brillante o rosa. Las papayas mexicanas pueden pesar hasta 10 libras y tienen una cáscara verde y una pulpa que va de rojo a anaranjado brillante. Las papayas tienen un sabor dulce y almizcleño y un centro lleno de semillas negras y comestibles que tienen un sabor a pimienta.

Estas frutas grandes con forma de pera hacen más que excitar a su paladar. Ellas también proveen bastantes nutrientes importantes, especialmente vitamina C. Usted también recibe vitamina A, folato, fibra, potasio y vitamina E, al igual que vitamina K, magnesio y calcio en cada delicioso bocado.

Enzima talentosa facilita la digestión. La próxima vez que usted se sienta hinchado o gaseoso después de una comida, tome un remedio casero probado—la papaya.

Las papayas pueden aliviar el malestar estomacal. Esto es porque éstas contienen papaína, una enzima única que ayuda a descomponer proteínas. La papaína es abundante en las papayas sin madurar, pero desaparece a medida que la fruta madura. Una vez que la papaya madura, sólo le quedan pequeñas cantidades de la enzima. Cuando la fruta está lista para ser comida, sólo tiene suficiente papaína para aumentar levemente su proceso digestivo.

Usted puede comprar tabletas masticables de papaya para tratar o evitar la indigestión, pero un vaso de jugo de papaya sin azúcar o un pedazo de papaya fresca funciona igual.

La fibra y la papaína en las papayas también ayudan a aliviar los incómodos síntomas del síndrome del intestino irritable (IBS, por sus siglas en inglés). Si usted padece de IBS, haga espacio en su dieta para las papayas.

Nutrientes se ponen en contra de la enfermedad cardiaca. La pulpa de la papaya es blanda, pero esta fruta no es nada de blanda cuando se trata de la salud de su corazón. Las papayas vienen repletas de nutrientes que combaten la enfermedad cardiaca.

- *Antioxidantes.* Repletas de vitamina C, las papayas también contienen vitamina

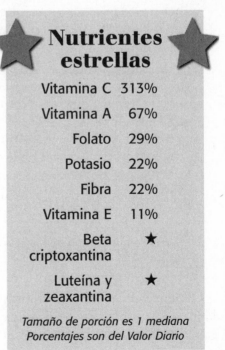

Nutrientes estrellas

Vitamina C	313%
Vitamina A	67%
Folato	29%
Potasio	22%
Fibra	22%
Vitamina E	11%
Beta criptoxantina	★
Luteína y zeaxantina	★

Tamaño de porción es 1 mediana
Porcentajes son del Valor Diario

E y beta caroteno. Estos antioxidantes pueden prevenir que el mal colesterol LDL se oxide. El LDL oxidado se pega a las paredes de las arterias y forma placas peligrosas que pueden llevar a paros cardiacos o apoplejías. La vitamina C también podría ayudar a combatir la hipertensión manteniendo las arterias flexibles.

- *Potasio.* Este mineral importante ayuda a mantener su presión arterial bajo control. Éste también ayuda a reducir su riesgo de una apoplejía. Una papaya mediana tiene 781 miligramos de potasio, casi el doble de una banana mediana.

- *Fibra.* Desde reducir su colesterol hasta recortar su riesgo de enfermedad cardiaca y apoplejía, la fibra hace contribuciones claves a su salud cardiaca. Con 5.5 gramos de fibra, la papaya provee bastante protección.

- *Folato.* Esta vitamina B ayuda a contrarrestar una sustancia llamada homocisteína, la cual puede dañar las paredes de los vasos sanguíneos y es un factor de riesgo mayor para paro cardiaco y apoplejía.

■ ■ ■ ■ ■ Aumente los beneficios ■ ■ ■ ■ ■

La mayoría de las personas desechan las semillas negras de la papaya. Pero usted puede añadirlas a los aderezos de ensaladas para un sabor un poco picante o hasta usar las semillas en vez de granos de pimienta negra.

El resto de la papaya también tiene muchos usos. Mezcle papaya con leche, yogur o jugo de naranja para crear un delicioso batido. Añada papaya a las ensaladas de fruta, la salsa o al helado o haga un refrescante jugo de papaya. Usted siempre puede comerse la papaya como si fuese un melón. Un poco de jugo de lima realza el sabor.

Sea creativo. Sirva requesón, yogur, helado o ensalada de pollo o camarones en una papaya hueca.

Bloquee el cáncer con una súper fruta. Puede que la papaya venga de los trópicos-pero no del Trópico de Cáncer. Esto es porque esta fruta tropical tiene varios componentes que combaten el cáncer.

Tenga cuidado con los diluyentes sanguíneos

Puede que quiera evitar la papaya si usted está tomando warfarina u otro diluyente sanguíneo. La papaína en la papaya puede aumentar los efectos de estos medicamentos.

Al ser rica en fibra, la papaya le protege del cáncer del colon. La fibra se liga a las toxinas que causan cáncer en el colon para mantenerlas alejadas de las células saludables del colon. Otros nutrientes en la papaya, incluyendo la vitamina C, la vitamina E, el beta caroteno y el folato, también han sido asociados con un riesgo reducido de cáncer del colon.

El folato también provee protección contra el cáncer pancreático. En un estudio sueco reciente, las mujeres que recibieron al menos 350 microgramos (mcg) de folato de los alimentos cada día redujeron el riesgo de cáncer pancreático por un 75 por ciento comparado con aquellas que recibieron menos de 200 mcg. Una papaya mediana le provee 116 mcg de folato.

Mejore su visión. Si usted quiere proteger su visión, entonces échele un vistazo a las papayas. Los niveles bajos de vitamina C han sido asociados con el desarrollo de cataratas. Afortunadamente, usted no tendrá una deficiencia de vitamina C al añadir papaya a su dieta. Con 188 miligramos de vitamina C, las papayas proveen un sorprendente 313 por ciento del Valor Diario recomendado.

La vitamina E, otra vitamina antioxidante en las papayas, podría ayudar a su vista si usted tiene glaucoma. Combinada con otros antioxidantes, como la vitamina C y el zinc, ésta también retrasa el progreso de la degeneración macular.

Las papayas también contienen luteína y zeaxantina. Estos carotenoides juegan un papel clave en la protección de sus ojos de tanto la degeneración macular como de las cataratas.

■ ■ ■ *Rincón del cocinero* ■ ■ ■

- Busque papayas carnosas con cáscaras lisas sin marcas. Ellas deberían ser amarillas y ceder un poco a la presión. Evite las frutas duras, arrugadas o blandas. También evite las papayas con manchas oscuras, las cuales frecuentemente se extienden debajo de la cáscara y arruinan el sabor.

- Madure las papayas a temperatura ambiente por tres a cinco días. Usted puede colocar una papaya en una bolsa de papel con una banana para acelerar el proceso de maduración. Refrigere la fruta madura por hasta tres días.

- La papaya funciona como un tremendo ablandador de carne, gracias a la enzima papaína, la cual descompone las fibras fuertes de las carnes. La papaína funciona tan bien que es uno de los ingredientes en algunos ablandadores de carnes en polvo comerciales. Añada un poco de papaya a sus marinados.

- Usted puede hallar otro ablandador de carnes poco común en sus gabinetes-el vinagre. Hasta la carne más barata va de dura a blanda con sólo una cucharada de este ingrediente común de cocina. Sólo añádalo al agua antes de hervir y usted podrá cortar la carne de guisos con un tenedor.

Piña

■ ■ ■ ■ ■ ■ ■

Cáscara espinosa esconde una poderosa fruta

Como un dragón de corazón blandito, una piña es espinosa en su exterior pero dulce en su interior. Esta fruta tropical grande puede medir hasta un pie de largo y pesar hasta 10 libras. Cubierta con una piel escamosa que puede ser amarilla a marrón rojiza o verde a marrón verdosa, la jugosa y fragante pulpa de la piña varía de casi blanca a amarilla.

Oriundas del sur de Brasil y de Paraguay, las piñas llegaron a Europa con Cristóbal Colón y se propagaron a otras partes del mundo en naves que las llevaban para evitar el escorbuto. El deseo de cultivar la piña en Inglaterra impulsó el desarrollo de los invernaderos.

Hoy día, la mayoría de las piñas vienen de Tailandia, las Filipinas y Hawái. Ellas también crecen en la mayoría de las regiones tropicales, incluyendo América Central y del Sur, el Caribe, Australia, las Islas del Pacífico y muchas partes de Asia y África.

Las piñas crecen en una planta que técnicamente es una hierba con hojas grandes, cerosas y puntiagudas. Cada piña en realidad está compuesta por pequeñas frutas individuales llamadas "ojos" que se unen en una gran fruta. Su nombre se debe a que los exploradores españoles pensaron que se parecía a un cono de pino.

No deje que su exterior espinoso le engañe; adentro hay una abundancia de nutrientes. Repleta de vitamina C y manganeso, la piña también provee fibra, cobre, potasio, magnesio y varias vitaminas B.

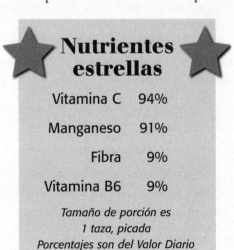

Nutrientes estrellas

Vitamina C	94%
Manganeso	91%
Fibra	9%
Vitamina B6	9%

*Tamaño de porción es
1 taza, picada
Porcentajes son del Valor Diario*

■ ■ ■ ■ ■ **Aumente los beneficios** ■ ■ ■ ■ ■

Además de comer piña cruda, usted puede disfrutarla cocida, asada a la parrilla o al horno, salteada o en productos horneados.

Sólo no mezcle la piña fresca con la gelatina porque la enzima bromelaína evita que la gelatina se fije. La piña hervida o enlatada funcionará porque el calor descompone la bromelaína.

La bromelaína también ayuda a ablandar la carne y el pollo, así que considere usar la piña fresca en sus marinados. Tenga cuidado. El dejar la carne marinar por mucho tiempo podría hacerla demasiado blanda.

Venza los trastornos digestivos con bromelaína. La pulpa y los tallos de las piñas frescas contienen una enzima llamada bromelaína que ayuda a descomponer las proteínas. Esto la hace un ablandador de carne efectivo— y una útil ayuda digestiva.

Varios estudios sugieren que la bromelaína ayuda a mantener la regularidad y a aliviar el estreñimiento. Algunos nutricionistas creen que el comer sólo 4 onzas de piña al día podría ser suficiente para darle fin al estreñimiento.

Ésta también ayuda a evitar la diarrea causada por la bacteria *E. coli.* En un estudio, una dosis de bromelaína evitó que más de la mitad de un grupo de cerditos expuestos a la *E. Coli* desarrollaran diarrea. Entre aquellos no tratados con bromelaína, ninguno pudo evitar la diarrea. De hecho, mientras más enzima se le daba al cerdito, mejor era su probabilidad de evitar la diarrea.

Los expertos creen que la bromelaína podría compensar la deficiencia en las personas con enfermedad celiaca, ayudándole a digerir los alimentos y dándole tiempo a su sistema digestivo para sanar.

Ésta podría hacer lo mismo para personas con colitis ulcerosa. Algunos médicos reportan que los suplementos de bromelaína ayudaron a las personas que sufrían de colitis ulcerosa leve al sanar la inflamación en la membrana mucosa que reviste su colon. Estudios animales muestran que ella también podría ayudar a sanar las úlceras estomacales.

Usted puede obtener bromelaína al comer piña fresca, pero no la enlatada ni la cocida. Ella también está disponible como un suplemento dietético.

Respire más fácilmente con una dieta mejor. Lo que usted come determina cuán bien usted puede respirar. Un estudio británico reciente halló un vínculo entre el asma y una dieta baja en vitamina C y manganeso.

Afortunadamente, las piñas contienen bastante de estos dos nutrientes importantes. Sólo una taza de piña picada provee 56.1 miligramos de vitamina C o un 94 por ciento del Valor Diario recomendado. Ésta también le da 1.8 miligramos de manganeso o un 91 por ciento del Valor Diario.

Otros estudios han hallado que la vitamina C es beneficiosa para el asma. Ésta podría ayudar porque actúa como un antihistamínico, antiinflamatorio y antioxidante natural. El manganeso también tiene propiedades antioxidantes y protege sus pulmones del daño oxidante.

La vitamina C también puede ayudar cuando está batallando un resfriado. Estudios muestran que las dosis altas de vitamina C podrían reducir la duración de los resfriados en un 5 a un 50 por ciento.

Edifique su salud ósea. Si usted está preocupado acerca de desarrollar osteoporosis, probablemente ya está tratando de introducir bastante calcio y vitamina D a su dieta. Solamente no se le olvide hacer espacio para las piñas, las cuales contienen varios otros nutrientes esenciales para la salud de sus huesos. Los dos nutrientes principales en las piñas, la vitamina C y el manganeso, juegan un papel importante en mantener sus huesos fuertes.

La vitamina C, la cual está involucrada en la formación de huesos, ayuda a ciertas enzimas a funcionar correctamente y es requerida en el enlace cruzado de las fibras de colágeno en el hueso. El manganeso también ayuda a las enzimas a edificar huesos fuertes. En un estudio, las mujeres que tomaron manganeso junto con calcio, cobre y zinc tuvieron huesos más fuertes que aquellas que solamente tomaron calcio.

Las piñas también proveen pequeñas cantidades de potasio, cobre y magnesio—nutrientes que ayudan a aumentar la densidad mineral del hueso y que previenen la pérdida ósea.

Bloquee el cáncer con las moléculas poderosas. Nuevas investigaciones prometedoras sugieren que las piñas podrían combatir el cáncer. Los científicos aislaron dos moléculas de la bromelaína tomada de los tallos de piña triturados.

Una molécula, llamada CCS, bloquea una proteína llamada Ras que es defectuosa en alrededor de un 30 por ciento de los cánceres. La otra CCZ, estimula el sistema inmunológico del cuerpo a atacar y matar las células cancerosas. En pruebas de laboratorio, la CCS y CCZ bloquearon varias células cancerosas, incluyendo de la mama, del pulmón, del colon, del ovario y de melanoma. Se necesitan más investigaciones, pero las piñas podrían darle la ventaja que necesita en la lucha contra el cáncer.

Las piñas también contienen bastante vitamina C y fibra, y ambas son altamente recomendadas para la prevención general del cáncer.

■ ■ ■ ■ *Rincón del cocinero* ■ ■ ■ ■

Busque piñas con hojas verdes frescas y ninguna mancha marrón ni área blanda. La fruta debería ser carnosa, pesada para su tamaño y un poco blanda al tacto. Un truco es golpear levemente la piña con la palma de la mano. Si el sonido suena amortiguado, significa que está madura. Si suena hueco, podría haberse secado.

Si usted compra una piña a temperatura ambiente, manténgala a temperatura ambiente. Si la compró refrigerada, envuélvala en papel plástico y refrigérela por hasta tres días.

Usted también puede congelar la piña. Sólo pélela, córtela en pedazos y congélela en una bandeja para hornear. Una vez esté congelada, guarde la piña en un envase sellado.

Plátanos

■ ■ ■ ■ ■ ■ ■ ■ ■ ■ ■ ■ ■

'Bananas de cocinar' traen sorprendentes beneficios

Un plátano no tiene un puesto secundario detrás de las bananas. Los plátanos o bananas de cocinar proveen tantos beneficios como sus contrapartes dulces.

Como las bananas, ellos crecen en racimos en árboles de bananas, los cuales son en realidad enormes plantas herbáceas. Estas frutas largas y con forma de canoa tienen una cáscara verde que es más gruesa que la de una banana regular. A medida que la fruta madura, su cáscara cambia a amarilla y después a negra. La pulpa, la cual es más firme y no tan dulce como una banana, permanece cremosa, amarilla o rosa clara.

Aunque se vuelven más blandos y dulces a medida que maduran, usted no debería comerse los plátanos crudos, aunque estén maduros. Pero usted puede disfrutar de estos parientes almidonados de las bananas—los cuales tienen una textura y sabor similares a las batatas—de muchas maneras. De hecho, los plátanos son un alimento básico en varias regiones, incluyendo África, India, Malasia, las Antillas y Suramérica.

Con bastante fibra y nutrientes como la vitamina C, la vitamina A, el potasio, la vitamina B6 y el magnesio, los plátanos podrían ser una parte importante de su dieta también.

Alivie un estómago irritado. La gastritis, o inflamación del revestimiento del estómago, puede ser una señal de una úlcera péptica. Ésta también puede ser muy dolorosa. Los plátanos, con la habilidad de tratar y prevenir úlceras, podrían ser la clave para el alivio.

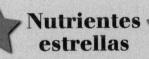

Nutrientes estrellas

Vitamina C	36%
Vitamina A	36%
Potasio	27%
Vitamina B6	24%
Fibra	18%
Magnesio	16%

Tamaño de porción es 1 taza, cocido y majado
Porcentajes son del Valor Diario

En estudios animales, los plátanos causaron que el revestimiento estomacal creciera. Éste se engrosó, evitando la formación de nuevas úlceras, y también cubrió las úlceras existentes, permitiendo que ellas sanasen—como poner un bálsamo en un corte.

Su dieta juega un papel importante en el manejo de la gastritis. Además de evitar ciertos alimentos que podrían irritar su estómago—como las frutas cítricas, los alimentos picantes o los alimentos fritos y grasosos— usted debería hacer espacio para alimentos calmantes, como los plátanos. Ellos ayudan a aliviar la inflamación y a evitar las reincidencias.

■ ■ ■ ■ ■ Aumente los beneficios ■ ■ ■ ■ ■

Mejore sus complementos. Tome un descanso de las papas y trate los plátanos en cambio. Sólo hierva y maje estas frutas almidonadas como lo haría con una papa.

Usted puede añadir plátanos a las sopas y a los estofados o mezclarlos con manzanas, batatas o calabazas. Maje los plátanos maduros y añádalos a la mezcla de panqueques o de panecillos. También puede asar o freír los plátanos en una sartén.

Evite los cálculos renales con nutrientes claves. Los plátanos están repletos de potasio, magnesio y vitamina B6, tres nutrientes que podrían ayudarle a combatir los cálculos renales.

Como sus parientes cercanos las bananas, los plátanos le dan bastante potasio. Sólo una taza de plátanos cocidos y majados provee 930 miligramos de potasio, o un 27 por ciento del Valor Diario recomendado. También contiene 64 miligramos de magnesio o un 16 por ciento del Valor Diario.

Estudios grandes muestran que el añadir mucho potasio y magnesio en su dieta, a través de frutas y vegetales, reduce su riesgo de cálculos renales por un 30 a 50 por ciento. Comer más plátanos podría ayudar.

Los plátanos también son una buena fuente de vitamina B6, dándole 0.5 miligramos, o un 24 por ciento del Valor Diario. Una deficiencia en esta vitamina puede llevar a un aumento en la producción de oxalato, un factor de riesgo para los cálculos. Las mujeres que aumentan su consumo de vitamina B6 podrían reducir su riesgo de cálculos renales.

Solidifique sus huesos con una dieta inteligente. Añada plátanos a su dieta y usted añadirá bastante protección contra la osteoporosis. Con varias vitaminas y minerales importantes, los plátanos pueden ayudarle a esquivar la enfermedad de huesos frágiles.

El potasio ayuda a preservar el calcio en sus huesos, manteniéndolos fuertes. Comer más alimentos ricos en potasio, como los plátanos, puede aumentar la densidad mineral de los huesos de las cadera y del antebrazo en las personas mayores.

Alrededor de un 60 por ciento del magnesio en su cuerpo se encuentra en sus huesos. Este mineral parece mejorar la calidad y densidad mineral de los huesos. No recibir suficiente magnesio podría interferir con la habilidad de su cuerpo de procesar el calcio.

Su cuerpo necesita vitamina C para ayudar a las enzimas a funcionar correctamente para desarrollar huesos fuertes. Esta vitamina antioxidante también tiene un papel crucial en el enlazamiento cruzado de las fibras de colágeno en el hueso.

La vitamina B6 no influencia directamente la salud ósea, pero podría hacerlo indirectamente debido a su efecto sobre la vitamina K, la cual juega un papel clave en el metabolismo de los huesos. Interesantemente, las personas con fracturas de las caderas reciben significativamente menos vitamina B6 en su dieta que aquellos sin fracturas.

Ponga su mirada en salvar su vista. Los plátanos vienen de muchos colores. Dependiendo de su nivel de maduración, ellos pueden ser verdes, amarillos o negros. Pele su colorida capa exterior y los plátanos le darán bastantes razones más para apreciarlos.

Esto es porque los plátanos contienen vitamina A, vitamina C y los carotenoides luteína y zeaxantina—nutrientes que protegen su vista.

Los niveles bajos de vitamina A y C pueden llevar a cataratas, mientras que la vitamina C—en combinación con otros antioxidantes y el zinc—también puede retrasar el desarrollo de la degeneración macular. La luteína y la zeaxantina, poderosos antioxidantes que su cuerpo almacena en la retina de los ojos, ayudan a prevenir las cataratas y la degeneración macular.

■ ■ ■ ■ *Rincón del cocinero* ■ ■ ■ ■

Escoja plátanos carnosos y sin marcas en cualquier etapa desde verde hasta negro. Recuerde, la cáscara marrón o negra no afecta la calidad de la pulpa. Esto sólo indica madurez.

Mantenga los plátanos a temperatura ambiente. Les podría tomar hasta dos semanas madurar—pero usted puede cocinarlos en cualquier momento.

Usted puede guardar los plátanos muy maduros en el refrigerador por hasta una semana. También los puede congelar. Sólo pélelos y envuélvalos individualmente.

Ciruelas

■ ■ ■ ■ ■ ■ ■ ■ ■ ■ ■

La historia secreta de una fruta malentendida

El pequeño Jack Horner, de la canción infantil, obtuvo un tremendo regalo cuando usó su pulgar para sacar una ciruela de su tarta de Navidad. Repletas de antioxidantes, las ciruelas frescas proveen vitamina C, vitamina A, vitamina K, fibra y potasio. Las ciruelas secas, también conocidas como ciruelas pasas, tienen una concentración mayor de fibra y minerales, pero poca vitamina C.

Las ciruelas vienen de varias formas, tamaños y colores. Ellas pueden ser tan pequeñas como una cereza o tan grandes como una pelota de béisbol, y su cáscara puede ser amarilla, verde, roja, azul o casi negra. Su pulpa jugosa varía desde roja o naranja a amarilla o amarillo verdoso y tiene un equilibrio de dulce y agrio. Como una drupa, o una fruta con un solo carozo, la ciruela está relacionada al melocotón, la nectarina y el albaricoque.

Cultivadas por primera vez en China, las ciruelas también fueron apreciadas por los egipcios, los etruscos, los griegos y los romanos. Hoy día, las ciruelas son cultivadas mayormente en Rusia, China, Rumania y los Estados Unidos. La mayoría de las ciruelas estadounidenses—y casi todas las ciruelas pasas—vienen de California. Michigan y Nueva York también cultivan algunas ciruelas.

Cómalas frescas o secas—o hasta sáquelas de una tarta. No importa cómo disfruta las ciruelas, usted recibirá bastantes beneficios para su salud.

Conquiste el estreñimiento con las ciruelas pasas. Si las ciruelas pasas son famosas por cualquier cosa, es por su habilidad de mantenerlo regular. Estas arrugadas golosinas vencen el estreñimiento de varias maneras.

Mucho del crédito se lo lleva el alto contenido de fibra. Una docena de ciruelas pasas proveen alrededor de 7 gramos de fibra dietética, la cual ayuda a acelerar su material fecal a través de su sistema.

Además de fibra, las ciruelas pasas también contienen sorbitol, un alcohol de azúcar que actúa como un laxante natural. Probablemente es por eso que el jugo de ciruelas pasas, el cual no tiene nada de fibra, también ayuda a aliviar el estreñimiento.

Las ciruelas frescas también proveen fibra y sorbitol, pero ambas sustancias están más concentradas en las ciruelas pasas. Los polifenoles antioxidantes en las ciruelas pasas también podrían contribuir a su acción laxante.

Añadir ciruelas pasas a su dieta puede ayudar a su sistema digestivo a funcionar correctamente. Sólo asegúrese de tomar bastante agua también.

Bocadillo masticable evita los huesos frágiles. Evitar la osteoporosis podría ser tan simple como ronzar con ciruelas pasas. En un estudio de la Universidad Estatal de Oklahoma, las mujeres menopáusicas que comieron 12 ciruelas pasas al día por tres meses tenían niveles elevados del factor

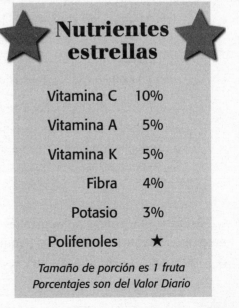

Nutrientes estrellas

Vitamina C	10%
Vitamina A	5%
Vitamina K	5%
Fibra	4%
Potasio	3%
Polifenoles	★

Tamaño de porción es 1 fruta
Porcentajes son del Valor Diario

de crecimiento insulínico tipo 1. (IGF-1, por sus siglas en inglés) y de actividad de la fosfatasa alcalina específica a los huesos—dos marcadores claves de formación ósea.

Investigadores especulan que los polifenoles antioxidantes en las ciruelas llevaron a mejorías en la salud de los huesos, pero los elementos traza boro y selenio también juegan un papel en preservar la densidad mineral de los huesos.

Varios otros nutrientes hacen a las ciruelas una buena arma contra la osteoporosis. Una docena de ciruelas contiene un sorprendente 74 por ciento del Valor Diario de vitamina K, la cual podría mejorar la densidad mineral de los huesos y reducir su riesgo de fracturas. Las ciruelas pasas también le dan bastante potasio, manganeso, cobre y magnesio, todos los cuales contribuyen a la salud ósea.

Estudios previos han mostrado que las ciruelas ayudan a revertir la pérdida ósea en las ratas y un estudio actual de la Universidad Estatal de Florida está explorando si ellas hacen lo mismo para las mujeres con osteoporosis.

■ ■ ■ ■ ■ Aumente los beneficios ■ ■ ■ ■ ■

Reduzca la grasa de sus pasteles y brownies. Las ciruelas en puré hacen un buen sustituto para la mantequilla, el aceite u otras grasas en los productos horneados. Ésta es una buena manera de añadir humedad y fibra sin añadir grasa. Usted puede hallar puré de ciruelas pasas o mantequilla de ciruelas en el pasillo de artículos para hornear o cerca de las jaleas y mermeladas en el supermercado.

Usted también puede añadir ciruelas picadas a las ensaladas, asarlas al horno o a la parrilla junto con el pollo o el pescado, o cocinarlas con cerdo o carne de caza. Ellas hasta pueden reemplazar las cerezas frescas en la mayoría de los postres.

Manera placentera de mantener el cáncer alejado. Las ciruelas pasas no parecerán mucho, pero estas pequeñas frutas podrían ayudarle a evitar el cáncer. En un estudio japonés reciente, un extracto tomado del jugo concentrado de ciruela bloqueó las células del cáncer del colon humano y desencadenó la apoptosis, o la muerte celular. El extracto de ciruela no afectó la salud de las células saludables del colon.

Las ciruelas también son ricas en fibras y antioxidantes, los cuales pueden ayudar a prevenir el cáncer. Los expertos recomiendan comer más fruta para evitar todos los tipos de cánceres, así que llénese con ambas ciruelas frescas y pasas para obtener protección máxima.

Evite la peligrosa intoxicación alimenticia. Las ciruelas no sólo tienen buen sabor, pero también pueden hacer sus alimentos más seguros para comer. Un estudio reciente de la Universidad Estatal de Kansas mostró que el puré de ciruela y el jugo concentrado de ciruelas frescas mató ciertas cepas de bacterias que causan la intoxicación alimenticia. Por ejemplo, sólo una cucharada de puré de ciruelas por cada libra de carne molida puede matar a más de un 90 por ciento de la bacteria *E. coli*.

Los compuestos fenólicos antioxidantes en las ciruelas, incluyendo el ácido neoclorogénico y el ácido clorogénico, son los responsables. La mezcla de ciruelas también funcionó contra la *Salmonella y Listeria*.

Por supuesto, usted todavía necesita cocinar la carne completamente para protegerse contra la intoxicación alimenticia. Pero el añadir un poco de puré de ciruelas a su carne molida podría hacer sus hamburguesas un poco más seguras—y más sabrosas.

■ ■ ■ ■ *Rincón del cocinero* ■ ■ ■ ■

Escoja ciruelas carnosas y firmes, con un olor agradable. Ellas deberían ceder un poco a la presión de los dedos—pero no las apriete. Evite las ciruelas que son muy blandas o muy duras. Evite aquellas con grietas, magulladuras, marcas o manchas.

Deje que las ciruelas maduren a temperatura ambiente y guárdelas en su refrigerador por varios días. Usted también puede congelar las ciruelas, pero antes debería remover el carozo para que la pulpa no se vuelva amarga.

Granada
■■■■■■■■■■■■■

Coseche las semillas de buena salud

Aunque solamente las semillas y el jugo de las granadas son comestibles, hay muchas buenas razones para probar esta extraña fruta. Entre las frutas, la granada tiene el nivel más alto de antioxidantes—esos increíbles combatientes de tumores y de coágulos sanguíneos. Ésta también provee bastante vitamina C y potasio. Esta deliciosa fruta puede proteger su vista, combatir la enfermedad cardiaca, salvar su memoria, liberarle del dolor de la artritis y más.

Las granadas son frutas grandes y redondas con una cáscara parecida al cuero que va desde roja a un rosado amarillento. Adentro, usted hallará cientos de semillas pequeñas y de color rojo rubí cubiertas en una jugosa pulpa. Estas semillas están empacadas en compartimientos separados por una amarga membrana. Las semillas saben fabulosas, dejándole con una sensación de frescura en su boca y garganta. Ni la membrana ni la cáscara son comestibles.

Oriundas de Persia, las granadas crecen en un denso arbusto que puede llegar a los 12 pies de altura. Hoy día, ellas crecen en el Medio Oriente, África, India, Malasia, el sur de Europa y los Estados Unidos—mayormente en California, donde la variedad Wonderful (maravillosa) es la más común.

Una de las siete frutas que aparecen en el Antiguo Testamento, la granada ha sido por mucho tiempo un símbolo de fertilidad. Por otro lado, la granada de mano recibió su nombre de la fruta granada debido a su tamaño similar y a la metralla parecida a las semillas.

Nutrientes estrellas

Vitamina C	16%
Potasio	11%
Vitamina K	9%
Ácido pantoténico	9%
Vitamina B6	8%
Polifenoles	★

Tamaño de porción es 1 fruta
Porcentajes son del Valor Diario

Granada significa "manzana o fruta de muchas semillas" pero fácilmente podría significar "fruta de muchos beneficios".

Venza la enfermedad cardiaca con antioxidantes. Al igual que las granadas contienen cientos de pequeñas semillas, esta fruta también está repleta con poderosos antioxidantes que combaten la enfermedad cardiaca.

Varios estudios involucrando tanto a personas como a ratones mostraron que el jugo de granada ayuda a combatir la aterosclerosis o el endurecimiento de las arterias. Los polifenoles antioxidantes en el jugo de granada detienen la oxidación del colesterol LDL, o colesterol malo. Una vez que el colesterol LDL se oxida se vuelve más peligroso para las paredes de sus arterias. La actividad antioxidante de los polifenoles obstruye el desarrollo de depósitos grasos que se forman dentro de las paredes de sus arterias. Estos depósitos grasos pueden reventarse y bloquear el flujo de sangre, produciendo un paro cardiaco o una apoplejía.

Aún si usted ya tiene enfermedad cardiaca, el jugo de granada puede ayudar. En un estudio, las personas con enfermedad cardiaca que tomaron jugo de granada por tres meses mostraron una mejoría de 17 por ciento en el flujo de sangre al corazón. Aquellos en el grupo de control, que en vez tomaron una bebida deportiva modificada, empeoraron en un 18 por ciento.

Como beneficio adicional, el jugo de granada ayudó a prevenir a la aterosclerosis en las personas con diabetes. Y a pesar de ser rico en azúcar, el jugo no empeora la glucemia. Esto es porque los azúcares están enlazados a antioxidantes únicos, los cuales pueden hacer a los azúcares protectores contra la aterosclerosis. En un pequeño estudio iraní, el jugo de granada hasta redujo el colesterol total y el LDL en las personas con diabetes.

Evite el cáncer de la próstata con polifenoles. Los verdaderos hombres toman jugo de granada—o por lo menos deberían. Esto es porque el jugo de granada viene repleto de polifenoles que le protegen del cáncer de la próstata, la segunda causa principal de muertes relacionadas al cáncer entre los hombres en Estados Unidos.

En estudios de laboratorio, los extractos de granada no tuvieron misericordia contra las células del cáncer de la próstata humana. Gracias a sus propiedades antioxidantes y antiinflamatorias, ellos inhibieron el crecimiento de células, retrasaron el crecimiento de tumores y desencadenaron la apoptosis o muerte celular.

■ ■ ■ ■ ■ **Aumente los beneficios** ■ ■ ■ ■ ■

Avive sus ensaladas, sopas, avena, platos de carne y postres con semillas de granada. Son mucho más que un adorno, las semillas añaden textura, color y una explosión de sabor a sus alimentos.

Mezcle el jugo de granada con limonada para una bebida refrescante. O use el jugo para hacer jarabe para los helados o para gustosas salsas.

Un remedio casero para la indigestión y la diarrea requiere el tomar té hecho con la cáscara de la granada. La cáscara contiene taninos, los cuales alivian la irritación estomacal ayudando a su cuerpo a producir un revestimiento mucoso en su estómago.

Un estudio de la Universidad de California en Los Ángeles (UCLA) halló que el tomar un vaso de 8 onzas de jugo de granada al día significativamente retrasó el aumento en el antígeno específico a la próstata o PSA, por sus siglas en inglés—un indicador de cáncer. Los investigadores midieron el "tiempo de duplicación" o cuánto tiempo toma para que los niveles de PSA se dupliquen. Los hombres con un tiempo de duplicación corto tienen una mayor probabilidad de morir de cáncer. En el estudio, el cual involucró a hombres que habían sido tratados para cáncer de la próstata, el tiempo de duplicación de PSA aumentó de un promedio de 15 meses a un promedio de 54 meses.

Los elagitaninos, los polifenoles más abundantes en el jugo de granada, reciben mucho del crédito por los poderes anticáncer del jugo.

Evite la artritis con fruta antiinflamatoria. Proteja sus articulaciones con la granada. Investigadores recientemente descubrieron una nueva forma en que esta antigua fruta puede mejorar su salud.

Cuando usted tiene osteoartritis, usted necesita preocuparse acerca de una sustancia llamada Interleukina-1b (IL-1b). Este buscapleitos crea un exceso de moléculas inflamatorias, incluyendo las metaloproteasas de matriz (MMP, por sus siglas en inglés), las cuales descomponen el cartílago, llevando al daño y destrucción de las coyunturas.

En pruebas de laboratorio de células de cartílago humano, el extracto de granada detuvo la sobreproducción de MMP, protegiendo el cartílago de los efectos dañinos de la IL-1b.

Conocida por sus poderes antioxidantes y antiinflamatorios, la granada podría ser un arma contra la osteoartritis.

Dele un empuje a su memoria. Cuando se trata de evitar la enfermedad de Alzheimer, recuerde el jugo de granada. Investigadores de la Universidad de Loma Linda hicieron un importante descubrimiento recientemente. Los ratones que tomaron jugo de granada tenían alrededor de un 50 por ciento menos degeneración del cerebro que aquellos que recibieron agua con azúcar. Ellos también aprendieron las tareas de laberintos de agua más rápidamente y nadaron más rápido que los otros ratones a medida que envejecían.

La alta concentración de antioxidantes en el jugo de granada ayuda a proteger a su cerebro de los dañinos radicales libres. El beber un vaso o dos de esta saludable bebida al día podría salvar su memoria.

Tenga menos problemas de la vista con la vitamina C. Como una buena fuente de vitamina C, las granadas pueden ayudarle a evitar problemas comunes de la vista.

Estudios sugieren que la vitamina C puede evitar las cataratas. Recibir más de esta vitamina antioxidante en su dieta puede reducir su riesgo de desarrollar cataratas o reducir su necesidad de cirugía para las cataratas. Los niveles elevados de vitamina C en su sangre pueden reducir su riesgo de cataratas por un 64 por ciento. Por otro lado, los niveles bajos de vitamina C en el cristalino del ojo podrían llevar a cataratas.

Combinada con otros nutrientes, la vitamina C también puede retrasar el progreso de la degeneración macular asociada a la edad (DMAE o AMD, por sus siglas en inglés). En un estudio, una dieta rica en vitamina C—junto con el zinc, la vitamina E y el beta caroteno—redujeron el riesgo de desarrollar AMD en un 35 por ciento.

▪ ▪ ▪ ▪ *Rincón del cocinero* ▪ ▪ ▪ ▪

Las granadas pueden ser desaliñadas. Minimice las salpicaduras y manchas removiendo las semillas en un tazón de agua. Primero, corte la granada en cuartos. Llene el tazón con agua fría y sostenga cada cuarto de granada debajo del agua con las semillas hacia abajo. Use sus dedos para sacar las semillas, las cuales se irán al fondo del tazón. Los pedazos agrios de membrana flotarán a la superficie, donde usted podrá recogerlos y desecharlos con facilidad. Escurra las semillas y séquelas con un papel toalla.

Para obtener el jugo, ruede la granada sobre una superficie dura mientras la empuja con la palma de la mano. Esto liberará el jugo de las semillas. Luego haga un pequeño orificio, inserte un pajita y sorba. O exprima la fruta sobre un vaso. Usted también puede comprar el jugo de granada en el supermercado.

Frambuesa

Apueste a la zarza para vencer las enfermedades

Comparar otra fruta con una frambuesa parece como una disparidad. Después de todo, la frambuesa supera en números a otras frutas. Eso es porque cada frambuesa está formada por varias frutas individuales, cada una con su propia semilla rodeando un centro. Estas pequeñas y velludas frutas o "drupitas" se pegan unas a otras como una familia apegada.

Al igual que las moras, las cuales son lisas y sin vellos, las frambuesas también se consideran zarzas. Ellas vienen en dos variedades principales—las frambuesas negras, con su pulpa negro púrpura, y la frambuesa roja más común. Ambos tipos son fragantes y dulces, con un sabor un poco agrio.

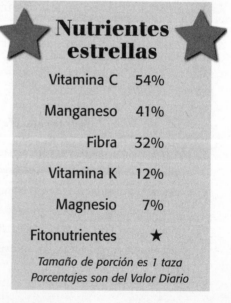

Nutrientes estrellas

Vitamina C	54%
Manganeso	41%
Fibra	32%
Vitamina K	12%
Magnesio	7%
Fitonutrientes	★

Tamaño de porción es 1 taza
Porcentajes son del Valor Diario

Repletas de fitonutrientes, las frambuesas también proveen bastante vitamina C, manganeso y fibra. No es sorprendente que eran usadas medicinalmente hace cientos de años.

Los productores principales de estas frutas combatientes de enfermedades incluyen Rusia, Polonia, Alemania, Chile y los Estados Unidos. Las frambuesas rojas prosperan en el noroeste del Pacífico, mientras que las frambuesas negras aparecen en el este de los Estados Unidos y en Canadá. Asegúrese que las frambuesas también aparezcan en su dieta y estos pequeños fenómenos combatirán sus problemas de salud.

Coma para vencer el cáncer. Si usted está preocupado por el cáncer, es una buena idea comer más fruta. Aún mejor es asegurarse que algunas de esas frutas sean frambuesas.

Un estudio de ratas en la Universidad Estatal de Ohio halló que las frambuesas ayudaron a combatir el cáncer del colon. Los científicos infectaron a las ratas con cáncer del colon y alimentaron a algunas de ellas con frambuesas negras. Las ratas desarrollaron 80 por ciento menos tumores cancerosos que aquellas que siguieron una dieta regular.

Los investigadores acreditan a la abundancia de antioxidantes en las frambuesas por su éxito. Las antocianinas, las cuales les dan a las bayas su color, los fenoles y las vitaminas todos contribuyen a la habilidad de las frambuesas para combatir el cáncer. Aún entre las bayas ricas en antioxidantes, las frambuesas sobresalen. Las frambuesas negras tienen un 11 por ciento más actividad antioxidante que los arándanos y un 40 por ciento más que las fresas.

El ácido elágico, un compuesto fenólico hallado en las frambuesas rojas, también ha mostrado promesa como anti cáncer. En pruebas de laboratorio conducidas en el Instituto Hollings para el Cáncer de la Universidad de Carolina del Sur, el ácido elágico detuvo la división celular y desencadenó la apoptosis, o muerte celular, en las células cancerosas de la mama, del páncreas, del esófago, de la piel, del colon y de la próstata. Como una buena fuente de fibra y de vitamina C, las frambuesas proveen aún más protección contra el cáncer.

Manera fácil de salvar sus huesos. Las frambuesas estimulan su paladar con su sabor dulce y un poco agrio. Ellas también emocionan a sus huesos con nutrientes que previenen la osteoporosis.

Coma una taza de frambuesas y usted recibirá 32.2 miligramos de vitamina C. Eso es un 54 por ciento del Valor Diario recomendado. Su cuerpo necesita vitamina C para ayudar a ciertas enzimas a trabajar para desarrollar huesos fuertes y para el enlace cruzado de la fibras de colágeno en el hueso.

■ ■ ■ ■ ■ **Aumente los beneficios** ■ ■ ■ ■ ■

¿Está cansado de las fresas? Trate las frambuesas entonces. Ellas son intercambiables con las fresas en la mayoría de las recetas. Usted también puede hallar varias maneras de introducir más de ellas en su dieta.

Añada frambuesas encima de su helado o yogur. Adorne las ensaladas de frutas, los cereales, los pasteles y los crepés. Haga puré de frambuesas para crear salsas para postres o sabrosas bebidas. Usted también puede usarlas para hacer jarabes, jaleas o mermeladas.

Mezcle las deliciosas frambuesas con aceite de oliva y vinagre balsámico para crear una sabrosa vinagreta para sus ensaladas. Para una bebida refrescante en un día caliente, añada frambuesas congeladas a su limonada en lugar de cubos de hielo.

Como la vitamina C, el manganeso ayuda a las enzimas a funcionar mejor para desarrollar huesos fuertes. Combinado con el calcio, el cobre y el zinc, éste puede resultar en un mayor aumento en hueso comparado con el calcio por sí mismo en mujeres posmenopáusicas. Usted recibirá 0.8 miligramos de manganeso o un 41 por ciento del Valor Diario en una taza de frambuesas frescas.

Esa misma taza de frambuesas le provee 9.6 microgramos de vitamina K o un 12 por ciento del Valor Diario. Los niveles bajos de esta importante vitamina podrían significar menor densidad mineral ósea y un mayor riesgo de fractura. Las frambuesas también contienen pequeñas cantidades de magnesio, cobre, potasio, hierro, fósforo, zinc y calcio—minerales esenciales para la salud ósea.

Venza el estreñimiento con una fabulosa fruta. Ronce con frambuesas y deje de luchar contra el estreñimiento. Sólo una taza de frambuesas contiene unos sorprendente 8 gramos de fibra, o un 32 por ciento del Valor Diario recomendado. La fibra añade volumen a su materia fecal y ayuda a acelerarla a través de su sistema digestivo. Añadir alimentos ricos en fibra, como las frambuesas, a su dieta puede mantenerle regular. Sólo asegúrese de tomar bastante agua también.

Usted ni siquiera tiene que comerse la fruta del arbusto de frambuesa para beneficiarse de ella. Las hojas de frambuesa son un remedio herbal para la diarrea y otros trastornos intestinales, incluyendo malestar estomacal, náusea y vómitos. Remoje dos cucharadas de hojas de frambuesa en agua hirviente para un calmante té que usted puede tomar hasta tres veces al día—pero no se exceda. Los brebajes más fuertes podrían provocar náusea y diarreas en algunas personas.

Aunque existen muy pocas investigaciones para explicar por qué este antiguo remedio funciona, los científicos tienen algunas ideas. Las hojas son ricas en taninos, los cuales tienen cualidades astringentes que son útiles para la diarrea. Su fibra soluble pectina y los flavonoides también contribuyen al bienestar intestinal en general.

▪ ▪ ▪ ▪ *Rincón del cocinero* ▪ ▪ ▪ ▪

▪ Escoja bayas carnosas, firmes, redondas y brillantes y evite aquellas con marcas o magulladuras. Vire el envase para examinar que no hayan manchas, una señal de bayas muy maduras o en estado de descomposición. Usted también debería agitar el envase para descubrir cualquier insecto que podría estar escondiéndose ahí.

▪ Las frambuesas están entre las frutas con mayor probabilidad de tener niveles elevados de residuo de pesticidas, así que compre frutas orgánicas cuando sea posible. Si usted cosecha sus propias frambuesas, coseche las maduras, ya que ellas no maduran después de cosecharlas. Para bayas más dulces y que duran más, coséchelas en las mañana.

▪ Las frambuesas se marchitan fácilmente. Guárdelas en el refrigerador, donde durarán un día o dos. No las lave hasta justo antes de servirlas.

Ruibarbo

■ ■ ■ ■ ■ ■ ■ ■ ■ ■ ■ ■

Vegetal parecido a la fruta asecha enfermedades

A veces no está claro si el ruibarbo es fruta o vegetal. Pero no hay por qué alarmarse por el ruibarbo, a pesar de la confusión en su clasificación.

Aunque técnicamente un vegetal, el ruibarbo se usa como una fruta. Excepto por su color rosado, este pariente del alforfón y de la acedera se parece al apio. Sólo que sus tallos largos y rosas, los cuales pueden ser de 1 a 3 pulgadas de ancho son comestibles. Repleto de vitamina K, el ruibarbo también provee bastante vitamina C, manganeso, calcio, potasio y fibra.

Hace tanto tiempo como el año 2700 A.C., los chinos usaban el ruibarbo para propósitos medicinales. Marco Polo trajo el ruibarbo a Europa alrededor del año 1200, pero los europeos no lo usaron para comida hasta los últimos años del siglo 18. Cuando llegó a los Estados Unidos pronto después que comenzó a ser consumido en Europa, el ruibarbo adquirió el apodo de "planta de tarta" porque era un relleno popular para las tartas. Hoy día, las plantas de ruibarbo—plantas perennes que pueden alcanzar más de 3 pies de altura—crecen a través de Oregón, Washington y Michigan.

El nombre "ruibarbo" significa "raíz de los bárbaros" en latín, con el término "bárbaro" refiriéndose a cualquier cosa no familiar o extranjera. El ruibarbo podría no ser familiar para usted, pero hay bastantes razones para hacer de esta fruta una parte de su dieta.

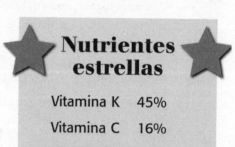

Nutrientes estrellas

Vitamina K	45%
Vitamina C	16%
Manganeso	12%
Potasio	10%
Calcio	10%
Fibra	9%
Luteína y zeaxantina	★

Tamaño de porción es 1 taza, picado
Porcentajes son del Valor Diario

■ ■ ■ ■ ■ **Aumente los beneficios** ■ ■ ■ ■ ■

Aunque el ruibarbo es muy agrio para comerlo crudo, aún así usted puede disfrutar de él. Sólo corte los tallos y luego hornéelos o estófelos y añada un poco de edulcorante. El ruibarbo se vuelve más dulce al cocinarlo, así que espere hasta después de cocinarlo para añadir azúcar, miel o jarabe de arce. Mezclar ruibarbo con frutas dulces, como las fresas, es una buena manera de reducir el edulcorante y las calorías.

El ruibarbo también va bien con manzanas, arándanos, frambuesas, melocotones y pasas. Úselo en los deliciosos platos, aparéelo con carnes y pescado o haga una salsa de ruibarbo para poner encima de sus panqueques, wafles o tostadas francesas. Usted también puede sazonar el ruibarbo con limón, canela y jengibre.

Dele a su sistema digestivo un empujón. Valorado por su acción laxante por siglos, el ruibarbo todavía ayuda a aliviar el estreñimiento. Éste también detiene la diarrea y ayuda a la digestión.

Aunque es una buena fuente de fibra, el ruibarbo recibe la mayoría de sus beneficios digestivos de sus fitoquímicos. Los fenoles llamados glucósidos de antraquinona, los cuales le dan a los tallos de ruibarbo su color rojo, actúan como un laxante natural. Ellos son los mismos compuestos hallados en otras hierbas laxantes, como el sen y la cáscara sagrada. Los taninos en el ruibarbo, por otro lado, ayudan a detener la diarrea.

El ruibarbo beneficia a la digestión desde el momento que entra en su boca. Éste estimula su paladar con su placentero sabor amargo, haciendo que su boca se sienta limpia y refrescada. Una vez él llega a su estómago, los beneficios digestivos del ruibarbo entran en acción—estimulando la producción de jugos gástricos y mejorando la digestión. Éste también ayuda a controlar la absorción de grasa en sus intestinos.

Los efectos del extracto de raíz de ruibarbo han recibido mucha atención en la literatura científica. Las dosis pequeñas parecen aliviar la diarrea, mientras que dosis mayores ayudan a mantenerle regular. Pero antes de ir al despacho de hierbas considere esto—los mismos fitoquímicos contenidos en las raíces se encuentran en cantidades menores en los tallos comestibles. Además, recibirá vitaminas, minerales y fibra que no se hallan en el extracto.

Refrésquese de los sofocos con facilidad. Puede que usted desee cambiar su dieta para lidiar con su "cambio de vida". El ruibarbo podría tener la clave para manejar la menopausia.

Durante la perimenopausia, el estado transicional antes de la menopausia cuando algunas mujeres padecen de ciclos menstruales irregulares, usted podría lidiar con los sofocos, la sudoración, las alteraciones al sueño y cambios de humor.

Un estudio alemán de 12 semanas con 109 mujeres perimenopáusicas halló que un extracto hecho de la raíz de ruibarbo y dado en forma de píldora les ayudó a aliviar sus síntomas. Ellas sufrieron sofocos con menos frecuencia y menos severidad y mejoraron su calidad de vida. El extracto, llamado ERr 731, no contiene estrógenos y los investigadores están inseguros de cómo trabaja.

Aunque usted podría no obtener el mismo beneficio del ruibarbo, este vegetal sí provee otros nutrientes importantes para las mujeres mayores, incluyendo vitamina K, potasio y manganeso, los cuales son esenciales para la salud ósea. Éste también es una buena fuente de calcio, aunque el oxalato evita que su cuerpo absorba mucho de él. Usted también recibe vitamina C y los carotenoides luteína y zeaxantina, los cuales protegen sus ojos de la degeneración macular y de las cataratas.

Deje las hojas de ruibarbo quietas

Nunca se coma las hojas de ruibarbo. Sus altos niveles de oxalatos las hacen tóxicas. Usted podría sufrir de debilidad, ardor en la boca o garganta, dificultad para respirar, dolor abdominal, náusea, vómitos y diarrea. Usted hasta podría morir, aunque tendría que comer grandes cantidades de hojas.

Aunque los tallos contienen cantidades más seguras de oxalatos, estos compuestos podrían contribuir a la formación de cálculos renales. Su médico podría recomendar evitar o limitar el ruibarbo si usted es propenso a los cálculos renales.

Proteja su páncreas en una forma inusual. Como es un vegetal poco común, no es sorprendente que el ruibarbo ayude a combatir una condición poco común llamada pancreatitis.

Pancreatitis significa inflamación del páncreas. Cuando usted tiene esta condición, las enzimas digestivas producidas por el páncreas se vuelven activas dentro del páncreas en vez de dentro del intestino delgado. Esto significa que el páncreas comienza a atacar o digerirse a sí mismo.

Esto puede ser una enfermedad que amenaza la vida con muchas complicaciones. Ella comienza con un dolor en el abdomen superior, el cual se puede extender hasta la espalda y otras áreas. Usted también podría padecer de náusea, vómitos, fiebre y pulso acelerado. Los casos severos llevan a fallo de órganos, shock y hasta la muerte.

El ruibarbo ha ayudado a aliviar la seriedad de las primeras etapas de la pancreatitis, mientras que evita las complicaciones en las etapas más tardías. En un estudio chino reciente con ratas, investigadores hallaron que el ruibarbo tuvo efectos protectores en la pancreatitis aguda severa. El ruibarbo probablemente funciona combatiendo la inflamación, mejorando la circulación en los pequeños vasos sanguíneos del páncreas e inhibiendo las enzimas pancreáticas. Por supuesto, aún así usted necesita buscar atención médica para los ataques serios. Pero el ruibarbo podría ser una adición útil al tratamiento estándar.

▪ ▪ ▪ ▪ *Rincón del cocinero* ▪ ▪ ▪ ▪

Busque ruibarbos firmes y crujientes con tallos de color rojo oscuro. Descarte las hojas y luego guarde los tallos en el refrigerador. El ruibarbo se marchita rápido, así que úselo dentro de unos días. Recorte ambos extremos del tallo. Puede que usted quiera pelar la gruesa cáscara externa.

Usted también puede comprar el ruibarbo congelado o enlatado. Si usted quiere congelar su propio ruibarbo, estófelo, escáldelo o endúlcelo con azúcar primero.

Cuando cocine el ruibarbo, no use una cacerola de hierro fundido o aluminio. Los ácidos en el ruibarbo reaccionarán con el metal y dejaran su cacerola y el ruibarbo ennegrecidos.

Carambola

■■■■■■■■■■■■■■■■■■■

Pídale un deseo a una estrella para una mejor salud

Todas las frutas son estrellas cuando se trata de nutrición, pero sólo la carambola de veras parece una. Estas frutas ovaladas tienen una superficie brillosa y cerosa con una cáscara amarilla verdosa con cinco prominentes dobleces, o costillas, que van a lo largo de la fruta. Cuando usted corta una carambola transversalmente, obtiene rebanadas en forma de estrellas de cinco puntas, lo que le dio su nombre.

Con una pulpa amarilla clara a oscura que es crujiente y jugosa, la carambola sabe a una mezcla entre la uva, la ciruela y una manzana ácida. Cada fruta viene con hasta 12 semillas pequeñas, tiernas y comestibles. Ésta también viene con bastante vitamina C y fibra, al igual que cobre, potasio y ácido pantoténico o vitamina B5.

La carambola obtuvo su comienzo en Sri Lanka o Malasia y ha sido cultivada en el Sureste de Asia por siglos. Alrededor del 1887, ésta llegó hasta Florida. Más tarde, llegó a Hawái. Hoy día, ella crece en Taiwán, Malasia, Guyana, India, las Filipinas, Australia, Israel, Brasil, China y los Estados Unidos.

Pruebe esta fruta poco común en forma de estrella y descubra una galaxia de beneficios de salud.

Puñado de nutrientes protegen su corazón. Cada rebanada de carambola tiene cinco puntas. Éstas también tienen cinco poderosos nutrientes que protegen su corazón. Sólo imagine cada punta—y cada nutriente—como un dedo. Unidos, ellos pueden formar un puño para golpear a la enfermedad cardiaca.

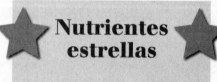

Nutrientes estrellas

Nutriente	Valor
Vitamina C	52%
Fibra	10%
Cobre	6%
Ácido pantoténico	4%
Potasio	3%

*Tamaño de porción es 1 mediana
Porcentajes son del Valor Diario*

- *Vitamina C.* Esta vitamina antioxidante tiene un efecto útil sobre la presión arterial porque mantiene las arterias flexibles.

- *Fibra.* Introducir más fibra a su dieta ayuda a reducir su riesgo de paro cardiaco y apoplejía. La fibra soluble puede reducir su colesterol.

- *Cobre.* Una deficiencia de este mineral podría llevar a colesterol alto, enfermedad cardiaca, hipertensión, ritmo cardiaco irregular y paro cardiaco. Al promover el crecimiento de nuevos vasos sanguíneos, el cobre ayuda a contrarrestar el estrés dañino. Este maravilloso mineral también puede evitar que un corazón sobrecargado crezca en tamaño.

- *Potasio.* Este mineral clave ayuda a regular la presión arterial y reduce su riesgo de apoplejía.

- *Ácido pantoténico.* Esta vitamina B, también conocida como vitamina B5, juega un papel clave en el metabolismo de los alimentos y en la producción de compuestos químicos esenciales en el cuerpo. Un derivado del ácido pantoténico, llamado pantetina, podría reducir el colesterol y los triglicéridos.

■ ■ ■ ■ ■ Aumente los beneficios ■ ■ ■ ■ ■

Añada estilo—y nutrición—a cualquier plato con una decoración de rebanadas de carambola. Reemplace las rebanadas de limón con rebanadas de carambola para los platos de pescado o mariscos. Adorne el té frío, las bebidas tropicales, los aperitivos, los platos de queso o los postres con carambola.

Añada carambola a su ensalada de fruta, aunque ésta podría "brillar" más que las otras frutas. Usted también las puede asar a la parrilla en broquetas con camarones o pollo, saltearlas con mariscos y vegetales o hacerlas puré para chutney, salsas, sopas o jaleas. Úselas para marinados o para un jugo refrescante.

Fortalezca sus huesos con la carambola. Es sólo justo que una fruta con costillas ayude a proteger sus huesos. Las carambolas contienen nutrientes que pueden evitar la osteoporosis.

Cuándo decirle que no a la carambola

Si usted tiene fallo renal, evite la carambola. Usted corre el riesgo de sufrir una intoxicación de carambola. Los síntomas incluyen hipo persistente, vómitos, confusión mental, debilidad, adormecimiento en las extremidades, insomnio y convulsiones. En algunos casos, su presión arterial podría bajar y podría entrar en shock o hasta morir.

La vitamina C ayuda a ciertas enzimas a funcionar mejor para desarrollar huesos fuertes. Ésta también juega un papel clave en el enlace cruzado de las fibras de colágeno en el hueso. Las mujeres mayores pueden elevar su densidad mineral ósea con esta importante vitamina.

Dos minerales hallados en la carambola, el potasio y el cobre, también aumentan la salud ósea. El potasio ayuda a sus huesos a retener el calcio que tanto necesitan. Éste también mejora la densidad mineral ósea en las mujeres que están pasando por la transición a la menopausia. En las personas mayores, éste aumenta la densidad mineral ósea en las caderas y los antebrazos.

La deficiencia de cobre disminuye la fortaleza ósea en los animales, mientras que los suplementos de cobre reducen la pérdida ósea en las mujeres mayores. Eso es porque este mineral afecta la formación de huesos y la fortaleza del tejido conectivo.

Los antioxidantes le ayudan a ver la luz. No hay nada tan majestuoso como el ver las estrellas. Para poder apreciar cada centelleo, sólo tiene que mirar a la carambola. Con antioxidantes como vitamina C, beta caroteno, luteína y zeaxantina, la carambola ayuda a proteger su vista.

Los niveles bajos de vitamina C en el cristalino de su ojo pueden llevar a cataratas. Afortunadamente, recibir más de esta vitamina en su dieta puede ayudarle a evitar cataratas y la cirugía para cataratas. Una carambola mediana le da 31.3 miligramos de vitamina C o un 52 por ciento del Valor Diario recomendado.

Al combinarla con otros antioxidantes, incluyendo el beta caroteno, la vitamina C puede ayudar a retrasar el progreso de la degeneración macular, la causa principal de ceguera en las personas mayores.

La luteína y la zeaxantina, carotenoides que actúan como poderosos antioxidantes, protegen sus ojos de la degeneración macular y las cataratas.

Estudios han mostrado que el comer alimentos con luteína y zeaxantina puede reducir su riesgo de degeneración macular en un 57 por ciento y reducir su riesgo de cirugía para cataratas en un 22 por ciento.

■ ■ ■ ■ *Rincón del cocinero* ■ ■ ■ ■

Escoja carambolas firmes y brillosas con un olor placentero. Evite aquellas con manchas o puntos blandos. Manéjelas con cuidado porque se magullan fácilmente. La mayoría de las variedades agrias tienen costillas estrechas, mientras que las dulces y amarillas las tienen gruesas y carnosas

Deje que la carambola madure a temperatura ambiente hasta que se torne un color amarillo sólido. Usted puede refrigerar la fruta madura por una semana o dos. Use un pelador de vegetales o un cuchillo para pelar para remover las puntas de las costillas si se vuelven marrones o negras.

Mandarinas

■ ■ ■ ■ ■ ■ ■ ■ ■ ■ ■ ■ ■ ■ ■ ■ ■ ■

Disfrute de una fruta cítrica fácil de pelar y lista para sanar

Las naranjas mandarinas obtuvieron su nombre porque su cáscara era del mismo color usado por las batas de los mandarines, los oficiales públicos chinos. Este tipo importante de naranja mandarina sigue sirviendo al público.

Repletas de vitamina C, vitamina A, fibra, potasio y folato, las mandarinas le mantienen saludable de varias maneras. Una porción al día de esta jugosa fruta puede reducir las apoplejías, reducir la obesidad y combatir la enfermedad cardiaca.

Más pequeñas que las naranjas, las mandarinas son un poco aplanadas. Su fina cáscara naranja-rojiza se pela fácilmente, revelando segmentos de jugosa pulpa. Menos ácidas que la mayoría de las frutas cítricas, las mandarinas saben dulces con un toque de acritud. Ellas son las más nutritivas de toda su familia, la cual también incluye a las clementinas y los tangelos.

Oriundas de China, las mandarinas ahora crecen en todo el mundo en árboles perennes que alcanzan los 10 pies de altura. Las mandarinas también se conocen como tangerinas y obtuvieron este nombre del antiguo pueblo moro amurallado de Tánger al norte de Moroco, donde la fruta prospera. La mayoría de las mandarinas en los Estados Unidos vienen de California, Arizona y Florida.

En algunas partes del mundo, las mandarinas son una delicia tradicional de Navidad o de Año Nuevo. Pero usted no necesita esperar por una ocasión especial para disfrutar de estas deliciosas y saludables frutas.

Reduzca su riesgo de apoplejía con los cítricos. Las mandarinas podrán ser pequeñas, pero ellas pueden hacer una gran diferencia contra la enfermedad cardiaca y la apoplejía. Como las otras frutas cítricas, ellas contienen una combinación incomparable de nutrientes, incluyendo fitonutrientes, que ayudan a su corazón.

El potasio en las frutas cítricas, como las mandarinas, reduce la presión arterial al igual que las píldoras. Un estudio británico halló que el citrato de potasio, el tipo de potasio en las frutas y vegetales, funciona tan bien como el cloruro de potasio, el tipo que a veces es recetado para reducir la presión arterial. Como un beneficio adicional, obtener el potasio de los alimentos en vez de las píldoras elimina el riesgo de efectos secundarios.

Hablando de riesgos, un estudio grande halló que una porción adicional de fruta cítrica al día redujo el riesgo de apoplejía por un 19 por ciento. Tomar jugo cítrico adicional ayudó aún más, reduciendo el riesgo por un 25 por ciento.

Otros estudios han hallado que la vitamina C ayuda a combatir la enfermedad cardiaca. Sólo una porción de frutas y vegetales ricos en vitamina C al día puede reducir

Nutrientes estrellas

Vitamina C	39%
Vitamina A	12%
Fibra	6%
Potasio	4%
Folato	4%

Tamaño de porción es 1 mediana
Porcentajes son del Valor Diario

su riesgo en un 6 por ciento. El folato, la fibra y los flavonoides en las mandarinas y otras frutas cítricas también contribuyen a una mejor salud cardiaca.

■ ■ ■ ■ ■ Aumente los beneficios ■ ■ ■ ■ ■

Las mandarinas son bocadillos espectaculares. Pero usted puede hallar varias otras maneras de obtener lo máximo de estas saludables frutas. Añádalas a las ensaladas verdes o las ensaladas de frutas, mójelas en yogur o sustitúyalas por las naranjas en las recetas.

No se olvide del jugo y las ralladuras. Beba el refrescante jugo por sí mismo o mézclelo con otros jugos de fruta. Vierta el jugo de mandarina por encima de frutas frescas recién cortadas para evitar que éstas se tornen marrón y para añadir sabor. Usted también puede hacer marinados y aderezos con el jugo. Añada la ralladura de mandarina a las salsas, los postres y los marinados.

Adelgace con súper-frutas. ¿Está perdiendo la batalla contra la obesidad? Añadir más mandarinas a su dieta podría ayudar. Las mandarinas no sólo son bajas en calorías, ellas también le proveen fibra, la cual le llena para que no coma de más. Su cuerpo no puede digerir la fibra, así que la deja pasar por su sistema. Una dieta rica en fibra puede mantener su peso bajo control.

Comer frutas, como las mandarinas, regularmente puede ayudarle a evitar el aumento de peso. Un estudio de 12 años de miles de mujeres halló que aquellas que comieron la mayor cantidad de fruta tuvieron una menor probabilidad de ser obesas al alcanzar la mediana edad. Mientras que todas las frutas cítricas son buenas alternativas, las mandarinas podrían ser una de sus mejores opciones. Ellas normalmente contienen más agua y menos azúcar que las naranjas.

Aquí tiene unas buenas noticias. El jugo de naranja podría ser un inhibidor de apetito efectivo—pero el tiempo cuando lo toma hace toda la diferencia. Tome jugo de naranja antes de la cena y los estudios muestran que comerá menos. Tómelo con la cena y aumentará de peso.

En un estudio de la Universidad de Yale, hombres con sobrepeso que tomaron jugo de naranja antes de su comida comieron casi 300 calorías menos al almuerzo que aquellos que tomaron agua común. Las mujeres consumieron un promedio de 431 calorías menos al medio día.

Sin embargo, un estudio de la Universidad Estatal de Pensilvania halló que las mujeres que tomaron bebidas altas en calorías, incluyendo el jugo de naranja, con el almuerzo consumieron 104 calorías adicionales sin sentirse más llenas.

Para un sorprendente secreto de la pérdida de peso, tome un vaso de jugo de naranja media hora a una hora antes de una comida. Usted comerá menos calorías durante la comida y aún se sentirá cómodamente lleno. Quédese con agua simple durante las comidas.

Aumente su defensa contra el cáncer. Cuando se trata de la prevención del cáncer, una dieta saludable es esencial. Las mandarinas pueden ser una parte importante de cualquier plan de comida anti cáncer.

Un estudio de laboratorio halló que la pectina, un tipo de carbohidrato complejo hallado en las frutas cítricas, ayuda a combatir el cáncer de la próstata. De las frutas probadas, las mandarinas tuvieron la mayor cantidad de pectina. Para obtener la mayor cantidad de pectina, cómase toda la fruta, no sólo el jugo. La pulpa de la fruta y las membranas que separan los gajos contienen la mayor concentración de pectina.

La criptoxantina, un carotenoide que abunda en las frutas naranjas como las mandarinas, podría reducir su riesgo de cáncer cervical. Una molécula llamada salvestrol Q40, hallada en la cáscara de las mandarinas, también ha mostrado promesas como un combatiente del cáncer.

Varios estudios muestran que las frutas cítricas pueden proteger contra el cáncer, especialmente el estomacal y el oral. En un estudio, consumos elevados de frutas y jugos cítricos redujeron el riesgo de lesiones orales premalignas en un 30 a un 40 por ciento.

Recobre su aliento con la vitamina C. Las mandarinas podrían ser un soplo de aire fresco en su lucha contra el asma. Un estudio italiano de un año halló que las frutas cítricas, incluyendo las mandarinas, tuvieron un efecto protector contra los síntomas del asma. Los niños que comieron cinco a siete frutas cítricas a la semana redujeron su riesgo de resuello por un 34 por ciento comparado con los niños que comieron fruta menos de una vez a la semana. Ellos también salieron mejor en términos de falta de aliento y de tos nocturna o crónica.

La vitamina C en las frutas cítricas probablemente le provee la protección. Ésta podría ayudar porque actúa como un antihistamínico, antiinflamatorio y antioxidante natural. Una dieta baja en vitamina C es un factor de riesgo para el asma.

■ ■ ■ *Rincón del cocinero* ■ ■ ■ ■

Si usted es impaciente, las mandarinas son las frutas para usted. Ellas siempre son cosechadas maduras, así que las puede comer inmediatamente.

Busque mandarinas firmes y brillosas que son pesadas para su tamaño. Evite aquellas con magulladuras, lugares blandos o grietas. Las mandarinas medianas generalmente son las mejores. Las muy grandes tiene menos sabor y las muy pequeñas podrían ser amargas.

Guarde las mandarinas a temperatura ambiente por una semana o en una bolsa plástica en el refrigerador por más tiempo. Usted puede congelar el jugo de mandarina.

Sandía

Dulce fruta de verano provee protección el año entero

Probablemente usted asocia la sandía con buenos tiempos, como las parrilladas y los picnics de verano. Pero estas dulces y refrescantes frutas también tienen un lado serio que vela por su salud.

La sandía provee vitamina C, vitamina A, potasio, magnesio y fibra. Ella también es una tremenda fuente del carotenoide licopeno. Ésta también contiene bastante agua. De hecho un sorprendente 92 por ciento de la sandía es agua.

Junto con las calabazas y los pepinos, las sandías pertenecen a la familia de las cucúrbitas. Ellas pueden ser redondas, oblongas o esféricas y pueden pesar hasta 90 libras. La gruesa pero frágil cáscara puede tener un color uniforme, franjas o puntos, mientras que la fresca pulpa generalmente es roja pero también puede ser naranja o amarilla. Las semillas pueden ser negras, marrones, blancas, verdes, amarillas o rojas.

Las sandías tuvieron sus comienzos en África, donde eran valoradas como una fuente de agua portátil. Las tumbas de antiguos egipcios contienen imágenes de sandías, las cuales también podrían ser oriundas de América del Norte. Thomas Jefferson cultivó sandías en Monticello, y el ejército confederado las hirvió para hacer azúcar y melaza durante la Guerra Civil.

Hoy día, los productores principales de sandías incluyen China, Rusia y Turquía. Alrededor de 50 variedades de sandías crecen en los Estados Unidos. Para buenos tiempos y buena salud pruebe algunas de ellas.

Reduzca su riesgo de cáncer con el licopeno. Cuando se trata de licopeno, los tomates y los productos de tomates reciben la mayoría de la atención. Pero la sandía en realidad tiene 40 por ciento más licopeno que los tomates crudos. Eso es buena noticia porque estudios muestran que este carotenoide puede ayudar a evitar el cáncer de la próstata.

En un estudio reciente llevado a cabo en China, investigadores hallaron que los hombres que obtuvieron la mayor cantidad de licopeno en sus dietas redujeron su riesgo de cáncer de la próstata en un 82 por ciento comparado con aquellos que obtuvieron la menor cantidad. El comer más sandía también ayudó.

Otro estudio halló que los hombres con los niveles más altos de licopeno en la sangre redujeron su riesgo de cáncer en un 35 por ciento comparado con aquellos con los niveles más bajos.

El licopeno, el cual le da a la sandía su color rojo, actúa como un antioxidante, neutralizando los radicales libres, los que causan daño. Éste también podría proteger contra otros cánceres, incluyendo el de la mama y del páncreas.

Ayude a su corazón con una jugosa fruta. Dele un mordisco a una jugosa sandía, y dele un mordisco a su enfermedad cardiaca

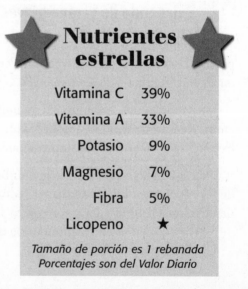

Nutrientes estrellas

Vitamina C	39%
Vitamina A	33%
Potasio	9%
Magnesio	7%
Fibra	5%
Licopeno	★

*Tamaño de porción es 1 rebanada
Porcentajes son del Valor Diario*

a la vez. Estudios muestran que el licopeno, el carotenoide que combate el cáncer, podría también proteger a su corazón.

■ ■ ■ ■ ■ **Aumente los beneficios** ■ ■ ■ ■ ■

Para obtener la mayoría de los beneficios de la sandía, guárdela a temperatura ambiente. Ésta podría no ser tan refrescante, pero tendrá la mayor cantidad de nutrientes. Comparada con la sandía recién cosechada, aquellas guardadas a 70 grados Fahrenheit, tienen hasta un 40 por ciento más licopeno y 139 por ciento más beta caroteno.

Disfrute de la sandía en las ensaladas de frutas o en las sopas frías. El jugo de sandía también es una bebida refrescante. Para reducir el número de calorías, usted puede mezclarlo con partes iguales de agua carbonatada. Cada parte de la sandía es comestible. Encurte la cáscara o tueste las semillas para un sabroso bocadillo.

En un estudio holandés, las personas mayores con niveles elevados de licopeno en la sangre redujeron su riesgo de aterosclerosis, o endurecimiento de las arterias. En otro estudio, investigadores finlandeses hallaron que los hombres con los niveles más bajos de licopeno en su sangre tenían arterias carótidas más gruesas, un factor de riesgo para paro cardiaco y apoplejía. Las mujeres con los niveles más altos de licopeno pueden reducir su riesgo de enfermedad cardiaca por aproximadamente un tercio comparado con aquellas con los niveles más bajos.

Los poderes antioxidantes del licopeno ayudan a detener la oxidación del colesterol LDL o malo y que éste forme placas en las paredes de sus arterias. El licopeno también ayuda a prevenir los coágulos de sangre en pruebas de laboratorio.

La sandía también es una buena fuente de citrulina, un aminoácido que su cuerpo convierte en otro aminoácido llamado arginina. Como precursor al óxido nítrico, la arginina juega un papel clave en la regulación de la presión arterial y en el apoyo de la circulación saludable. Un estudio del Departamento de Agricultura de EE.UU. halló que el tomar jugo de sandía aumentó los niveles de arginina.

Además del licopeno y la arginina, la sandía también provee potasio, magnesio y fibra. El potasio y el magnesio ayudan a controlar la presión arterial, mientras que la fibra puede reducir el colesterol.

Dulce manera de perder peso. Aquí tiene una manera divertida de mantener su peso bajo control—coma más sandía. Esta deliciosa fruta puede satisfacer su gusto por lo dulce sin afectar su cintura.

Expertos dicen que alimentos con contenidos elevados de agua pueden ayudarle a perder peso. Con un 92 por ciento de agua, la sandía encaja en este molde. El agua le llena, así que es menos probable que coma de más. Ésta hasta podría aumentar su nivel metabólico o la tasa a la cual usted quema las calorías.

Una rebanada de sandía tiene sólo 86 calorías y menos de medio gramo de grasa, lo que la hace el postre perfecto.

■ ■ ■ ■ *Rincón del cocinero* ■ ■ ■ ■

Busque sandías firmes y simétricas que se sientan pesadas para su tamaño. Evite aquellas con magulladuras, grietas o puntos blandos. La parte inferior de la sandía debería tener una mancha amarilla donde descansaba sobre el suelo mientras maduraba. Usted también puede comprar sandías cortadas por la mitad, en rebanadas o en cuartos. Todas deberían oler dulces y tener una pulpa densa.

Guarde las sandías enteras a temperatura ambiente por una semana o en el refrigerador por hasta dos semanas. Antes de rebanar una sandía, estregue la superficie externa bajo un chorro de agua tibia para remover las bacterias superficiales. Refrigere la sandía cortada, envuelta en plástico o en un envase sellado y cómala dentro de unos días.

Coseche el beneficio de los granos integrales

Amaranto

■■■■■■■■■■■■■■

Nueva vida para un sorprendente grano

El amaranto podría ser el grano más antiguo que usted haya escuchado. Éste era un cultivo favorito de los aztecas, pero casi fue perdido cuando los conquistadores europeos hicieron su cultivo un crimen. Los griegos vieron el amaranto como un símbolo de inmortalidad, y éste disfrutó un aumento en popularidad durante los últimos 30 años a medida que las personas buscan granos integrales más saludables.

Técnicamente, el amaranto no es un grano; es una planta de hoja ancha con brillantes flores y semillas que usted puede comer. Las hojas de amaranto le dan color y nutrición a las ensaladas y las semillas pueden ser cocidas como un cereal o usarse para hornear. Éste tiene tremenda carga cuando se trata de minerales como el manganeso, el magnesio, el fósforo y el hierro, y tampoco es un debilucho en el departamento de las vitaminas B.

Los alimentos de granos integrales con mucha fibra son conocidos por ayudar a controlar su peso y el amaranto ciertamente tiene bastante fibra. Pero no se exceda con el amaranto si está tratando de perder unas cuantas libras. El grano también es rico en energía, con alrededor de 365 calorías en media taza de semillas. Eso es más del doble de las calorías en la misma cantidad de avena.

Evite la enfermedad celiaca con un grano libre de gluten. Las personas con enfermedad celiaca, una condición hereditaria, son sensibles al gluten en el trigo, la cebada y otros granos. El gluten daña el intestino delgado, haciendo difícil que el cuerpo absorba nutrientes de los alimentos. La mejor manera de evitar problemas es evitando el gluten.

Nutrientes estrellas

Manganeso	64%
Magnesio	38%
Fósforo	26%
Hierro	24%
Fibra	20%

Tamaño de porción es 2 onzas
Porcentajes son del Valor Diario

220

Eliminar este ingrediente revierte el daño al intestino delgado en un 95 por ciento de las personas con enfermedad celiaca. Pero si remueve todo el trigo de su plato, puede que se quede casi sin nada que comer.

Es ahí donde el amaranto viene al rescate. Éste es libre de gluten y puede ser un sustituto para el trigo u otros granos. Él está disponible en cereales secos listos para comer y lo puede comprar como una semilla para cocinarla en un cereal caliente. Hierva una taza de semillas en 3 tazas de agua por alrededor de 30 minutos para un saludable desayuno alto en proteína que no dañará su digestión.

El amaranto también puede molerse para obtener harina y usarse al hornear. Esta harina funciona bien en panqueques o galletitas, pero no en recetas que necesitan crecer, como los panes. Usted puede reemplazar hasta un cuarto de la harina de trigo en una receta de pan con harina de amaranto para obtener un nutritivo y húmedo pan. Sin embargo, el gluten de la harina de trigo permanecerá.

■ ■ ■ ■ ■ **Aumente los beneficios** ■ ■ ■ ■ ■

Las palomitas de maíz son un grano integral que no recibe respeto. Ellas son una deliciosa fuente de fibra, tiamina y minerales, lo que las hace un saludable bocadillo sin añadirle sal ni mantequilla.

Pero las palomitas de maíz no son el único grano que revienta. Algunos tipos de semillas de amaranto también pueden ser reventadas. El sabor a nuez y a pimienta del amaranto, junto con su alto contenido de proteína y hierro, le hacen un bocadillo saludable. Use un wok o una sartén pesada para reventarlas. Una taza de semillas de amaranto revientan en alrededor de 3 ó 4 tazas de un bocadillo delicioso. Cómalo rápido porque se vuelve rancio rápidamente.

Cinco maneras que el amaranto ayuda a su corazón. La enfermedad cardiaca es una causa principal de muerte entre hombres y mujeres. Usted puede reducir su riesgo con una dieta saludable para el corazón, la cual intenta controlar el colesterol, la presión arterial y el peso. Añadir este extraño grano a su dieta podría ayudarle a alcanzar estas metas.

- El amaranto contiene alrededor de 6 a 9 por ciento de aceite, lo cual un estudio halló reduce el colesterol total, el colesterol LDL y los triglicéridos en las personas que lo comieron todos los días por tres semanas. Expertos creen que el escualeno y los fitoesteroles del aceite evitan que el colesterol sea absorbido por sus intestinos. Si usted quiere más aceite de amaranto que el que se encuentra en el grano, busque una botella de aceite en una tienda de alimentos naturales y lo puede usar en ensaladas o en lugar de otros aceites.

- La enorme porción de magnesio en el amaranto le hace bueno para su músculo cardiaco. Éste contiene 149 gramos en 2 onzas de semillas, más de una tercera parte de lo que necesita cada día. El magnesio ayuda con más de 300 procesos en su cuerpo, incluyendo el mantener a su ritmo cardiaco regular y ayudar a los músculos y nervios a funcionar correctamente. De hecho, un estudio de cuatro años halló que las personas que recibían más magnesio, potasio y fibra tenían un menor riesgo de hipertensión. El amaranto tiene estas tres y más.

- El amaranto tiene más proteína que otros granos y lo que tiene es una fuente más completa de los aminoácidos esenciales que su cuerpo necesita. Eso significa que usted puede usarlo en vez de algunas carnes en su dieta, dándole los beneficios de la proteína para desarrollar músculos sin las grasas saturadas. Comience su día con una taza de cereal de hojuelas de amaranto y recibirá 6 gramos de proteína.

- Algunas investigaciones han hallado que las personas con enfermedad celiaca que han seguido una dieta libre de gluten elevaron los niveles de su "beneficioso" colesterol HDL. Esto les dio un mejor equilibrio entre el HDL y el dañino colesterol LDL. Los expertos creen que una dieta sin el gluten podría sanar los intestinos dañados de forma que usted pueda absorber más colesterol HDL. De hecho un estudio halló que las personas con enfermedad celiaca que comenzaron una dieta libre de gluten redujeron su probabilidad de morir de enfermedad cardiaca.

- Con 6 gramos de fibra en una porción de 2 onzas, el amaranto es un grano integral exitoso. La fibra—tanto la soluble como la insoluble— es importante para una dieta saludable para el corazón. Ésta combate el colesterol alto, mantiene la presión arterial bajo control, ayuda a manejar su peso y reduce su riesgo de enfermedad cardiaca y diabetes. De hecho, ella podría hasta combatir la enfermedad de las encías y la acidez estomacal. ¿Cuántas razones más necesita para probar los beneficios de la alta fibra del amaranto?

Rincón del cocinero

Úselo todo. Usted puede aprovechar la planta de amaranto completa ya que las hojas, los tallos y las semillas son todas comestibles.

Guarde las partes por separado. Guarde la harina de amaranto en un envase no transparente en un lugar fresco y seco. Ésta dura más que la harina de trigo. Guarde las semillas de la misma manera. Usted puede refrigerar las hojas de amaranto por varios días o congelarlas como haría con la espinaca.

Disfrute del cultivar el amaranto. Esta robusta planta crece bien en muchas condiciones. Sus tallos y flores podrían ser púrpuras, naranjas, rojas o doradas. Las variedades silvestres con semillas oscuras hacen buenas plantas ornamentales y de maceta, mientras que las variedades con semillas pálidas son mejores fuentes del grano.

Conozca la diferencia. No confunda la planta y el grano de amaranto con el tinte de amaranto, tinte rojo número 2. Éste es un tinte creado por el hombre que se usa en el cuero, la seda y otros productos, pero no proviene de la planta. Éste era usado en alimentos—incluyendo los M&M rojos—hasta que la Administración de Drogas y Alimentos de EE.UU. lo prohibió en 1976.

Arroz integral

Disfrute de este nutritivo grano con sabor a nuez

Un proverbio chino dice, "Aún la ama de casa más lista no puede cocinar sin arroz". Eso podría ser cierto en Asia, donde una persona podría comer hasta 400 libras de arroz cada año, pero no en los Estados Unidos, donde

20 libras al año es más común. Un cocinero en el occidente podría no servir un plato de arroz nunca.

Eso es desafortunado, porque el arroz es un plato barato que va bien con otros alimentos y trae un tazón de nutrición a la mesa. El arroz integral, el grano entero de arroz con sólo la cáscara removida, es especialmente nutritivo. Éste es rico en fibra, niacina y vitamina B6, y es una tremenda fuente de minerales como el manganeso, el magnesio y el selenio. El arroz integral tiene un sabor dulce y parecido a las nueces y una textura más rica que la del arroz blanco. El arroz también es una parte importante de la dieta BRAT (por sus siglas en inglés)—bananas, arroz, puré de manzana y tostada—la cual es blanda, nutritiva y útil cuando está recuperándose de un ataque de diarrea.

Un símbolo de fertilidad, el arroz frecuentemente se tira en las bodas para desearle suerte a la nueva pareja y muchos niños. Tire un poco de arroz integral a su dieta para recibir su propia buena suerte y buena salud.

Controle el cáncer de colon inmediatamente. Su alternativa de blanco o integral podría determinar si usted adquiere cáncer del colon o no. Algunos estudios muestran que el comer más fibra—como los 4 gramos de fibra en una taza de arroz integral de grano largo cocido—podría reducir su probabilidad de desarrollar tumores en su intestino grueso, o colon.

De hecho, el salvado de arroz, la parte que hace al arroz verse marrón, contiene la mayoría de la fibra en el arroz integral. Investigadores en Inglaterra se preguntaron si esta fibra podría prevenir ciertos tumores. Ellos alimentaron el salvado de arroz a ratones y examinaron para ver si desarrollaban cáncer del colon, de la próstata o del tejido de la mama. Los ratones que comieron mucho salvado de arroz—el equivalente a 200 gramos en una dieta humana—tuvieron la mitad del riesgo de tumores intestinales pero no tuvieron cambios en los

Nutrientes estrellas

Manganeso	88%
Selenio	27%
Magnesio	21%
Niacina	15%
Vitamina B6	14%
Fibra	14%

Tamaño de porción es 1 taza, cocido
Porcentajes son del Valor Diario

riesgos de otros cánceres. Los científicos creen que la fibra es lo que protegió a los ratones.

Pero el arroz integral también es rico en vitamina B6, la cual podría evitar el cáncer del colon. Un estudio sueco de mujeres halló que aquellas que consumieron la mayor cantidad de vitamina B6 tenían menos probabilidad de padecer de cáncer del colon durante los 15 años que ellas fueron observadas. Aún otro estudio halló que las personas que consumieron la mayor cantidad de vitamina B6 y folato, otra vitamina B, de los alimentos tuvieron un menor riesgo de cáncer del colon.

■ ■ ■ ■ ■ **Aumente los beneficios** ■ ■ ■ ■ ■

El arroz integral está naturalmente repleto de nutrientes, es rico en fibra y bajo en grasas. Manténgalo saludable cocinándolo sabiamente. Primero, no lo enjuague antes de cocinarlo. Si algunos nutrientes fueron rociados sobre el arroz para enriquecerlo, usted podría lavar ese beneficio adicional. Segundo, cocine el arroz en agua sin añadir grasa. Para más sabor bajo en grasa, cocínelo en caldo de vegetales, de carne de res o de pollo. Añada sabor con hierbas o especies como la albahaca, el cilantro y el perejil.

El arroz integral está disponible como arroz instantáneo, el cual se cocina en sólo cinco minutos en vez de 45 minutos. Éste ha sido precocido y luego secado, pero este proceso lo hace menos nutritivo que el arroz integral regular.

Controle la diabetes con glucemia estable. Las personas con diabetes tienen que velar lo que comen para mantener un equilibrio entre la glucemia y la insulina. Los alimentos con un índice glucémico (GI por sus siglas en inglés) elevado, como el pan blanco y las papas, hacen que su nivel de glucemia aumente rápidamente—quizás demasiado rápido para que su cuerpo lo pueda manejar. Muchos médicos le urgen a las personas que se concentren en alimentos con un GI bajo, como los granos integrales o los frijoles. El arroz integral, con su capa exterior de salvado y fibra, tiene un GI de 66. Eso es una mejor opción que el más refinado y pulido arroz blanco, el cual tiene un GI de 72. Procesamiento adicional para hacer arroz soplado eleva el GI hasta 90.

De hecho, investigaciones han demostrado que el comer más granos integrales como el arroz integral podría reducir su riesgo de diabetes tipo 2. Cuando los investigadores examinaron a más de 2,000 personas en el Estudio Framingham Offspring, ellos hallaron que aquellos que comían al menos tres porciones de granos integrales al día tuvieron un menor riego de desarrollar síndrome metabólico. Esta condición frecuentemente es una advertencia que la diabetes o la enfermedad cardiaca podrían estar en su futuro. Evite los problemas de glucemia elevada eligiendo el arroz integral repleto de fibra en vez del arroz blanco más refinado.

■ ■ ■ ■ *Rincón del cocinero* ■ ■ ■ ■

Maneje los granos. Con más de 8,000 tipos de arroces, ¿cómo puede saber la diferencia? Una manera es por el tamaño. El arroz integral viene en tres tamaños.

- El arroz de grano largo tiene granos de más de un cuarto de pulgada de largo. Éste es el tipo más popular en los Estados Unidos y los granos tienden a mantenerse separados mientras lo cocina.

- El arroz de grano mediano tiene granos hasta un cuarto de pulgada de largo. Éste retiene más humedad al cocinarse que el arroz de grano largo.

- El arroz de grano corto tiene granos redondos más cortos de un quinto de pulgada. Éste tiende a ser pegajoso después de cocinarlo porque contiene más almidón.

No sea engañado por el nombre. El arroz silvestre no es arroz. Es una hierba anual en una familia de cereal diferente al arroz. Aunque el arroz silvestre se recogía de plantas que crecían salvajes en lagos, la mayoría de él ahora se cosecha como siembra. Éste ya ni siquiera es "silvestre".

Escoja un plato de pasta integral

Cuando se trata de la pasta, los ingredientes usados para hacer los fideos determinan su nutrición. Ciertas pastas "saludables" nuevas tienen el doble de la fibra o proteína de la pasta tradicional. El usar soja en la pasta añade proteína de soja e isoflavones, los cuales podrían ayudar a su corazón y prevenir enfermedades. Pero usted podría pagar tanto como el doble para comer bien. Vea como se comparan cada una de estas variedades populares en términos de calorías, fibra y otros nutrientes.

Pasta (2 oz seca, enriquecida)	Calorías	Fibra	Nutrientes importantes	Precio per ounce
Espagueti fino Barilla Plus	200	4 g	10 g proteína 10% hierro 15% riboflavina 15% niacina 30% folato 35% tiamina	$.16
Espagueti fino de trigo integral Ronzoni Healthy Harvest	180	6 g	6 g proteína 10% hierro 15% riboflavina 20% niacina 30% folato 35% tiamina	$.16
Espagueti fino de soja Revival	200	1 g	14 g proteína 15 mg isoflavones 2% calcio 15% hierro 15% fósforo	$.22
Pasta regular	211	2 g	7 g proteína 10% hierro 13% riboflavina 20% niacina 34% folato 34% tiamina	$.09

Avena

La favorita llena de fibra está repleta de beneficios

Conocida como pilcorn en La Vieja Inglaterra, la avena era una comida tradicional favorita en Escocia. Esta apreciada comida confortadora fue por primera vez plantada en el Nuevo Mundo en 1602, cuando William Shakespeare estaba ocupado escribiendo sus obras y la Reina Isabel estaba gobernando su imperio. Hoy día, la avena se consume comúnmente caliente y humeante en un tazón al desayuno, pero este grano también puede ser horneado en panecillos, panes o pasteles y añadido al pastel de carne y a los panqueques.

La avena tiene una buena marca en fibra, pero también anota en el departamento de vitaminas y minerales. Sea de cocción rápida, regular o instantánea, una taza de avena es una buena fuente de vitamina B1, o tiamina, y los minerales manganeso, selenio y fósforo. Ésta también mantiene alejada el hambre hasta la hora del almuerzo, todo por unas insignificantes 147 calorías.

Minimice su colesterol. Usted ha visto los anuncios. El adorado abuelo le explica a su nieto porqué él está comiendo cereal de avena al desayuno: para prepararse para su prueba de colesterol. Luego un locutor que habla rápido explica que agregar hojuelas de avena a su dieta puede reducir su colesterol. Suena simple, y funciona.

Así que, ¿cómo es que comer avena ayuda a mantener sus metas de colesterol en el camino correcto? Todo tiene que ver con la fibra. La avena, junto con otros granos, como la cebada, contienen

Nutrientes estrellas

Manganeso	68%
Selenio	27%
Fósforo	18%
Tiamina	17%
Fibra	16%

El tamaño de porción es 1 taza, cocida
Porcentajes son del Valor Diario

beta-glucano, una fibra soluble que ha demostrado ayudar a reducir tanto el colesterol LDL como el colesterol total. El beta-glucano combinado con agua forma un gel, el cual disminuye la velocidad de la comida a medida que avanza a través de su tracto digestivo. Esto le da al HDL más tiempo para recoger y remover el colesterol de su sangre, mientras que el LDL tiene menos oportunidad de adherirse a las paredes de las arterias. Buen trabajo por completo.

La relación entre el beta-glucano y el colesterol es tan clara que la Administración de Drogas y Alimentos de los Estados Unidos permite a las compañías afirmar, en productos con al menos 0.75 gramos (g) de avena entera por porción, que: "La fibra soluble de alimentos tales como el salvado de avena, como parte de una dieta baja en grasa saturada y colesterol, puede reducir el riesgo de enfermedades del corazón". Algunos estudios que probaron los beneficios del beta-glucano usaron cantidades grandes de la fibra, pero una revisión de la investigación encontró que añadir tan solo 10g de fibra por día a su menú puede reducir su LDL en un promedio de 22 puntos. Un desayuno saludable es un buen comienzo, ya que usted puede obtener esa cantidad de fibra en dos tazas y media de avena cocida. Comer avena es una cosa fácil que usted puede hacer cada día para descongestionar sus arterias y reducir su colesterol.

El beta-glucano es un ganador para su salud de otras formas. Éste ayuda a acelerar los productos de desecho a través de su sistema digestivo antes de que ellos puedan hacer daño y de esa forma, ayuda a reducir su riesgo de cáncer de colon. Éste también puede ayudar a reducir su presión sanguínea.

Controle su diabetes. La gente con diabetes sabe que debería añadir más fibra a su dieta. Eso podría incluir tanto fibra insoluble, el tipo de fibra que no se descompone ni es absorbida de la comida que usted come, y la fibra soluble, el tipo de fibra que forma un gel viscoso en sus intestinos. Las investigaciones han mostrado que una dieta alta en fibra puede reducir los niveles sanguíneos de insulina y glucosa—azúcar en su sangre. La avena es una alternativa muy buena para controlar la diabetes por su fibra soluble, el beta-glucano. Ésta se mueve lentamente a través de sus intestinos, tomando más tiempo su digestión. Eso significa que el azúcar de su sangre no se eleva tan rápidamente después de una comida. Y ya que la fibra lo llena, ésta también inhibe el aumento de peso.

Comer más fibra puede incluso ayudarle a evitar la diabetes tipo 2 en primer lugar. La fibra ayuda porque reduce la velocidad de conversión de carbohidratos en glucosa. Eso significa que su cuerpo bombeará menos insulina que la que bombearía si usted ingiriera comida con menos fibra. Los investigadores probaron esta idea en un grupo de 36 mil mujeres mayores en Iowa. Aquellas que comieron al menos 7.5 gramos (g) de fibra de cereal cada día tuvieron un 36% menos de probabilidad de desarrollar diabetes que las mujeres que comieron menos de la mitad de esa cantidad. Y 7.5 gramos no es mucha fibra. Usted puede obtener 4 gramos de fibra con un simple tazón de avena.

■ ■ ■ ■ ■ Aumente los beneficios ■ ■ ■ ■ ■

Elegir la mejor opción para preparar el desayuno o para hornear puede desconcertar aún al más devoto amante de la avena. Algunos tipos de avena se cocinan rápidamente, mientras que otros proveen mayores beneficios nutricionales. Aquí hay una lista de tipos claves de avena desde la menos hasta la más procesada.

■ Avena entera. Esta avena descascarada y tostada se cocina en 30 a 40 minutos.

■ Avena laminada gruesa. También conocida como avena escocesa o irlandesa. Esta avena entera ha sido tostada y cortada en pequeños pedazos. Éstos se cocinan en aproximadamente 15 minutos.

■ Avena tradicional aplanada. Granos de avena al vapor y aplanados tienen tiempos de cocción aún menores.

■ Avena de cocción rápida. Esta avena aplanada es cortada aún más finamente para lograr una cocción más rápida.

■ Avena instantánea. Usted puede preparar este plato al añadir agua hirviendo porque las hojuelas de avena están aplanadas finamente y están pre-cocidas. Pero ya que algo del sabor pudo haberse perdido durante el proceso, a éstas a menudo se les agrega azúcar y sal.

La protección de la próstata es fácil de conseguir. Hay buenas noticias acerca del cáncer de próstata: usted puede encargarse de su riesgo a través de lo que come. La avena es una opción muy inteligente.

Nuevamente, es un grano entero con un alto contenido de fibra. Los expertos creen que una dieta con mucha fibra, no la típica dieta occidental, puede ayudar por la forma como la fibra funciona con las hormonas sexuales. La fibra se aferra a los esteroides sexuales; luego, cuando la fibra deja su cuerpo, también se elimina el exceso de hormonas. Ya que las hormonas masculinas están ligadas al crecimiento de tumores prostáticos, eso es algo bueno.

El otro beneficio de la avena es que tiene alto contenido de selenio, un oligoelemento mineral que actúa como un antioxidante. Éste trabaja con la vitamina E para ayudarle a su sistema inmune a funcionar y reducir su nivel de testosterona. Un estudio en hombres mayores en Baltimore encontró que aquellos con menos selenio en su sangre tuvieron mayor probabilidad de desarrollar cáncer de próstata. Un estudio de largo plazo, actualmente en desarrollo, podría dar una mejor respuesta acerca del poder del selenio en contra de esta enfermedad. Los resultados de la Prueba de Prevención del Cáncer con Selenio y Vitamina E (SELECT, por sus siglas en inglés) estarán disponibles en el año 2013.

Así como con muchas vitaminas y minerales, usted no quiere excederse en selenio. Mucho puede causar dolor de estómago, artritis, problemas emocionales, pérdida de cabello y problemas del hígado. De hecho, algunos expertos indican que sólo hombres que no obtienen suficiente selenio pueden beneficiarse al incrementar ese mineral en sus dietas. Una taza de avena cada mañana es una forma de obtener 19 microgramos, o 27% de su requerimiento diario.

¿Libre de gluten? Omita la avena

La avena podría no ser un alimento reconfortante si usted tiene la enfermedad celíaca. La gente con esta condición tiene una reacción inmune al gluten en el trigo, la cebada, el centeno y otros granos. El gluten arrasa las vellosidades, o salientes en forma de dedo, en sus intestinos de forma que los nutrientes no pueden ser absorbidos apropiadamente. Esto puede llevar a malnutrición, diarrea, inflamación de estómago y otros problemas. Evitar el gluten generalmente resuelve el problema.

Nuevas investigaciones muestran que la avena pura no tiene gluten, pero que éste típicamente se mete en el grano durante el procesamiento. Usted podría necesitar alejarse de la avena, y todo lo que esté hecho con avena, si usted está en una dieta libre de gluten.

Disfrute de un tubo lleno de un reconfortante relajante de piel. Un saludable tazón de avena es reconfortante para sus entrañas, y un tubo lleno de esa sustancia hace maravillas en su piel. Usted puede comprar lociones a base de avena que afirman relajar la piel seca e irritada. Resulta que esa promesa no es del todo insignificante. La avena coloidal, o en forma de polvo finamente molido, puede proteger su piel y combatir la comezón y la irritación de la hiedra venenosa, picadura de insectos, varicela y otras causas. Ésta actúa como una barrera para mantener la humedad y aliviar la piel seca, junto con la irritación que la acompaña.

Ponga este remedio a trabajar usando avena coloidal en su propio baño. Usted puede poner avena regular en un procesador de comida y molerla, luego añadir aproximadamente dos tazas a su baño. Tenga cuidado cuando se meta a la bañera, ya que estará resbalosa.

■ ■ ■ ■ *Rincón del cocinero* ■ ■ ■

El precio y el contenido nutricional varían dependiendo de la forma de su avena. Usted paga más, en dólares y en nutrición, por conveniencia. Revise esta comparación antes de comprar.

Tipo de avena	Precio por porción	Calorías por porción	Fibra (gramos por porción)	Azúcar (gramos por porción)
Avena regular (simple)	$0.20	147	4	1
Quaker Instantáneo (manzana horneada)	$0.44	153	3	14
Avena Quaker Exprés (manzana horneada)	$1.39	208	4	19
Avena Quaker *To-Go* (barra, manzana horneada)	$0.55	220	5	21

Las nuevas etiquetas en alimentos simplifican evitar el gluten

Sacar ciertos alimentos de su dieta puede ser difícil. Eso es doblemente cierto con un ingrediente como el gluten, una proteína en el trigo y otros granos que causea problemas a la gente con enfermedad celíaca. El gluten puede estar oculto en lugares que usted no esperaría, como lápices de labios, estampillas de correo, medicinas, o alimentos como carnes procesadas, imitación de tocino y salsas. Pero nuevas reglas deberían hacer más fácil evitar el gluten.

La Administración de Alimentos y Drogas de los Estados Unidos (FDA, por sus siglas en inglés) está proponiendo nuevas reglas para los alimentos que afirman estar "libres de gluten" en sus etiquetas. Las compañías pueden llamar a un alimento "libre de gluten" si éste no tiene trigo, cebada, centeno o granos relacionados como la espelta (Triticum spelta) ni *triticale* (híbrido de trigo y centeno), y no tienen más de 20 partes por millón (ppm) de gluten. Las nuevas reglas también indican que los alimentos que usualmente no tienen gluten, como carne o leche, pueden denominarse "libres de gluten" si ellos incluyen una frase como "todas las leches están libres de gluten". Una excepción es la avena, la cual no tiene gluten en su forma natural pero puede fácilmente contaminarse a medida que es procesada. Por esa razón, los expertos recomiendan que los que sufren de la enfermedad celíaca también eviten los productos de avena.

¿Qué es tan malo acerca del gluten? Algunas personas culpan a la sensibilidad al gluten de síntomas de autismo en niños, junto con fatiga, dolor de articulaciones, exceso de peso, infecciones vaginales y otras enfermedades en adultos. No todos los expertos culpan al gluten de esos problemas, pero ellos están de acuerdo que está en zona prohibida para la gente con enfermedad celíaca, también llamada esprue celíaco. En estas personas, el gluten daña las vellosidades del intestino delgado de forma que no pueden absorber bien los nutrientes. Esto causa pérdida de peso, anemia, hinchazón de estómago y diarrea, y puede llevar a la osteoporosis.

Las personas sensibles al gluten quieren saber si los alimentos tienen incluso una pequeña cantidad, pero la FDA ha fijado un límite de 20 ppm. Ellos dicen que tal nivel bajo no debería causar problemas, y la mayoría de pruebas son confiables para esa pequeña cantidad.

Quinua

■ ■ ■ ■ ■ ■ ■ ■ ■ ■ ■

El "súper grano" empaqueta un ponche nutricional

Los Incas la llamaban la "semilla madre" porque era muy importante, y su nombre viene de la palabra que en quechua significa "fantástico". Por su maravilloso sabor, se gana el apodo de "caviar vegetariano", y por sus maravillosos nutrientes ha sido llamada el "súper grano del futuro". Desde que fue traída a los Estados Unidos y plantada en los 80's, la quinua (pronunciada "Kin-wa") ha elevado su reputación por su valor nutritivo, aunque todavía no es muy conocida.

Como el amaranto, la quinua no es realmente un grano. Es una hierba con semillas comestibles y hojas que usted puede servir como espinaca. La mayoría de personas que comen quinua cocinan las semillas como arroz o cereal caliente, o usan la harina para hacer panqueques, galletas o panecillos.

La quinua es un grano entero con mucha fibra; minerales como hierro, cobre, manganeso, magnesio y fósforo; y vitaminas B como tiamina, niacina y riboflavina. Está llena de energía, y puede llenarlo mejor que granos tradicionales como el trigo. Pero no piense que la quinua es un alimento dietético. Una taza de quinua tiene 636 calorías, casi tres veces las calorías de una taza de arroz marrón o integral.

Cura confiable para la anemia. ¿Se siente débil y muy cansado? ¿Tiene problemas venciendo a las enfermedades? ¿Se siente frío o caliente cuando nadie más alrededor suyo se siente así? Usted podría no tener suficiente hierro en su dieta. Usted necesita hierro, un mineral

Nutrientes estrellas

Manganeso	64%
Magnesio	30%
Hierro	28%
Cobre	22%
Fósforo	22%
Fibra	14%

*El tamaño de porción es
2 onzas, en seco
Porcentajes son del Valor Diario*

esencial, de forma que los glóbulos rojos de la sangre puedan llevar el oxígeno a su cuerpo. Por eso, no tener suficiente hierro puede cansarlo y debilitarlo. Usted puede sentir los efectos de poco hierro aún si técnicamente usted no tiene anemia.

Popeye el marino sabía cuán importante es el hierro para su salud y fortaleza: "Lucho hasta el final porque como espinaca". Pero en realidad, la quinua es una mejor fuente de hierro que la espinaca. Una porción de dos onzas de quinua contiene el 28% del hierro que usted necesita en un día. Eso es más de cinco veces el hierro que usted obtiene a partir de una taza de espinaca cruda.

Junto con la prevención de la anemia por falta de hierro, la cantidad adecuada de hierro puede ayudarle a pensar más claramente, mantener sus huesos fuertes después de la menopausia y evitar el síndrome de las piernas inquietas.

■ ■ ■ ■ ■ Aumente los beneficios ■ ■ ■ ■ ■

La mayoría de granos no tienen una combinación balanceada de los aminoácidos que su cuerpo necesita. No es así con la quinua, la cual tiene 8 gramos de proteína en una porción de dos onzas. Aún mejor, es una proteína balanceada de alta calidad que tiene mucha lisina, el aminoácido esencial del cual otros granos generalmente carecen. De hecho, la quinua es tan buena fuente de proteínas que la Organización de Alimentos y Agricultura de las Naciones Unidas la coloca en la misma categoría de la leche entera seca. Otro beneficio es que la gente que no puede comer gluten puede disfrutar la quinua, ya que ésta no tiene ese alimento.

El cobre ayuda a evitar la pérdida de huesos. La quinua es una gran fuente de otros minerales importantes, incluyendo magnesio, manganeso, fósforo y cobre. Sí, es cierto, ese mismo metal brillante usado en artículos de cocina y joyería es también bueno para su salud. El cobre le ayuda a su cuerpo a usar el hierro para fabricar glóbulos rojos, y éste trabaja con el calcio para mantener sus huesos fuertes a medida que usted envejece.

El cobre es parte de una enzima, lisil oxidasa, que ayuda a su cuerpo a hacer colágeno, la fibra que le da estructura a los huesos fuertes. Los expertos piensan que puede jugar un papel ayudando a prevenir la osteoporosis, la pérdida de huesos que a menudo ocurre a medida que usted envejece. La osteoporosis puede llevar a fracturas y posturas encorvadas debido a pequeñas roturas en su columna vertebral. Pero estudios muestran que mujeres durante y después de la menopausia que tomaron suplementos de cobre durante dos años tuvieron menos pérdida de hueso que aquellas que omitieron el cobre.

Una porción de dos onzas de quinua proporciona 22% del cobre que usted necesita, así que comience su día con un tazón saludable de bienestar para sus huesos. Usted puede agregar leche rica en calcio para lograr incluso una mejor protección contra la osteoporosis.

▪ ▪ ▪ ▪ *Rincón del cocinero* ▪ ▪ ▪ ▪

Remoje las semillas. Si ha probado la quinua y la encontró amarga, quizá usted no la remojó lo suficiente. Las semillas tienen naturalmente un recubrimiento jabonoso llamado saponina para mantener alejados a pájaros e insectos. Remuévala antes de cocinar la quinua. Las semillas que usted compra están usualmente pre-lavadas, pero un poco más de enjuague no hará daño. Hay tanta saponina en las semillas que algunos nativos en Bolivia usan el agua de enjuague como champú.

Cocínela rápido. Las semillas de quinua se cocinan en aproximadamente 15 minutos, que es la mitad del tiempo que el arroz requiere. Hiérvalas usando dos tazas de líquido por cada taza de semillas.

Haga su propia harina. Usted puede hacer su propia harina de quinua al moler las semillas en una licuadora o en un molino de nueces. Almacene la harina en el refrigerador para evitar que se vuelva rancia.

Pruébela en todas sus variedades. Si no le gusta la idea de cocinar un tazón de semillas de quinua, usted puede comprarla como hojuelas de cereal, en barras de bocadillo o añadida a pasta seca.

4 secretos para una salsa de pasta saludable

Usted hizo el cambio de pasta regular a fideos de trigo integral. Eso está bien, usted está obteniendo vitaminas B, fibra y alrededor de 200 calorías en una porción de dos onzas. La pasta es un alimento no costoso que es llenador y sabroso. Pero no sabotee sus esfuerzos por tener una buena salud al elegir una salsa de pasta equivocada. Mantenga estas ideas en mente cuando usted seleccione una salsa.

- Elija el rojo y no el blanco. Las salsas que son blancas, como la salsa Alfredo, tienen más grasa y calorías, por el queso y la crema, que la salsa roja como la marinara. Y las salsas de tomates le dan más del nutriente licopeno para la lucha contra el cáncer.

- Haga salsa con vegetales. Dele un empujón al contenido nutricional de la salsa en un tarro al añadir sus propios vegetales picados. Pruebe con brócoli, zanahorias y pimientos rojos.

- Revise la etiqueta. La salsa de pasta en tarro es conveniente, pero note qué puede estar añadido. Algunas pueden contener mucho azúcar y sal.

- Vigile sus porciones. Su pasta no necesita nadar en su salsa. Una cantidad razonable de salsa marinara es media taza, mientras que salsas especiales, como Pesto, son usualmente servidas en una cantidad de un cuarto de taza.

Estas salsas de pasta populares son deliciosas, pero vea cómo los ingredientes hacen una gran diferencia nutricional.

Salsa (1/2 taza)	Calorías	Grasa (g)	Sodio (mg)
Classico Tomato & Basil	60	1	310
Prego Hearty Meat Three-Meat Supreme	170	10	600
Ragu Classic Alfredo	220	20	800
Classico Traditional Basil Pesto (1/4 taza)	230	21	720

Espelta
(Triticum spelta)

Sustituto del trigo presume amplios beneficios

Si hubiera una "santa de la espelta" su nombre sería Hildegard. Una monja del siglo XII, Hildegard de Bingen creía en los poderes curativos del grano, un primo cercano del trigo. Ella escribió que comer espelta, "el mejor grano", lo haría a usted más saludable, fuerte y hermoso. La espelta fue popular en Europa por siglos antes de que el trigo, con su cáscara fácilmente removible y mayor rendimiento, se volviera la euforia.

Hildegard pudo haber estado en el camino correcto cuando ella instó a la gente enferma a comer la fácilmente digerible espelta. Algunas personas con alergias al trigo pueden comer espelta, así que es un buen sustituto en alimentos horneados. Por otra parte, la espelta tiene gluten, la proteína que la gente con enfermedad celíaca está evitando cuando rechazan productos del trigo. Si usted es sensible al trigo, hable con su doctor para ver si la espelta puede agraciar su plato.

Pero la espelta está repleta de nutrientes que pueden ayudar a su cuerpo en otras formas. Comparado con el trigo, la espelta tiene menos calorías y más vitaminas B y minerales como manganeso, cobre, hierro, potasio y zinc. Los amantes de la espelta aprecian qué tan fácilmente este alimento fibroso es digerido, los granos prácticamente se derriten en su boca, y qué tan bien sabe. Usted y su cuerpo lo van a querer.

Remedio natural para el dolor de la migraña. Si usted

Nutrientes estrellas

Riboflavina	76%
Manganeso	62%
Tiamina	25%
Niacina	24%
Fibra	15%

El tamaño de porción es 2 onzas, en harina Porcentajes son del Valor Diario

está dentro de las muchas personas que sufren de dolores punzantes en un lado de su cabeza, nauseas y sensibilidad a la luz, usted podría querer un alivio. La respuesta puede ser deletreada "espelta".

Los estudios muestran que tomar una gran dosis de riboflavina, o vitamina B2, puede prevenir la migraña. En un estudio de cuatro meses, las personas que tomaron diariamente 400 miligramos (mg) de un suplemento de riboflavina tuvieron 50% menos ataques de migraña. Eso significa la mitad de días perdidos de trabajo, golf, jardinería o jugar con sus nietos.

Los expertos creen que la riboflavina ayuda a las células a usar mejor la energía para prevenir la migraña. La riboflavina es una vitamina soluble en agua, y usted puede obtenerla en comidas como cereales fortificados, productos lácteos, huevos y espelta. Pero el 25% de los adultos mayores no obtienen lo suficiente. Usted tendría que comer mucha espelta para obtener 400 mg, pero no podría absorber más que 25 mg de una vez de todas formas. Usted puede lograr un buen comienzo si consume espelta en vez de trigo. Sólo dos onzas de harina de espelta tienen 1.3 mg, o 76% de la riboflavina que usted debería consumir cada día. Algunas personas piensan que las visiones de Santa Hildegard de Bingen fueron causadas por migrañas. Si eso es cierto, quizá esa es otra razón más por la que ella era una apasionada de la espelta.

■ ■ ■ ■ ■ Aumente los beneficios ■ ■ ■ ■ ■

No desperdicie espacio en su plato con comidas que son poco saludables. Cocine un plato acompañante de espelta, la que vence al arroz blanco en cuanto a nutrición. Una porción igual de espelta tiene menos calorías e incluso más proteínas, fósforo, potasio y riboflavina que el arroz blanco. La espelta también contiene menos sodio y una docena de veces más fibra que el arroz blanco.

Remoje las bayas de espelta (granos enteros) toda la noche, luego drénelas y póngalas a hervir en agua durante 45 a 60 minutos. Use tres tazas de agua por cada 1 1/4 tazas de espelta. Ellas estarán masticables pero suaves, y listas para su aderezo favorito. Una taza de espelta cruda aumenta a más del doble cuando se cocina.

▪▪▪▪ *Rincón del cocinero* ▪▪▪▪

Sea creativo, y usted podrá disfrutar de la espelta en cada comida. Busque estos productos en una tienda de abarrotes o de comida saludable.

- La espelta en hojuelas se usa para hacer un cereal seco de desayuno similar a las hojuelas de maíz o salvado. Usted puede también añadir bayas u hojuelas de espelta a la granola o cocinarlas como avena.

- Las pastas de espelta le permiten disfrutar de sus platos italianos favoritos con este grano de alta proteína. Pruebe espagueti, penne, macarrones, coditos, lasaña y más.

- Coma espelta en forma de galletas saladas, pan plano, pan inflado similar a las galletas infladas de arroz, y los pretzels. Usted va a encontrar sabores como ajo, cheddar o crema agria y cebolla; igual que con las papas fritas en bolsa, pero más saludables.

- La harina de espelta funciona en muchas recetas que evitan la harina de trigo, así que usted puede preparar pan, galletas, pasteles; lo que usted quiera. Ya que la harina de espelta es más húmeda que la harina de trigo, usted probablemente necesitará agregar menos líquido cuando hornee con ella. Experimente para lograr el sabor correcto.

- Preste atención a si usted está comprando harina de espelta de grano entero o refinada. Así como con el trigo, refinar los granos de espelta remueve el salvado, el germen y mucha nutrición.

Reglas básicas para comprar panes más saludables

Aún si su plan es comprar granos enteros, usted quizá se quede confundido por las palabras usadas en los paquetes de pan. Aquí hay algunas reglas básicas para asegurarse que sus panes, o tortillas de harina, pan pita o bollos, son verdaderamente de grano entero, lo cual significa que éstos están hechos a partir del grano de trigo entero.

- El pan hecho sólo de granos enteros debe indicar "100% grano entero" en la etiqueta. Frases como "pan de trigo", "molido con piedra", "multigrano", o "hecho a partir de trigo entero" no indican que el pan sea de grano entero.

- El color del pan no prueba su valor saludable. Algunos panes marrones obtienen su color de la melaza o caramelo colorante de alimentos, no de granos enteros.

- La Administración de Alimentos y Drogas de los Estados Unidos le permite a las compañías incluir esta frase en productos que contienen 51% o más de ingredientes de grano entero en peso: "Dietas ricas en alimentos de grano entero y otras plantas, y bajas en grasa total, grasa saturada y colesterol, pueden reducir el riesgo de enfermedades del corazón y ciertos cánceres".

- Si a usted le gusta el pan integral de centeno, debería saber que a menudo no es de grano entero. El pan está hecho a partir de harinas de centeno y trigo. De forma similar, la mayoría del pan de centeno de los Estados Unidos no es de grano entero.

La gente adepta al pan blanco podría querer el nuevo pan "Ultragrano", o pan de grano entero que parece blanco. Éste está hecho de trigo duro blanco en lugar del tradicional trigo rojo. Eso hace a la harina más ligera y dulce, más como el pan blanco. El único problema es que los fabricantes de pan no están usando 100% harina Ultragrano sino que la están mezclando con harina refinada.

Salvado de trigo

Explote el poder del grano exterior

Tome un grano de trigo y remueva el salvado y el germen; le queda el centro feculoso y no mucha nutrición. Esa es la forma como el trigo es molido para hacer el pan blanco y esa es la razón por la que éste debe ser enriquecido para recuperar las vitaminas y minerales perdidos. La mayor parte de las vitaminas, minerales, proteínas y fibra, están en el salvado del trigo. Eso es lo que hace que el salvado de trigo, el recubrimiento exterior del grano, sea un gran aditivo a los cereales de desayuno y panecillos (o panquecitos también llamados "muffin").

Usted podría oír que al pan se le llama "el sustento de la vida", pero ese título realmente se ajusta al salvado de trigo. Esa parte exterior del grano de trigo entero es conocido por tener mucha fibra insoluble. Ésta es también una gran fuente de algunas vitaminas B, como niacina, junto con minerales importantes como magnesio, selenio y fósforo. El salvado de trigo ofrece mucho del mineral esencial manganeso, el cual su cuerpo usa para fabricar enzimas, reforzar su sistema inmune y formar huesos fuertes.

Por supuesto, usted puede obtener mucho salvado de trigo en algunos cereales deliciosos, como All-Bran y Raisin Bran. Pero usted puede también agregar salvado de trigo a sus recetas favoritas de pan y panecillos (o panquecitos), o usted puede probar todo tipo de recetas que incluyan salvado de trigo o cereales de salvado. Busque en el sitio Web *www.all-bran.com* ideas sobre agregar salvado de trigo al desayuno, almuerzo y cena. Y no

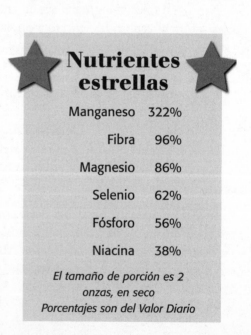

Nutrientes estrellas

Manganeso	322%
Fibra	96%
Magnesio	86%
Selenio	62%
Fósforo	56%
Niacina	38%

El tamaño de porción es 2 onzas, en seco
Porcentajes son del Valor Diario

olvide la forma más simple de añadir salvado de trigo a su dieta: intercambie el pan blanco por pan 100% de grano entero.

Eluda el cáncer de colon y los males digestivos. Usted quizá ha escuchado que comer más fibra puede ayudar a prevenir el cáncer de colon, o del intestino grueso . Los expertos están debatiendo si esto es cierto o si los demás nutrientes de las plantas alimenticias son los que protegen su colon. También es posible que la gente que come muchos alimentos llenos de fibra simplemente come menos carne, la cual se ha encontrado eleva su riesgo. Pero hay un par de grandes razones por las que los alimentos de grano entero quizá sean los mejores amigos de su colon.

- El ácido fítico, un químico natural encontrado en el salvado de trigo y otras plantas, funciona como un antioxidante para detener el crecimiento de tumores.

- El salvado de trigo tiene mucha fibra insoluble. Con 24 gramos de fibra en una porción de dos onzas, el salvado de trigo casi le da la cantidad de fibra que necesita en un día. Esa fibra agrega masa para la deposición en sus intestinos moviendo carcinógenos fuera de su cuerpo rápidamente, antes de que ellos puedan causar problemas. Toda esa fibra también puede ayudar a prevenir la constipación.

La fibra en el salvado de trigo también ayuda a otras partes de su cuerpo. Comerla cada día puede ayudarle a vencer la fatiga y a darle una actitud más positiva. Añadir fibra insoluble a su dieta es también una forma de engañar a su cuerpo para mantener su peso controlado. Un estudio de ocho años de hombres jóvenes encontró que aquellos que comieron más alimentos de grano entero ganaron menos peso. Por cada 20 gramos adicionales por día que ellos comieron, los hombres ganaron 12 libras menos durante el estudio. Los expertos dicen que la fibra insoluble, como la del salvado de trigo, ayuda a llenarlo más rápido de forma que usted come menos. Los alimentos de grano completo tienen mucha fibra y agua; en consecuencia contienen menos calorías que granos refinados parecidos. Hágale un favor a su digestión y coma cereales llenos de fibra diariamente.

Ponga a la gingivitis de patitas en la calle. Junto con sus otros beneficios, los panes y cereales de grano entero pueden ayudarlo a protegerlo de la piorrea, también conocida como gingivitis. ¿Suena demasiado bueno para ser cierto? No tanto. Los investigadores probaron esta idea al estudiar 34 mil hombres jóvenes durante 14 años. Los hombres que comieron alrededor de tres y media tazas de granos enteros cada día tuvieron encías más saludables. De hecho, ellos tuvieron una probabilidad un 23% menor de tener gingivitis en comparación con los hombres que comieron menos de una ración por día.

Los investigadores creen que comer más granos enteros le permite a su cuerpo absorber más lentamente los carbohidratos en los intestinos. Eso significa que los niveles de azúcar de la sangre permanecen constantes y su cuerpo sufre menos inflamación. Lo que lleva a encías más saludables a largo plazo.

■ ■ ■ ■ ■ **Aumente los beneficios** ■ ■ ■ ■ ■

Hornee pizza de masa de grano entero durante más tiempo y a una temperatura mayor, y usted podría estar preparando algo más saludable. Eso es lo que los investigadores descubrieron cuando buscaban formas más saludables de preparar pizza. Ellos encontraron que cocinar pizza de masa de grano entero a 550 grados Fahrenheit (288 °C) y durante aproximadamente 14 minutos, en lugar de siete, causó que más antioxidantes fueran liberados del salvado de trigo. Los antioxidantes son químicos naturales que ayudan a sus células a reparar daños para evitar todo tipo de enfermedades. Los científicos también sugieren dejar que la masa de la pizza se fermente por más tiempo, hasta 48 horas, para aumentar aún más los antioxidantes.

Redoble sus deberes por su corazón. Muchos estudios muestran que comer granos enteros en lugar de granos refinados puede ayudar a protegerlo de enfermedades cardiacas y fallas del corazón. Usted probablemente sabe que la avena, con su fibra soluble, puede reducir su colesterol. Pero, ¿cómo puede el salvado de trigo ayudar a su corazón?

■ Cambie su desayuno de huevos y tocino por cereal de grano entero, y usted reducirá su riesgo de enfermedades del corazón. Aparte de evitar un par de porciones de grasa saturada y colesterol, usted estará añadiendo fibra insoluble a su dieta. Un estudio encontró que las personas que comieron en su mayoría granos enteros tuvieron el menor riesgo de enfermedades del corazón y diabetes. Los investigadores sugieren que la fibra de alimentos de grano entero evita que el azúcar de la sangre aumente rápido, y ellos creen que los demás nutrientes de los granos enteros también ayudan a proteger su corazón.

■ El salvado de trigo tiene alto contenido de magnesio, un mineral esencial que ayuda a mantener estables su ritmo cardíaco y su presión sanguínea. Algunas veces es llamado "bloqueador natural del canal de calcio" porque éste funciona como algunas medicinas para el corazón al relajar los vasos sanguíneos y tratar la presión sanguínea alta. En un estudio, los hombres que tomaron más magnesio en sus dietas, junto con potasio y fibra, tuvieron menos probabilidades de tener presión sanguínea alta.

Dos onzas de salvado de trigo le dan casi toda la fibra y magnesio que usted necesita en un día. Hágalas parte de su dieta personal saludable para el corazón.

■ ■ ■ ■ *Rincón del cocinero* ■ ■ ■ ■

Si usted tiene el hábito de comprar cualquier harina de trigo en liquidación, piénselo de nuevo. Varios tipos actúan diferente durante la cocción y horneado, nada que decir de su contenido nutricional. Aquí hay un resumen de algunos tipos de harina comunes.

■ Harina de todo propósito o enriquecida. Esta harina blanca procesada no tiene salvado de trigo o germen de trigo, haciéndola menos nutritiva que la harina de trigo entero. Ésta es usada para cocinar u hornear en general.

■ Harina con levadura. Hecha con harina de todo propósito, esta variedad tiene sal, levadura como polvo o soda de hornear, y un ingrediente liberador de ácido. La levadura comienza a perder su poder en dos meses, por esta razón úsela pronto o deséchela.

■ Harina de trigo sin blanquear. Ésta es simplemente harina de todo propósito que no ha sido blanqueada. Ella puede tener parte del salvado y germen del trigo agregado nuevamente.

- Harina de pan. Cerca de un 98% de este producto es harina de trigo duro alta en gluten. Cebada malteada es agregada para mejorar la actividad de la levadura.

- Harina Graham. Desarrollada en el siglo XIX como una alternativa a la harina blanca, esta harina de trigo entero gruesa marrón hace un pan sabroso pero denso.

- Harina WheatSelect. Esta harina recientemente desarrollada por Horizon Mills luce y se siente bastante como harina blanca, pero tiene la mayor parte de los nutrientes de la harina de trigo entero.

Aumente sus proteínas con frijoles y legumbres

Frijoles negros

Alimento básico económico ayuda a frustrar enfermedades

La comida mexicana simplemente no sería la misma sin su alimento básico desde hace mucho tiempo. Los frijoles negros han esculpido un lugar principal en los platos de la gente en frijoles refritos, burritos, sopa de frijol negro y ensaladas de frijol frío.

Los expertos creen que los frijoles comunes se originaron en América Central, en donde los arqueólogos han encontrado los restos de frijoles de 7,000 años de antigüedad. Colón y los exploradores españoles y portugueses, quienes vinieron después de él, llevaron los frijoles de regreso a Europa y hacia Asia.

Ahora están en todas partes, y por una buena razón. Hay tantos diferentes tipos de frijol como beneficios para la salud, pero esta es una comida de 50 centavos que puede mantener sus arterias limpias. También conocidos como frijol tortuga, los frijoles negros están razonablemente llenos de beneficios para la salud, como proteínas de alta calidad, vitaminas B y minerales. Además, al ser una legumbre, ellos son una de las mejores fuentes alimenticias de fibra soluble. Todo esto cuenta para bajar los niveles de colesterol y reducir los problemas con las enfermedades del corazón, diabetes y muchas otras condiciones serias.

Ponga un alto a los problemas del corazón. De acuerdo a la Asociación Americana del Corazón, más de 79 millones de americanos sufren depresión arterial alta, ataques al corazón, anginas, derrames cerebrales (o apoplejías) o una combinación de estas enfermedades; todas ellas diferentes formas de enfermedades cardiovasculares (CVD, por sus siglas en inglés). Pero comer regularmente frijoles negros y otras legumbres llenas de folato puede rebajar su riesgo de CVD tanto como un 90%.

Nutrientes estrellas

Folato	64%
Fibra	60%
Manganeso	38%
Magnesio	30%
Proteína	30%

El tamaño de porción es 1 taza, cocidos
Porcentajes son del Valor Diario

La vitamina B folato le ayuda a su cuerpo a procesar una proteína llamada homocisteína y evita que esta se acumule en su sangre. En cantidades normales, la homocisteína es inofensiva. Pero en grandes cantidades, ésta puede llevar a estrechamiento y acumulación de placa en sus arterias.

■ ■ ■ ■ ■ **Aumente los beneficios** ■ ■ ■ ■ ■

Los fríjoles refritos pueden ser sabrosos, pero todo ese proceso pone azúcar en su torrente sanguíneo más rápido, llevando a aumentos rápidos y súbitos del azúcar en la sangre y de la insulina después de las comidas, lo que es particularmente peligroso si usted tiene diabetes o pre-diabetes.

Es mejor comer frijoles enteros porque usted digiere su almidón más lentamente. De hecho, su cuerpo podría no digerir completamente las legumbres no procesadas, de forma que algunos azúcares quizá nunca lleguen a su torrente sanguíneo. Además, fríjoles no refinados lo hacen sentir lleno por más tiempo, lo cual puede ayudar con la pérdida de peso.

Más de 80 estudios sugieren que aún niveles moderadamente altos de homocisteína en su sangre aumenta su riesgo de desarrollar CVD. Ahí es cuando los alimentos con alto contenido de folato, como los frijoles negros, tienen un rol crucial. Un estudio finlandés en cerca de 2,000 hombres encontró que aquellos que comieron los alimentos más ricos en folato tuvieron un 55% menos de riesgo de un evento serio del corazón, como un ataque cardiaco, comparados con aquellos que comieron lo mínimo.

En un reciente análisis de 25 estudios de alta calidad, los investigadores concluyeron que consumir tan sólo 200 microgramos (mcg) de folato diariamente podría reducir en un 60% los niveles de homocisteína. Consumir 400 mcg los reduce en un inmenso 90%, lo cual hace que los frijoles negros sean la alternativa correcta. Sólo una taza de estas humildes legumbres le da 256 mcg de folato.

Mientras que los estudios prueban que niveles mayores de homocisteína elevan su riesgo de CVD, ninguno ha probado que bajar los niveles de homocisteína reduce su riesgo. Aún así, una dieta balanceada con mucho folato y otras vitaminas B no le va a dañar.

El folato no es la única vitamina que usted necesita para combatir la homocisteína alta y el riesgo de CVD. Las vitaminas B6 y B12 están también involucradas en el procesamiento de esta proteína. Muy poco de ellas puede también llevar a altos niveles de homocisteína. Para obtener el beneficio más grande, los expertos dicen que usted necesita comer alimentos como espinacas, bananas y batatas para tener abundante B6, además de leche libre de grasa, carne de res magra y mariscos para la B12.

Controle las subidas y las bajadas de la diabetes. Los frijoles negros contienen un golpe triple para prevenir la diabetes tipo 2 y además le ayudan a controlar los niveles de azúcar de la sangre y de insulina si usted ya padece de diabetes.

- *Magnesio.* Los expertos creen que los niveles bajos de este mineral contribuyen al desarrollo de la diabetes tipo 2. Una vez usted la tenga, la diabetes misma hará que usted pierda más magnesio a través de su orina. Éste es un ciclo vicioso, pero uno que usted puede ayudar a romper al comer más alimentos ricos en magnesio, como los frijoles negros. Una revisión de ocho estudios mostró que las personas que obtuvieron la mayor cantidad de magnesio en su dieta tuvieron un 23% menos riesgo de tener diabetes tipo 2. Otra investigación sugiere que aumentar los niveles bajos de magnesio puede mejorar la tolerancia a la glucosa en adultos mayores y gente que ya tiene diabetes.

- *Fibra soluble.* La mayor parte de la fibra encontrada en frijoles, cebada y avena baja la velocidad de la absorción de azúcar. Esto ayuda a controlar los aumentos excesivos en el azúcar de la sangre y la insulina después de las comidas, una importante meta en la lucha contra la diabetes. Los expertos dicen que usted necesita comer al menos 5 ó 6 gramos (g) de fibra soluble cada día para lograr estos beneficios. Los frijoles negros encabezan la lista de legumbres por su fibra soluble, con la enorme cantidad de 4.8 g por taza cocida.

- *Almidón resistente.* Usted podría no pensar de los almidones como buenos para la diabetes, pero ellos lo son si usted come el tipo correcto. Algunos alimentos, como frijoles y bananas, contienen almidones resistentes (RS, por sus siglas en inglés), un tipo de fibra insoluble especial que hace a sus células rebeldes más sensibles a la insulina. Los científicos indican que usted necesita comer un mínimo de 5 a 6 g de RS diariamente para aumentar su sensibilidad a la insulina. La mayoría de frijoles cocidos contienen entre 1 y 1.75 gramos de RS por taza.

Consumir comidas que combinan alimentos altos in RS con aquellos ricos en fibra soluble parece controlar la insulina y balancear el azúcar de la sangre mejor que cualquiera de los dos nutrientes por sí solo. Los frijoles aumentan ambos, haciéndolos una buena elección para el control de la diabetes.

Bloquee la pérdida ósea con un importante mineral. Las mujeres con osteoporosis pueden tener niveles más bajos del mineral manganeso que las mujeres con huesos sanos. Una vez más, los frijoles negros vienen al rescate como una buena fuente natural de este mineral esencial. Unos pocos estudios sugieren que tomar más manganeso puede reducir o incluso evitar la pérdida de hueso en mujeres postmenopáusicas. Eso tiene sentido ya que su cuerpo lo necesita para formar los huesos y cartílagos. Los antiácidos y los laxativos hechos con magnesio evitan que su cuerpo absorba el manganeso eficientemente, así que evite tomarlos junto con alimentos ricos en manganeso.

▪ ▪ ▪ *Rincón del cocinero* ▪ ▪ ▪

Los frijoles crudos y secos se conservan por hasta un año en un contenedor sellado, en un sitio fresco y oscuro. Usted también puede congelar los frijoles secos indefinidamente. Los frijoles cocidos pueden conservarse hasta por cinco días en el refrigerador.

Usted no tiene que evitar los frijoles para evitar los gases. Pruebe estos consejos para reducir ese efecto secundario poco social y aún así tener los beneficios de la buena nutrición.

- Cambie el agua al menos dos veces durante el remojo y nuevamente durante la cocción.

- Añada unas pocas gotas de un producto anti-gas como Beano a los frijoles antes de servirlos. Éste contiene una enzima que descompone los azúcares complejos que causan los gases, antes de que ellos lleguen a su estómago.

- Agregue frijoles a su dieta gradualmente, pero cómalos a menudo. Los frijoles causarán menos gases si usted los come regularmente.

Garbanzos

■■■■■■■■■■■■■■■■

Los granos con sabor a nuez entregan grandes beneficios

Los granos de garbanzo, conocidos también en inglés como chickpeas, son una de las legumbres más versátiles y llenas de sabor. Los seres humanos comenzaron a comer estos granos hace aproximadamente 7,000 años. Los antiguos egipcios, hebreos, griegos y romanos, han disfrutado todos de su sabor a nuez.

No es una sorpresa. Los garbanzos están repletos de fibra y de saludables grasas poliinsaturadas (PUFAs, por sus siglas en inglés), y son "una mina de oro" por la cantidad de cobre, manganeso y folato que contienen. Además, ellos aumentan los fitoquímicos conocidos como isoflavonas, las mismas que hicieron a los porotos de soja tan famosos.

De cualquier forma que se pueda imaginar, usted puede probablemente comer garbanzos. Sírvalos calientes como plato acompañante o fríos esparcidos sobre una ensalada. Mézclelos en una sopa minestrone saludable con un verdadero estilo italiano o macháquelos para preparar un delicioso puré de garbanzos para untar. Usted puede incluso comprarlos asados y salados, como los cacahuates. ¿Necesita convencerse más? Revise las siguientes formas en que ellos mejoran su salud.

Póngale el freno al cáncer. Las nitrosaminas son compuestos causantes de cáncer que usted encuentra casi todos los días. Ellas se encuentran en todas partes, desde productos de carne y leche hasta refrescos gaseosos, tabaco y alcohol. Cuando entran en su tracto digestivo, éstas elevan su riesgo de cáncer en el estómago, vejiga y esófago. Cuando usted las obtiene por fumar o masticar tabaco, ellas contribuyen al desarrollo de cáncer de pulmón, boca y garganta.

Nutrientes estrellas

Manganeso	84%
Folato	71%
Fibra	50%
Proteína	29%
Cobre	29%
Grasa poliinsaturada	★
Isoflavonas	★

*El tamaño de porción es
1 taza, cocidos
Porcentajes son del Valor Diario*

■ ■ ■ ■ ■ Aumente los beneficios ■ ■ ■ ■ ■

Tal como la mayoría de legumbres, los garbanzos contienen mucha proteína, pero ésta es incompleta. La proteína de estos granos carece de los aminoácidos metionina y cistina. Sin embargo, ésta contiene mucha lisina. Pruebe combinar sus garbanzos con granos, los que ofrecen mucha metionina y cistina, pero no lisina. Juntos, cada uno cubre lo que al otro le falta; entonces, consumir una comida que incluya tanto garbanzos y granos le dará proteínas completas.

Un delicioso puré de garbanzos para untar es una forma de lograr este balance. Este favorito del medio oriente combina garbanzos machacados, ajo saludable, aceite de oliva, jugo de limón, paprika y otras especias saborizantes. Unte su pan de grano entero favorito para lograr un aperitivo repleto de proteínas que cualquier invitado disfrutará.

Una vez dentro de su cuerpo, estos compuestos peligrosos causan estragos al producir radicales libres que dañan sus células y provocan cambios causantes de enfermedades. Pero los investigadores indican que la fibra en los garbanzos puede protegerlo al evitar que su cuerpo absorba nitrosaminas. Mientras menos nitrosaminas su cuerpo absorba, menos daño le hacen.

Esto no significa que comer garbanzos evitará el cáncer de pulmón, si usted fuma, o contrarrestará otros malos hábitos. Usted aún necesita cuidar su cuerpo. Sin embargo, hacer que estos granos sean una parte regular de su dieta podría darle otra capa de protección en contra de las enfermedades y el envejecimiento, mientras le añade variedad a sus comidas.

Pierda grasa y reduzca su colesterol. De todas las legumbres, los garbanzos quizá son los mejores para reducir su colesterol. Los expertos le apuntan a tres grandes beneficios de estos granos: fibra, grasas poliinsaturadas (PUFAs, por sus siglas en inglés) e isoflavonas. Estos nutrientes parecen trabajar juntos para controlar el colesterol, reducir la grasa corporal y mejorar la sensibilidad a la insulina.

En un estudio australiano, la personas que comieron una dieta regular suplementada con garbanzos enlatados y harina de garbanzos redujeron sus niveles de colesterol total y LDL, en comparación con aquellas que obtuvieron la mayor parte de su fibra a partir de trigo y cereal. En total, estos consumidores de granos obtuvieron 27 gramos de fibra, cerca de dos tazas de garbanzos, diariamente. Es más, su cambio en el colesterol les proporcionó una caída de 13.5% en el riesgo de enfermedades del corazón.

Un estudio chino tuvo resultados similares. Normalmente, las ratas alimentadas con una dieta alta en grasa se vuelven obesas y resistentes a la insulina, y desarrollan alto colesterol. Pero cuando estas ratas comieron garbanzos junto con toda esa grasa, ellas realmente perdieron grasa de vientre, redujeron su colesterol LDL y mejoraron su proporción entre HDL y LDL.

Los garbanzos también son buenas noticias para gente con riesgo de diabetes tipo 2. La cantidad de grasa corporal que usted tenga determina mayormente qué tan resistentes son sus células a la insulina. La resistencia a la insulina, a su vez, es una precursora a una verdadera diabetes tipo 2. Efectivamente, cuando estas ratas obesas perdieron su grasa extra con la dieta de garbanzos, ellas también revirtieron su resistencia a la insulina.

■ ■ ■ ■ *Rincón del cocinero* ■ ■ ■ ■

Los garbanzos secos son más duros que la mayoría de los otros granos, por lo que necesitan ser remojados por un poco más de tiempo. Remójelos durante 12 a 16 horas por la noche, luego hiérvalos durante dos a dos horas y media, o hasta que estén blandos. Usted puede acortar el tiempo de cocción de dos formas.

- En una olla a presión, cocine granos que estuvieron en remojo durante 20 a 25 minutos, o granos que no lo estuvieron durante 35 a 40 minutos. Agregue una cucharadita de aceite para evitar la espuma, la cual puede tapar la abertura de escape.

- Prepare granos secos ahora para cocinarlos rápidamente después, remojándolos durante la noche y luego congelándolos en la misma agua. Cuando usted esté listo para consumirlos, simplemente descongélelos de antemano y cocínelos por una hora menos de lo normal.

Lentejas

■ ■ ■ ■ ■ ■ ■ ■ ■ ■ ■

La legumbre antigua ofrece curación oportuna

Las lentejas han sido muy valoradas por más de 8,000 años. De hecho, éstas son una de las más viejas cosechas del mundo. En la Biblia, Esaú vendió su primogenitura a Jacob, su hermano menor, sólo por un tazón de lentejas rojas. Afortunadamente, usted no tiene que pagar tanto.

Algunos de los alimentos más saludables son realmente los más económicos, como las lentejas, una comida de 50 centavos que puede ayudarlo a perder peso y reducir su colesterol. Éstas incluso podrían protegerlo del cáncer, diabetes, y degeneración macular. No está mal para un alimento humilde.

Estas legumbres también son una fuente económica de proteína para la gente de todo el mundo. Media taza de lentejas le da la misma proteína que una onza de carne magra cocida. Además, ellas son una fuente excelente de folato, fósforo, fibra y hierro.

Forma sencilla de desvanecer la gordura para siempre. Las lentejas pueden ser el alimento perfecto para perder peso. Ellas lo hacen sentir lleno por más tiempo y lo ayudan a despojarse de la grasa, mientras suplen nutrientes importantes. Los alimentos altos en proteína, como las lentejas, activan su cuerpo para liberar una hormona que acaba con su hambre llamada PYY. Entre más PYY sea liberada, más lleno se va a sentir y menos va a comer. Las lentejas son exactamente lo que usted necesita, ya que son una excelente fuente de proteína vegetal con muy poca grasa saturada o colesterol, a diferencia de la proteína de la mayoría de carnes y productos lácteos.

Nutrientes estrellas

Folato	90%
Fibra	63%
Hierro	37%
Proteína	36%
Fósforo	36%

El tamaño de porción es 1 taza, cocidas
Porcentajes son del Valor Diario

■ ■ ■ ■ ■ **Aumente los beneficios** ■ ■ ■ ■ ■

Las lentejas son una buena fuente de fósforo pero no de calcio. Para mantener estos dos minerales en equilibrio, asegúrese de comer alimentos altos en calcio y bajos en fósforo, tales como hojas de nabo u hojuelas de cereal de maíz "TOTAL" en días que usted sirva lentejas.

Como muchas otras legumbres, las lentejas contienen proteínas que carecen de los aminoácidos metionina y lisina. Cómalas en una comida con granos para obtener los aminoácidos faltantes y usted terminará con una proteína completa.

Para hacer que sistemas digestivos sensibles las digieran más fácilmente, simplemente sumerja las lentejas lavadas directamente en agua hirviendo.

Las lentejas son también un alimento de bajo IG y las nuevas investigaciones muestran que comer una dieta con un bajo IG le ayuda a perder más peso que otras dietas. El IG (o GI, por sus siglas en inglés), es el índice glucémico, que es una medida de qué tan rápido los carbohidratos en un alimento se transforman en azúcar y entran en su torrente sanguíneo. Entre más tiempo tarden, menor será el IG del alimento.

Una revisión importante de seis estudios encontró que las dietas de bajo IG, de hecho, ayudan a las personas a perder peso, especialmente a las personas obesas. Aquéllos que comieron alimentos de bajo IG perdieron más grasa corporal y más peso que las personas que tuvieron otras dietas para bajar de peso, según un estudio reciente. Aquellos que disminuyeron el IG de sus dietas también disminuyeron sus niveles de colesterol total y LDL, factores de riesgo importantes para los problemas del corazón. La mejor parte: ellos pueden comer tanto como quieran, siempre que coman principalmente comidas de bajo IG, como las lentejas. De hecho, entre más comieron, más peso perdieron. Otra investigación encontró que la gente que come principalmente alimentos de bajo IG, como lentejas, típicamente pesaba menos que la gente que come principalmente alimentos de alto IG, como pan blanco.

Servir lentejas en sopa puede ayudarle a bajar aún más libras. Las sopas basadas en consomé con ingredientes saludables como legumbres tienen pocas calorías pero ocupan mucho espacio en su estómago, de esa forma usted se siente lleno. Las barras de bocadillo y galletas saladas con el mismo número de calorías ocupan mucho menos espacio, dejándolo aún con hambre. Los resultados de un estudio de pérdida de peso probó este punto: sustituir barras de bocadillo con sopa baja en calorías dos veces al día le ayuda a perder 50% más peso que hacer dieta solamente. Y con dietas como esa, usted no se va a sentir muerto del hambre.

Arme sus ojos contra la DMAE. El valor bajo del IG de las lentejas también puede beneficiar a sus ojos. En un estudio de más de 500 mujeres, durante un periodo de 10 años, aquellas que comieron más alimentos de alto IG más que duplicaron su probabilidad de desarrollar degeneración macular asociada a la edad (DMAE, o AMD, por sus siglas en inglés) tempranamente.

El azúcar crónicamente alto en la sangre, causado por comer alimentos de alto IG, puede llevar a la inflamación y daño por oxidación en los delicados tejidos de su ojo. Además, este estudio sugiere que incluso niveles moderadamente altos de azúcar, no tan altos para calificar como diabetes, pueden dañar sus ojos.

Ya que nada, hasta ahora, puede curar la DMAE, los expertos indican que la prevención es la clave. Asegúrese de comer principalmente alimentos de bajo IG, como lentejas, vegetales y granos enteros; y mantenga los alimentos de alto IG, tales como el pan blanco y las papas fritas, en lo mínimo. Para lograr el más bajo IG, coma lentejas completas, no majadas, y no las cocine de más.

Cocine poder para pelear contra el cáncer. Fumar y tomar son dos hábitos que contribuyen al desarrollo del cáncer. Ahora agregue una dieta deficiente en folato a la lista. Los científicos dicen que no consumir suficiente de esta vitamina B es un factor de riesgo de largo plazo para ciertos cánceres.

El folato es crucial para reparar el ADN, el material genético dentro de sus células. Una escasez afecta la habilidad de su cuerpo para reparar el ADN dañado, lo cual a su vez puede llevar a cambios cancerígenos dentro de las células. Afortunadamente, sólo una taza de lentejas satisface el 90% de su necesidad de folato por día.

- Hacer alimentos altos en folato parte de sus hábitos alimenticios de toda la vida puede protegerlo del cáncer de laringe. Investigadores italianos pasaron seis meses estudiando el efecto de los suplementos de ácido fólico en gente con lesiones precancerosas. Ellos encontraron que casi la mitad de la gente experimentó una detención en su cáncer mientras que más de una cuarta parte vio sus lesiones desaparecer.

- Un estudio de hombres y mujeres suecos reveló que el folato de alimentos, pero no de suplementos, bajó el riesgo de cáncer pancreático. La gente que comió los alimentos más ricos en folato tuvo 25% menos riesgo de desarrollar la enfermedad que aquellos que comieron menos. Tomar suplementos de ácido fólico no da protección. De hecho, la evidencia sugiere que los suplementos pueden realmente acelerar el avance del cáncer pancreático en gente que ya lo tiene.

Sin embargo, las lentejas contienen otros luchadores contra el cáncer, además del folato. La fibra y los fitoquímicos en las lentejas y otras legumbres pueden disminuir su riesgo de cáncer de colon. Los hombres y mujeres negros que comieron frijoles, arvejas partidas o lentejas secos tuvieron un 20% menos de riesgo de desarrollar cáncer de colon. Un estudio separado asoció comer lentejas o frijoles dos veces a la semana con una caída de 24% de riesgo de cáncer de mama entre mujeres. En este caso, los investigadores piensan que los fitoquímicos llamados flavonoles que se encuentran en las legumbres pueden tener la clave. La moraleja de la historia: usted no se va a equivocar si come lentejas.

Disfrute de una doble protección contra la diabetes. Los alimentos que contienen tanto fibra soluble como almidón resistente, un tipo especial de almidón que resiste la digestión, puede proteger en contra del desarrollo de la diabetes tipo 2 y ayudar a las personas que la tienen a administrar mejor su azúcar de la sangre.

La fibra parece disminuir la velocidad de digestión de carbohidratos en una comida, de forma que el azúcar llega a su torrente sanguíneo más gradualmente en vez de hacerlo en forma abrupta. El almidón resistente puede tener efectos similares, moderando los aumentos en el azúcar sanguíneo después de las comidas, previniendo ataques de azúcar bajo y reduciendo el azúcar alto.

La investigación muestra que alimentos como las lentejas, que aumentan tanto la fibra soluble como el almidón resistente, son los mejores para controlar el azúcar de la sangre y los niveles de insulina. Usted necesita una mínima cantidad de fibra y almidón resistente para lograr estos beneficios, pero usted puede lograr esas metas al comer al menos una porción de lentejas, cereal de hojuelas de cebada, un panecillo inglés (o panquecito) y una fruta cítrica cada día.

■ ■ ■ *Rincón del cocinero* ■ ■ ■

■ Las lentejas secas son grandes ahorradoras de tiempo porque ellas se cocinan rápidamente comparadas con otras legumbres. Enjuáguelas primero para remover polvo, suciedad y pequeñas piedras. No hay necesidad de remojarlas con anticipación. Algunas variedades se cocinan en más tiempo que otras, así que lea las instrucciones del paquete. Tal como con otras legumbres, aumente el tiempo de cocción si usted añade ingredientes ácidos como tomates.

■ Estas legumbres vienen en una vertiginosa serie de colores y usos. Sustituya con ellos la carne de un pan de carne, o mézclelos con granos para hornear panes y pasteles. Busque la harina de lentejas en el supermercado para preparar panes planos.

■ Almacene las lentejas crudas en un contenedor hermético en un lugar fresco y seco hasta por un año. O congélelas indefinidamente.

Germinados de frijol mungo

Quite la grasa de su cintura, ayude a su corazón

Los brotes delicados y plateados de los germinados de frijol mungo son probablemente más familiares para usted como un ingrediente de un chop suey. Ellos son cultivados principalmente en India y Pakistán, y son un alimento básico de la comida asiática.

Estos brotes con sabor a nuez tienen muchas ventajas y pocas desventajas. Ellos están en su mayoría hechos de agua y otros nutrientes, lo que significa que tienen muy pocas calorías y grasas saturadas. Además, ellos son una buena fuente de vitamina C, vitamina K y fitoesteroles, compuestos en las plantas que son buenos para la salud del corazón. Comience incluyendo estos brotes en sándwiches, sopas, ensaladas y sofritos, para lograr un sabor único y un bocado de nutrición.

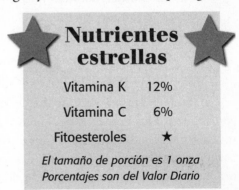

Nutrientes estrellas

Vitamina K	12%
Vitamina C	6%
Fitoesteroles	★

El tamaño de porción es 1 onza
Porcentajes son del Valor Diario

■ ■ ■ ■ ■ **Aumente los beneficios** ■ ■ ■ ■ ■

Para obtener lo máximo de sus brotes, cómalos crudos o sofritos. Los brotes crudos de frijoles mungos contienen un poco más de vitaminas y minerales que los brotes hervidos; además sólo los brotes crudos tienen fitoesteroles. Los brotes sofritos, por otro lado, no contienen vitamina K pero generalmente contienen más vitamina C, vitaminas B y minerales que los brotes crudos o hervidos.

Usted también puede comprar germinados de frijol enlatados y listos para servir, pero ellos tendrán mucho sodio. Enjuáguelos primero antes de agregarlos a sus recetas.

Tres claves para tener un corazón más fuerte. Los germinados de frijol mungo proveen tres ingredientes que usted necesita para proteger su corazón: vitamina K, vitamina C y fitoesteroles.

■ En enfermedades cardiovasculares, una placa se acumula dentro de sus arterias. Con el tiempo, estas placas se endurecen y calcifican, haciendo a sus vasos sanguíneos menos flexibles e incrementando su riesgo de coágulos sanguíneos, el principal culpable detrás de los ataques al corazón y derrames cerebrales. Los científicos no están seguros porqué, pero tener bajos niveles de vitamina K en su sangre hace a estas placas más propensas a calcificarse.

■ La vitamina C relaja los vasos sanguíneos en gente con anginas, fallas del corazón, colesterol alto, hipertensión y arterias congestionadas. Pruebas clínicas muestran que la vitamina C puede también ayudar a reducir la presión sanguínea.

■ Estudio tras estudio ha mostrado que comer alimentos con fitoesteroles reduce tanto el colesterol total como el LDL. Estas caídas, a su vez, pueden reducir seriamente su riesgo de enfermedades del corazón.

Mantenga en mente que los germinados son diminutos, y usted generalmente los come en pequeñas cantidades. Usted necesitaría comer muchos germinados de frijol mungo para conseguir grandes cantidades de cualquier nutriente. Piense en ellos más como un aditivo a una dieta saludable, especialmente si usted está tratando de prevenir males del corazón.

Ayuda simple para la pérdida de peso. Los germinados de frijol mungo son 90% agua con una saludable cantidad de fibra y nutrientes. Añadirlos a sándwiches, comida sofrita y sopas le da sabor y nutrición, pero sólo un puñado de calorías. Aumentar sus comidas con alimentos que tienen pocas calorías y alto contenido de agua puede ayudarle a perder peso.

La investigaciones muestran que la cantidad que usted come y si usted se siente lleno después de comer dependen más del tamaño de una porción (su volumen) que en la cantidad de calorías, o energía. Haga que una porción pequeña de comida luzca más grande y usted comerá menos; aún así se sentirá más lleno. Esta ilusión óptica puede ser la mejor amiga del que está a dieta. Al engañar a sus ojos, y por lo tanto a su estómago, usted puede naturalmente comer menos sin sentirse necesitado.

Alimentos con alto contenido de agua, bajos en calorías, y ricos en nutrientes, como los germinados de frijol mungo, son perfectos cómplices en sus esfuerzos para perder peso. Agregue una taza de germinados a su próximo sofrito, sopa o guisado. Amontónelos en un sándwich en lugar de la lechuga, o espárzalos en ensaladas para una variedad crujiente.

■ ■ ■ ■ *Rincón del cocinero* ■ ■ ■ ■

■ Cuando compre germinados crudos, busque los que están frescos y tienen brotes blancos y firmes. No compre germinados que huelan a moho o que estén oscuros o viscosos.

■ Para mayor sabor y nutrición, úselos tan pronto como sea posible. Usted puede refrigerar los germinados de frijol mungo en un contenedor o bolsa plástica hasta por cuatro días. Enjuagarlos con agua fría diariamente puede extender su vida. Lávelos de nuevo y recorte las raíces antes de servir.

■ Añada germinados crudos a ensaladas, sándwiches, hamburguesas y tacos, o hiérvalos en sopas. Si usted los sofríe, agréguelos al último y cocínelos por no más de 30 segundos para evitar que se deterioren.

Manténgase seguro mientras come germinados

En el año 2006, los germinados de alfalfa fueron nombrados uno de los siete alimentos más riesgosos por el Centro de Control de Enfermedades. ¿El secreto peligroso que algunas veces albergan? Peligrosas bacterias, como *E. Coli* y *Salmonella*.

Los germinados de alfalfa no son los únicos. Germinados de frijol mungo, rábano, mastuerzo, trébol y otros, pueden todos ellos portar esos bichos malos. Una de las razones más grandes por las que los germinados son una fuente potencial de intoxicación es porque la gente los come crudos. Cocinarlos mata la mayoría de las bacterias dañinas.

Los adultos saludables se sentirán enfermos por unos días antes de derrotar a las bacterias. Pero los adultos mayores, niños y personas con sistemas inmunes débiles pueden enfermarse seriamente al comer germinados contaminados. Afortunadamente, usted puede tomar unos pocos pasos simples para protegerse.

Pida en los restaurantes "evitar los germinados crudos" en sándwiches y ensaladas.

- Cocine sus germinados. Hierva o sofría los germinados antes de comerlos, pero hágalo completamente. Cocinarlos ligeramente no destruirá todas las bacterias. Los germinados de frijol mungo son los únicos suficientemente resistentes al sofreído.

- No cultive sus propios germinados. Ellos no serán más seguros que los comprados en supermercados. De hecho, ellos pueden ser más peligrosos. Si los frijoles que usted compra para germinar están ya contaminados, entonces sus germinados también lo estarán, sin importar qué tan limpias sean las condiciones de cultivo. Los cultivadores profesionales toman pasos extra para matar los gérmenes de las semillas antes de que broten. Desafortunadamente, usted no tiene los mismos métodos químicos en casa.

Contacte su médico inmediatamente si usted come germinados y desarrolla diarrea, náuseas, retorcijones estomacales o fiebre. Estos son signos típicos de intoxicación.

Porotos de soja

Descubra la dicha de la soja

La soja contiene más proteínas que la carne de res y más calcio que la leche. De hecho, los científicos califican la proteína de la soja como igual a la de la carne en calidad, parcialmente porque la soja provee proteína completa. Ya que cuesta menos, ésta es una alternativa económica para los alimentos basados en carne sin escatimar en nutrición.

Además, la soja contiene cuatro y media veces más grasas poliinsaturadas que grasas saturadas, lo cual hará a su corazón feliz. Sus bondades no paran ahí. Ella es una fuente rica de grasas monoinsaturadas, fibra, hierro, fósforo, manganeso y compuestos vegetales únicos llamados isoflavonas.

En los Estados Unidos, la soja es un cultivo más grande que el maíz o el trigo, en cuanto a sus valores comerciales, y Estados Unidos produce más soja que cualquier otro país en el mundo. Quizá eso ocurre porque estos granos son muy versátiles. Ellos están en todo, desde aceite vegetal, alimento animal y tinta para periódico, hasta granos secos, leche de soja y tofu.

Forma infalible para formar huesos mejores. La hormona estrógeno ayuda a mantener sus huesos fuertes. Después de la menopausia, los niveles de estrógeno de las mujeres bajan drásticamente y los huesos se vuelven más delgados y más propensos a romperse. Ahora los expertos dicen que la terapia de reemplazo de estrógeno es muy riesgosa de hacer si es sólo para el fortalecimiento de los huesos. La soja puede llenar el vacío con fitoquímicos conocidos como isoflavonas. También llamados fitoestrógenos, estos compuestos vegetales naturales actúan de forma similar al estrógeno en su cuerpo.

Nutrientes estrellas

Manganeso	71%
Proteína	57%
Hierro	49%
Fósforo	42%
Fibra	41%
Isoflavonas	★
Grasas mono y poliinsaturadas	★

El tamaño de porción es 1 taza, cocidos
Porcentajes son del Valor Diario

En un estudio de casi 400 mujeres post-menopáusicas con osteopenia, la mitad tomó un suplemento de calcio y vitamina D y la otra mitad tomó un suplemento que contenía calcio, vitamina D y 54 miligramos (mg) de isoflavona de soja llamada genisteína. Después de dos años, el grupo de la genisteína no solamente mantuvo su densidad ósea, sino que la había aumentado. Las isoflavonas parecen ayudar a su organismo a construir nuevo hueso y evitar que se degrade el hueso viejo, aumentando su densidad ósea.

Los expertos advierten que los suplementos de soja pueden no ser seguros a largo plazo. Los alimentos de soja, por otra parte, disfrutan de un récord de seguridad sólido. Después de todo, éstos han sido un favorito de las dietas de asiáticos por siglos. Una taza de soja al desayuno, otra con su almuerzo y media taza hervida con la cena le dan 58 mg de genisteína. Vea el *rincón del cocinero* al final de este capítulo para más formas de disfrutar la soja.

■ ■ ■ ■ ■ **Aumente los beneficios** ■ ■ ■ ■ ■

La Asociación Americana del Corazón indica que reemplazar los alimentos de origen animal con grasa y alto colesterol por alternativas de soja puede beneficiar su corazón. Considere estos sustitutos:

- tofu o edamame en lugar de carne roja

- la mantequilla de soja en lugar de mantequilla regular

- hamburguesas de soja en lugar de hamburguesas comunes

La fibra le puede ayudar a absorber más fitoestrógenos, así que coma soja u otros productos de la soja junto con alimentos ricos en fibra.

La soja contiene proteína, por lo tanto la gente con alergias alimentarias podría necesitar evitarla.

Evite el enrojecimiento de la menopausia. Más de la mitad de las mujeres sufren de enrojecimientos durante la menopausia y por años después. Con dudas acerca de la seguridad de la terapia de reemplazo hormonal, la soja puede ofrecer esperanza a las mujeres cansadas por noches de insomnio y enrojecimientos vergonzosos.

Tenga corazón: la verdad sobre la soja

La Asociación Americana del Corazón (AHA, por sus siglas en inglés) indica que los suplementos de proteína de soja hacen poco para evitar enfermedades cardiovasculares (CVD, por sus siglas en inglés). Ellos no parecen elevar su colesterol bueno HDL, reducir los triglicéridos o reducir la presión arterial alta. Además, usted necesitaría tomar enormes cantidades de proteína de soja para reducir su colesterol sólo unos pocos puntos, lo cual podría no ser seguro a largo plazo.

Los porotos de soja, sin embargo, son diferentes. La AHA indica que los alimentos de soja como el tofu, los porotos de soja, las nueces de soja y las hamburguesas de soja pueden ayudarle a su corazón. Los alimentos de soja proveen más que sólo proteína. Ellos están cargados con grasas poliinsaturadas, fibra, vitaminas y minerales, y son bajos en grasa saturada. Reemplazar alimentos de origen animal altos en grasa y colesterol con sustitutos de soja puede, de hecho, hacer a su corazón cantar.

Los científicos sospechan que una caída en los niveles de estrógeno lleva a reducir la cantidad de endorfinas en su cerebro. Esto hace que su cuerpo libere cantidades adicionales de sustancias químicas cerebrales llamadas serotonina y epinefrina, las cuales confunden a su termostato interno. Su cuerpo piensa que se está sobrecalentando, entonces va al extremo tratando de dejar escapar el calor "extra".

Las isoflavonas en la soja pueden ayudar a llenar el vacío dejado por los niveles de estrógeno que están bajando. Los resultados son ambivalentes pero sugieren que la soya puede hacer que el enrojecimiento fuerte sea menos frecuente y severo para mujeres en las etapas tempranas de la menopausia y que tienen enrojecimiento ligero a moderado. La soja no parece mejorar el enrojecimiento en mujeres que han tenido cáncer de seno.

Vuélvase loco para proteger su corazón. Reemplazar parte de la proteína animal en su dieta con proteína vegetal de la soja podría ser la primera línea de defensa de su cuerpo en contra de derrames cerebrales, colesterol alto y daño en el corazón y el hígado.

Eso es por lo que comer crujientes nueces de soja combate el síndrome metabólico, un grupo de síntomas que incluye presión arterial alta, bajo colesterol HDL, triglicéridos altos, obesidad de grasa abdominal y prediabetes o diabetes. Todos estos factores puestos juntos lo ponen en un altísimo riesgo de enfermedades del corazón, diabetes y derrames cerebrales. En 42 mujeres con síndrome metabólico, comer una onza de nueces de soja en lugar de carne roja durante ocho semanas redujo su colesterol LDL malo y sus niveles de azúcar en la sangre en ayuno, y además mejoró su resistencia a la insulina. De hecho, las nueces de soja tuvieron un impacto mucho mayor en todos estos números que tomar suplementos de proteína de soja. Otra investigación muestra que la proteína de soja ayuda a proteger su hígado de daño por alcohol.

Los expertos indican que las nueces de soja, con sabor y asadas como cacahuates, proveen un paquete completo de nutrientes que benefician su cuerpo, tales como grasas insaturadas e isoflavonas, no sólo proteína. Búsquelas en la sección de comida saludable de su supermercado.

Barra el colesterol

La planta guar, una importante legumbre en India, da un frijol en racimo llamado semilla de guar. Muela estas semillas en polvo y usted obtendrá goma de guar, un excelente espesante similar a la fécula de maíz. Los fabricantes de comida hacen justo eso, añadiendo goma de guar a la crema de helado, aderezo de ensalada, fideos instantáneos, masa, pasta, bocadillos, salsas, bebidas e incluso crema batida de imitación. Usted probablemente come alimentos que la contienen diariamente.

Esas son buenas noticias para su corazón, porque esta pequeña semilla barre fuera de su organismo el colesterol que tapona sus arterias. La goma guar es 75% fibra soluble, el tipo que atrapa el colesterol y lo lleva fuera con su deposición. Comer comidas hechas con goma guar podría ayudarlo a reducir su colesterol total. Sólo asegúrese de elegir aquellas bajas en grasas saturadas y ácidos grasos trans, y ricas en otros nutrientes saludables.

Pierda peso y recorte la grasa corporal. Lograr más de sus necesidades proteínicas con la soya podría ayudarle a recortar la grasa corporal, perder más peso, sentirse lleno después de las comidas, mejorar la resistencia a la insulina y reducir la cantidad de grasa que su cuerpo tiende a almacenar, además de evitar que la placa se acumule en sus arterias.

Para que funcione cualquier plan de dieta, usted necesita cortar el exceso de calorías de su dieta. Incluir alimentos de soja en su plan de alimentación podría darle una ayuda adicional. En un estudio, adultos obesos redujeron las calorías y reemplazaron todas las proteínas animales (de fuentes como carne, pollo y productos lácteos) con proteína de soja. Ellos perdieron más peso y grasa corporal y vieron una mayor caída en su colesterol total y LDL que la gente obesa que redujo las calorías pero continuaron consumiendo proteínas animales.

Un segundo estudio más pequeño en mujeres postmenopáusicas encontró que la proteína de soja evitó que acumularan grasa abdominal, en comparación con sus compañeras que comieron las mismas calorías pero no comieron soja.

Fortalezca sus defensas contra el cáncer de forma natural. Los alimentos basados en soja como el tofu y la sopa miso pueden proteger a los hombres de cáncer de próstata. Los resultados de un estudio de más de 40 mil hombres japoneses sugiere que las isoflavonas de los alimentos de soja, como la sopa miso y el tofu, evitaron el crecimiento de tumores de próstata en hombres mayores de 60 años. Sin embargo, ellas podrían no proteger a hombres más jóvenes en contra de las primeras etapas del cáncer de próstata.

Las preguntas sobre la soja para el cáncer de seno aún persisten. Los expertos creen que comer alimentos de soja durante su adolescencia puede reducir su riesgo de cáncer de seno en los años posteriores, pero los resultados en adultos no son muy claros. Algunos estudios sugieren que los fitoestrógenos de la soja ayudan a evitar el cáncer de seno, mientras que otros estudios sugieren que ellos contribuyen a él. Un estudio alemán reciente concluye que el uso a largo plazo de suplementos de isoflavona es peligroso para mujeres menopáusicas. En conclusión: usted puede disfrutar de forma segura los alimentos de soja como parte de una dieta balanceada, pero evite los suplementos de soja, especialmente si usted toma la droga contra el cáncer de seno Tamoxifen.

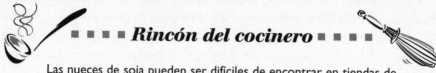

Rincón del cocinero

Las nueces de soja pueden ser difíciles de encontrar en tiendas de abarrotes, pero preparar su propia soja es rápido.

- Remoje la soja seca durante ocho horas. Drénela y espárzalas sobre bandejas aceitadas para galletas.

- Áselas a 350 grados durante aproximadamente 30 minutos, moviéndolas ocasionalmente. Retírelas cuando tengan un color marrón dorado.

Sazone sus nueces de soja con sus sabores favoritos, pimienta de cayena, aderezo Cajún, sal con ajo o sal sola. Muélala gruesa para reemplazar los pedacitos de tocino en ensaladas.

El tofu, por otra parte, está casi siempre disponible en la mayoría de los supermercados. Éste tiene poco sabor por sí mismo, pero fácilmente absorbe los sabores de jugos y marinadas. Licúe el tofu suave en una licuadora y úselo en lugar de crema agria, yogur o quesos suaves. Usted puede sofreír, cocer a fuego lento, freír o asar, el tofu firme en lugar de carne en platillos.

Frutos secos y semillas: pequeños pero poderosas

Almendras

■ ■ ■ ■ ■ ■ ■ ■ ■ ■ ■ ■ ■ ■ ■ ■ ■ ■

Ponga alegría a su vida con una delicia nutritiva

Algunas veces usted se siente como una nuez. Cuando el antojo ataca, acéptelo. Aunque los frutos secos tienen la reputación de ser grasosos y cargados de calorías, ellos realmente hacen grandes cosas por su cuerpo. Algunos frutos secos, como las almendras y las nueces comunes (fruto del nogal), le dan fibra, proteínas, grasas monoinsaturadas saludables, vitaminas y minerales. Además, la Administración de Alimentos y Drogas le permite a los cultivadores de frutos secos anunciar que comer ciertos frutos secos puede reducir el riesgo de enfermedades del corazón.

Las almendras surgieron en Asia, pero los romanos las llamaban "la nuez griega". En el momento en que mineros optimistas corrieron a buscar oro en California, las almendras ya estaban ahí. De hecho, la mayoría de los cultivos en los Estados Unidos aún crecen en California.

Junto con una dosis saludable de grasas monoinsaturadas, las almendras tienen vitamina E y minerales, como cobre, magnesio y manganeso. Agréguelas a productos horneados en casa, espárzalas sobre ensaladas o tómelas directamente del paquete.

Las almendras dulces son el tipo que usted come, mientras que las nueces amargas son usadas para hacer aceite de almendras para saborizantes y cosméticos.

Controle el azúcar de la sangre. La gente con diabetes lucha para que el azúcar de la sangre no se eleve mucho. Comer almendras puede ayudar a mantenerlo bajo control. Los investigadores probaron esta teoría en personas que no tenían

Nutrientes estrellas

Manganeso	37%
Vitamina E	36%
Magnesio	26%
Hierro	16%
Grasa monoinsaturada	★

El tamaño de porción es 1 onza, tostadas en seco
Porcentajes son del Valor Diario

diabetes, alimentándolas con comidas que garantizaban elevar su azúcar sanguíneo, como pan blanco, arroz blanco y papas majadas. Efectivamente, el azúcar sanguíneo subió.

Luego los investigadores probaron comidas similares, pero esta vez ellos añadieron 1, 2 ó 3 onzas de almendras. De nuevo, el azúcar de la sangre de los comensales subió, pero no tanto. De hecho, la gente que comió la mayor porción de almendras tuvo el aumento más pequeño en azúcar de la sangre.

Los expertos creen que las grasas monoinsaturadas de las almendras evitan que el azúcar sanguíneo se eleve muy rápido después de comer. Si usted tiene diabetes tipo 2, ellos recomiendan comer más nueces y menos carbohidratos para lograr este beneficio, y reducir sus triglicéridos. También se sabe que las grasas saludables de las almendras reducen el colesterol, mientras que la fibra puede ayudarle a controlar su azúcar sanguíneo, reducir su peso y mantener su corazón saludable.

La gente que no tiene diabetes puede incluso protegerse de la enfermedad al comer nueces varias veces por semana. Pero no se enloquezca en el consumo de almendras. Tres onzas de almendras secas tienen unas enormes 500 calorías.

Corte su colesterol sin medicamentos. Las almendras son sabrosas y populares, y ellas pueden a ayudar a reducir su colesterol. Eso es lo que los científicos encontraron en un centro de investigación cardiaca en California. Ellos estudiaron un grupo de hombres y mujeres con alto colesterol durante cuatro semanas, registrando lo que ellos comieron y cómo cambiaron

Agregue variedad con cáñamo

¿Ha escuchado acerca del cáñamo? Es lo último en comida.

Las semillas de cáñamo que saben a nuez tienen mucha proteína de buena calidad y el aceite de cáñamo está repleto de ácidos grasos omega-3 saludables para el corazón. Usted también obtendrá los beneficios de la vitamina E, fibra y minerales como magnesio, hierro y potasio.

Usted puede comprar semillas o polvo para esparcir sobre cereal o bocadillos, o buscar el cáñamo en alimentos como barras de cereales, pan, batidos y papas fritas en bolsa. La fibra de cáñamo es también usada en ropa, jabón y otros productos.

sus niveles de colesterol. Algunas de las personas agregaron 100 gramos de almendras crudas y sin blanquear a su dieta cada día. Otros añadieron aceite de oliva o mantequilla, junto con queso y galletas saladas.

Al final del estudio, la gente que comió almendras cada día había reducido su colesterol desde un promedio de 251 hasta 222 mg/dL. Eso es cerca de una caída de casi 30 puntos en el colesterol, sin uso de drogas. Los expertos creen que son los ácidos grasos monoinsaturados en las almendras y algunas otras nueces que ayudan a reducir el colesterol.

Usted necesitaría comer muchas almendras para igualar lo que la gente en el estudio comió: cerca de dos tercios de taza por día. Pero aún una pequeña cantidad de almendras puede ayudarle a reducir su colesterol en 20 puntos.

■ ■ ■ ■ ■ Aumente los beneficios ■ ■ ■ ■ ■

No convierta una nuez buena en una mala. Las almendras son ricas en grasas saludables, principalmente grasa monoinsaturada, al igual que el aceite de oliva. Cuando las almendras son tostadas en aceite de coco o de palma, ellas ganan mucha grasa saturada no saludable, junto con calorías adicionales. Así que elija almendras crudas o tostadas en seco en lugar de tostadas con aceite. Su corazón y su cintura se lo agradecerán.

Mantenga un cerebro saludable. Las enfermedades que afectan su memoria, como el alzheimer, y cómo su cerebro controla su cuerpo, como la enfermedad de Parkinson, son más comunes a medida que se envejece.

La vitamina E podría desempeñar un papel en mantener a su cerebro saludable. Éste trabaja como un antioxidante para deshacerse de los radicales libres, los cuales vagan por el cuerpo dañando células. Los investigadores creen que los antioxidantes en su cerebro pueden proteger las células de daños que pueden causar los problemas relacionados con la edad. Un estudio de más de 120 mil hombres y mujeres encontró que aquellos que comieron más vitamina E, a partir de los alimentos que comieron, tuvieron menos probabilidad de desarrollar la enfermedad del Parkinson. La gente que tomó suplementos de vitamina E durante este estudio no logró esta protección.

Aún así, otra investigación muestra que tomar suficiente vitamina E puede también reducir su riesgo de desarrollar la enfermedad de Alzheimer. Pero no todos los estudios están de acuerdo sobre lo que hace la vitamina E y los expertos saben que ambas enfermedades son afectadas por la herencia. Para incrementar su protección, busque en una lata de almendras. Una onza de estas delicias tostadas en seco tiene más de un tercio de la vitamina E que usted necesita cada día.

Dígale a la artritis que se vaya. Usar un brazalete de cobre para luchar contra el dolor artrítico no va a ayudar, pero tomar más cobre en su dieta podría ofrecer alivio. Una investigación sobre animales muestra que los suplementos de cobre pueden reducir el progreso de la artritis. Usted también necesita el mineral esencial cobre para construir hueso y otros tejidos conectivos. Si no obtiene suficiente cobre, usted podría estar en riesgo de romperse un hueso o desarrollar osteoporosis. Esquive la artritis y mantenga sus huesos fuertes con un puñado diario de almendras, una gran fuente de cobre.

▪ ▪ ▪ ▪ *Rincón del cocinero* ▪ ▪ ▪ ▪

Almacene los frutos secos descascarados en su refrigerador para evitar que se enrancien.

Si usted está comprando frutos secos para hornear, tenga en cuenta estas cantidades.

- Una libra de almendras con cáscara rinden de una y media a dos tazas después de descascararlas.

- Una libra de almendras descascaradas es igual a tres a tres y media tazas de almendras enteras o cuatro tazas de almendras en rodajas.

Cuando esté seleccionando frutos secos con cáscara, elija aquellos que se sienten pesados para su tamaño y que estén limpios y libres de moho.

Fenogreco

La semilla con nombre divertido ofrece serios beneficios

¿Es una especia? ¿Un vegetal? ¿Una semilla? El fenogreco podría ser las tres cosas, dependiendo de qué parte de la planta usted elija y cómo la use. Ésta es una planta en forma de trébol con vainas de semillas, perteneciente a la familia de los frijoles. El fenogreco es una hierba medicinal antigua, con una variedad de poderes curativos atribuidos. Las mujeres marroquíes aún usan el fenogreco para mejorar su apetito y otras personas usan la hierba para tratar la pérdida de cabello o aliviar problemas digestivos.

Los científicos modernos están analizando al fenogreco como un posible remedio para úlceras estomacales, cáncer de colon, colesterol alto y azúcar de la sangre alto.

Esta semilla pequeña con nombre divertido puede alardear por la cantidad de fibra, proteínas de alta calidad y minerales como hierro, manganeso y cobre que contiene. Usted puede comerla en curry de la India, agregar las semillas a una entrada o tomarla en cápsulas.

Rebaje el azúcar sanguíneo alto. La gente con diabetes libra una constante batalla en contra del azúcar de la sangre alto. Aunque tomar medicamentos y vigilar lo que usted come puede ayudar, el fenogreco, un remedio natural para la diabetes, podría ser otra arma poderosa.

Muchos estudios muestran que el fenogreco puede reducir el azúcar sanguíneo alto en gente con diabetes. Los expertos antes pensaban que la trigonelina, un compuesto químico natural en el fenogreco, reducía el azúcar de la sangre. Pero ellos se las arreglaron para descomponer el fenogreco en sus componentes y descubrir cuál

Nutrientes estrellas

Hierro	52%
Fibra	28%
Manganeso	17%
Cobre	16%
Proteína	13%

El tamaño de porción es 1 onza de semillas Porcentajes son del Valor Diario

de ellos es el que logra este efecto. Ahora ellos piensan que el nivel alto de fibra debería tener el crédito. Las semillas de fenogreco son aproximadamente 52% fibra. Su fibra soluble baja la velocidad de la digestión, haciendo que el azúcar tome más tiempo en llegar a su sangre. Algunos expertos sugieren que una a dos onzas de semillas de fenogreco diariamente debería ayudar.

■ ■ ■ ■ ■ **Aumente los beneficios** ■ ■ ■ ■ ■

El fenogreco ayuda a hacer el curry de la India picante. Éste tiene un fuerte olor y sabor agridulce. Usted puede disfrutar del fenogreco aún si usted no puede soportar lo picante de un curry tradicional. En lugar de eso, use las semillas tostadas para añadir sabor a sopas, vegetales, queso, encurtidos y platos hervidos a fuego lento. O pruebe dejando que las semillas germinen y úselas para preparar una ensalada. Algunas personas disfrutan el té hecho de hojas de fenogreco o sus semillas.

Los investigadores están también analizando si las semillas de fenogreco pueden reducir el colesterol alto. Hasta ahora, los estudios se muestran prometedores, pero más investigación es necesaria.

■ ■ ■ ■ *Rincón del cocinero* ■ ■ ■ ■

Las semillas de fenogreco están disponibles en forma entera, molida, triturada, germinada o seca. Ellas tienen más sabor después de que son tostadas y molidas. De hecho, tostar las semillas ayuda a remover el sabor amargo natural. Usted también puede comprar extracto de fenogreco en líquido o aerosol, cataplasma, cápsulas, tabletas y té.

Para un sabor más fresco, pruebe moler sus propias semillas de fenogreco. Usted va a necesitar un molino de semillas de amapola especial para este trabajo. Las semillas son muy duras para moler usando un mortero y un mazo. Almacene las semillas en un contenedor hermético en un lugar fresco, seco y oscuro.

Linaza

■ ■ ■ ■ ■ ■ ■ ■ ■ ■ ■

Este cultivo antiguo ofrece semillas y aceite sorprendentes

Las chicas rubias en los cuentos de hadas son a menudo llamadas "cabello de lino", refiriéndose a sus mechones dorados. De hecho, la linaza, o semilla de lino, crece en variedades tanto amarillas como marrón-rojizas. Éstas son un cultivo antiguo usado para fabricar telas de lino; aceite de linaza para linóleo y hule; y linaza y aceite de linaza como alimento para personas y animales.

Una leyenda Cheroqui dice que el aceite de linaza trae buena salud porque contiene energía tomada del sol. Sin importar la fuente, las semillas y el aceite de linaza son grandes fuentes de vitaminas y minerales, como la tiamina y el manganeso, y ácidos grasos omega-3 saludables para el corazón. Los lignanos, químicos vegetales naturales de la linaza, pueden ayudar a prevenir algunos tipos de cáncer. Algunas personas comen linaza (una buena fuente de fibra) para ayudar a su digestión, mientras otras creen que el aceite puede hacer que su cabello esté saludable y sirve para tratar la caspa.

La linaza podría no ser tan común como las demás semillas, pero vale la pena ponerla en la mesa. Ella está libre de gluten, de forma que la gente con enfermedad celíaca u otras sensibilidades al gluten puede comerla. Ella añade un abundante sabor a nuez a panes y cereales. Y quién sabe, a lo mejor ella simplemente puede hacerlo sentir tan saludable y feliz como una princesa de cuentos de hadas.

Frene el colesterol con tácticas fuertes. La linaza tiene tres combatientes que son "peso pesado" en contra del colesterol alto: fibra soluble, ácido alfa-linolénico (ALA, por sus siglas en inglés), y lignanos. A continuación vea lo que cada uno

Nutrientes estrellas

Manganeso	13%
Fibra	11%
Tiamina	11%
Ácidos grasos omega-3	★
Lignanos	★

El tamaño de porción es 1 cucharadita de semillas enteras
Porcentajes son del Valor Diario

Salga de la rutina con mantequillas de frutos secos

Hábitos de toda la vida llevan a muchas personas a comer las mismas comidas, como la mantequilla de maní, año a año. Por qué no agregar algo especial a sus comidas con una variedad de mantequillas y aceites de otros frutos secos. Usted encontrará mantequillas sabrosas hechas de almendras, avellanas, nueces de macadamia, castañas de cajú (también conocidas como nuez de la India, cajuil, marañón o merey) y semillas de girasol. Sólo asegúrese de revisar la etiqueta en busca de aceites hidrogenados en la lista de ingredientes. Algunas mantequillas de fruto secos, incluyendo mantequillas de maní, tienen ácidos grasos trans no saludables para hacerlas más suaves y duraderas. También, si una mantequilla de fruto seco tiene un sabor añadido, como chocolate, es probablemente alta en azúcar. Recuerde, aún la mantequilla de fruto seco más pura es rica en calorías, así que ajústese a una porción de dos cucharadas.

Échele un vistazo a los muchos aceites hechos de frutos secos y semillas. Decida cómo va a usar un aceite de forma que usted sepa cual escoger. Cada tipo tiene un punto de ahumado diferente, o temperatura en la cual éste comienza a quemarse. Usted debe usar un aceite con un punto de ahumado alto para cocinar con temperaturas más altas, como freír. Para la elección más saludable, elija un aceite con menos grasa saturada.

Aceite (100 gramos)	Grasa saturada (gramos)	Punto de ahumado (grados Fahrenheit)	Usos mejores
Aceite de canola (semilla de colza)	7	460	Hornear, asar a la parrilla
Aceite de linaza	9	225	Aderezo de ensalada
Aceite de maní	17	425	Todos
Aceite de girasol	10	410–425	Cocinar, uso de mesa
Aceite de nuez común	9	325–400	Aderezo de ensalada

hace para mantener su colesterol LDL malo abajo y su sangre fluyendo como una seda.

- La fibra soluble, del tipo que forma un gel viscoso en agua, actúa como una esponja. Ésta absorbe el colesterol y lo excreta como desecho, lo cual ayuda a reducir el nivel de colesterol. La avena tiene una gran reputación por tener mucha fibra soluble, y la linaza se ubica en la misma categoría. De hecho, una cucharada de linaza tiene casi tanta fibra soluble como un tercio de taza de avena seca.

- El ácido graso esencial ALA, otro tipo de ácido graso omega-3, ayuda a parar la inflamación, evita que las células sanguíneas se agrupen, reduce su presión sanguínea y mejora sus niveles de colesterol. En un estudio, comer de dos a seis cucharadas de linaza molida cada día durante cuatro semanas redujo el dañino LDL, sin cambiar el buen HDL. La linaza es la mejor fuente alimenticia de ALA.

- Los lignanos son compuestos químicos vegetales que pueden hacer mucho por su cuerpo. Los investigadores están analizando cómo éstos pueden combatir el cáncer y funcionar como antioxidantes para remover los radicales libres. Algunas investigaciones muestran que los lignanos pueden reducir el LDL y el colesterol total, mientras elevan el HDL. Un estudio encontró que hombres que comieron más lignanos tuvieron el menor riesgo de enfermedades del corazón.

El ALA, la fibra soluble y los lignanos trabajan juntos, de forma que es difícil decir exactamente qué parte de la linaza es la que realmente le da los beneficios de salud. Pero aunque no sepa cómo, usted podría reducir su colesterol al comer entre una y cinco cucharadas de linaza por día.

Combata el cáncer de seno y de próstata. Algunos de los mismos ingredientes de la linaza que ayudan a combatir el colesterol alto, también son ganadores en contra de algunos cánceres. Los lignanos, o compuestos químicos vegetales, de la linaza funcionan en contra del estrógeno que su cuerpo fabrica. El estrógeno alienta a ciertos cánceres, como el cáncer de seno, a crecer.

Los expertos creen que los lignanos bloquean el estrógeno, lo cual reduce la velocidad de crecimiento de tumores o evita que éstos se formen. De hecho, los lignanos funcionan como el medicamento Tamoxifen contra el cáncer. Un estudio en mujeres mayores con cáncer de seno encontró que aquellas que comieron un panquecito (o muffin) de linaza diario durante 35 días tuvieron una reducción en la velocidad de crecimiento tumoral. Adicionalmente, la linaza tiene mucha fibra, la cual también puede reducir su riesgo de adquirir cáncer de seno.

No está claro cómo los lignanos de la linaza afectan el cáncer de próstata, otro cáncer afectado por hormonas. Algunos expertos se preocupan de que los lignanos en altas dosis puedan realmente alentar el desarrollo de tumores de próstata. Pero un estudio reciente de hombres con cáncer de próstata encontró que aquellos que comieron tres cucharadas de linaza cada día tuvieron una disminución de la velocidad de crecimiento tumoral. Pídale a su médico que lo aconseje acerca de tomar linaza para prevenir o tratar el cáncer de próstata y de seno.

■ ■ ■ ■ ■ Aumente los beneficios ■ ■ ■ ■ ■

Usted puede comprar linaza entera para esparcir sobre ensaladas, cereales o sofritos, mientras la linaza molida funciona bien en recetas de horneado. Ambas son buenas fuentes de fibra, proteína y ácido alfa-linolénico, un saludable ácido graso omega-3. Pero una cucharada de semillas enteras tiene más de estos tres nutrientes que una cucharada de semillas molidas y además las semillas enteras se mantienen frescas durante más tiempo en su despensa. Si come semillas enteras, asegúrese de masticarlas hasta molerlas completamente; de otra forma, ellas van a pasar a través de su sistema digestivo intactas y usted va a perder los nutrientes.

Dele un mordisco a la menopausia. Enrojecimiento, transpiración nocturna, falta de sueño, cambios de humor; este "cambio" puede hacer que ser mujer no sea divertido. Muchas mujeres se asustan y no toman la terapia de reemplazo hormonal (HRT, por sus siglas en inglés) para sus síntomas menopáusicos, a causa de sus serios efectos secundarios. La linaza podría ser una alternativa segura, en lugar de los medicamentos, y podría ayudarle a sentirse más cómoda durante esos cambios.

La linaza contiene lignanos: compuestos químicos vegetales que trabajan como el estrógeno propio de su cuerpo pero en una forma más débil. Los investigadores han encontrado que comer linaza cada día puede reducir los enrojecimientos y otros signos de menopausia. En un estudio, mujeres que comieron 40 gramos (cerca de cuatro cucharadas) de linaza molida cada día durante varios meses obtuvieron tanto alivio como las mujeres que tomaron HRT. No todos los estudios sobre linaza y menopausia han sido tan positivos, pero probablemente no está demás agregar un poco de linaza a su dieta.

Lubrique sus articulaciones para aliviar el dolor de la artritis. Las grasas de la linaza y del aceite de linaza también pueden ayudar a sus articulaciones dolorosas. Los ácidos grasos omega-3, como el tipo en el aceite de pescado, controlan la inflamación que puede causar dolor artrítico y pueden incluso proteger su cartílago de romperse o degradarse. Un estudio encontró que las mujeres que comieron la mayor cantidad de ácidos grasos omega-3 tuvieron el menor riesgo de desarrollar artritis reumatoide. Los investigadores creen que el omega-3 de la linaza funciona de la misma forma que aquellos del aceite de pescado. Más de la mitad del aceite de linaza está hecho de ácidos grasos omega-3 y usted puede comprarlo en botella o en cápsulas.

■ ■ ■ ■ *Rincón del cocinero* ■ ■ ■ ■

Las comidas con linaza abundan en los estantes de las tiendas de abarrotes, desde cereales, wafles y yogur, hasta caramelos de masticar y bebidas de soja. Pruebe la linaza al almuerzo o cena en pasta, pan o un postre congelado, y arregle usted mismo un bocadillo de palomitas de maíz con linaza.

La linaza no tiene duración indefinida. Siga estos consejos para almacenarlas y cocinarlas de forma segura.

■ La linaza permanece fresca a temperatura ambiente durante un año o más, mientras que la linaza molida permanece en buena condición por cuatro meses. Mantenga ambas en el refrigerador o congelador y ellas estarán frescas durante más tiempo aún.

■ Almacene a temperatura ambiente las botellas de aceite de linaza selladas. Después de abiertas, almacénelas en el refrigerador y úselas por hasta seis semanas.

■ El aceite de linaza es mejor cuando se usa frío, como en aderezo de ensaladas o yogurt. Usted puede sofreír ligeramente usando aceite de linaza, pero no lo caliente mucho. Mantenga la temperatura debajo de 300 grados Fahrenheit (esta temperatura es demasiado baja para freír).

Pistachos

■ ■ ■ ■ ■ ■ ■ ■ ■ ■ ■ ■ ■ ■ ■ ■ ■

Sea ecológico por un bocadillo saludable

En la antigua Asiria, la reina de Sheba gustaba tanto de los pistachos que ella se quedó con toda la cosecha del país para ella y su casa real. Hay muchas razones que explican la popularidad de esta nuez pequeña y sabrosa. Ésta tiene un sabor delicado y suave que se combina bien tanto en postres como en platos principales. La cáscara delgada se abre sola, por lo que no es una nuez difícil de romper. Mucha gente recuerda a los pistachos por su color—las nueces son naturalmente de color verde pálido—mientras que los procesadores a menudo tiñen las cáscaras de rojo para ocultar manchas.

Los pistachos son un bocadillo libre de culpas. Usted puede comer 50 pistachos y sólo serán 160 calorías. Aún mejor, usted también obtendrá fibra, vitamina B6, fitoesteroles para combatir el colesterol, saludables grasas monoinsaturadas y minerales como manganeso y potasio. Todas estas cualidades hacen de los pistachos un gusto adecuado para una reina.

Controle el colesterol alto con sabor a nueces. La avena no es el único alimento que puede mantener su colesterol bajo control. Los pistachos son ricos en fitoesteroles, que son compuestos químicos vegetales similares al colesterol de su cuerpo. Ellos funcionan en sus intestinos evitando que el colesterol de la comida sea absorbido. Esto significa menos colesterol. Un nuevo análisis de bocadillos populares muestra que los pistachos y las semillas de girasol contienen la mayor cantidad de fitoesteroles, cerca de tres veces la cantidad contenida en la modesta nuez del Brasil.

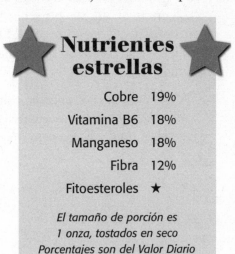

Nutrientes estrellas

Cobre	19%
Vitamina B6	18%
Manganeso	18%
Fibra	12%
Fitoesteroles	★

El tamaño de porción es 1 onza, tostados en seco
Porcentajes son del Valor Diario

▪ ▪ ▪ ▪ ▪ Aumente los beneficios ▪ ▪ ▪ ▪ ▪

En comparación a otras frutos secos, los pistachos tienen un alto contenido de potasio, lo que los hace campeones si usted está cuidando su presión sanguínea. Pero elija sus pistachos sabiamente si usted está en una dieta baja en sodio. Los pistachos tostados en seco y salados tienen 114 miligramos (mg) de sodio por onza, que son cerca de 49 nueces. En su lugar, seleccione la variedad sin sal, con sólo 3 mg de sodio. O aún mejor, pruebe los pistachos crudos, los cuales no tienen sodio en absoluto y tienen un poco menos de calorías.

¿Qué tan poderosos son los pistachos? Varios estudios muestran que ellos llevan a los niveles de colesterol de regreso al equilibrio.

▪ Hombres y mujeres con niveles de colesterol saludables fueron divididos en dos grupos. La gente en un grupo continuó su dieta regular, mientras que los del otro grupo tomaron un 20% de sus calorías diarias en pistachos durante tres semanas. El colesterol total se redujo y el beneficioso colesterol HDL se elevó para los consumidores de pistachos.

▪ Un grupo de 28 personas con colesterol alto comieron 3 onzas o 1 1/2 onzas al día de pistachos. Ambos grupos mostraron niveles menores de colesterol total y LDL después de cuatro semanas, pero aquellos que comieron más pistachos tuvieron el mejoramiento más grande.

▪ Quince personas con colesterol alto comieron 2 ó 3 onzas de pistachos cada día. Después de cuatro semanas, la mayoría tuvo menor colesterol total y LDL, pero mayor colesterol HDL.

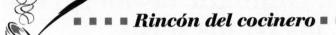

Rincón del cocinero ∎ ∎ ∎ ∎

Las cáscaras de pistacho se abren naturalmente a medida que maduran. Si usted encuentra una que no se ha abierto por sí misma, no se moleste en romperla para abrirla. La nuez de adentro no estará buena de todas formas.

Ya que las cáscaras se abren naturalmente, los pistachos no duran tanto como otras nueces. Si usted compra pistachos pelados, seleccione los que estén empacados al vacío en frascos de vidrio o latas, para tener las nueces más frescas.

Almacene los pistachos en un contenedor hermético. Usted puede mantener los pistachos con cáscara durante tres meses en el refrigerador o durante un año en el congelador. Pero no congele pistachos pelados.

Los frutos secos le ayudan a perder su exceso de peso

¿Quiere perder peso? Apuéstele a los frutos secos. Los estudios muestran que agregar frutos secos a su dieta no le hará ganar peso e incluso usted podría perder algunas libras. Los expertos creen que esto se debe a las grasas no saturadas de los frutos secos como las nueces comunes, las almendras, el cacahuate y el piñón. Éstas grasas activan a su cuerpo para generar hormonas bloqueadoras del apetito, las cuales le indican a su cerebro que usted está lleno. Así que devore un puñado de frutos secos cerca de 20 minutos antes de una comida y usted no se excederá.

Las nuevas reglas de etiquetas ayudan a combatir las alergias a los frutos secos

Las alergias alimentarias no afectan sólo a los niños. Cerca de 3 millones de americanos son alérgicos a los cacahuates y otros frutos secos, como nueces comunes, anacardos y almendras. La alergia más conocida es a los cacahuates, pero el anacardo puede causar reacciones más severas. Si come un alimento al cual tiene alergia, usted puede sufrir picazón, náuseas o problemas respiratorios. Una reacción alérgica severa, llamada anafiláctica, puede matarlo.

Desde el año 2006, el Decreto de Protección al Consumidor y Etiquetado de Alimentos que Producen Alergias (FALCPA, por sus siglas en inglés) requiere que las etiquetas muestren si el producto incluye leche, huevos, pescado, mariscos crustáceos, cacahuates, otros frutos secos, trigo y soja: los más comunes causantes de problemas. La etiqueta debe mostrar la palabra "contiene" junto con el alimento problemático o ésta debe incluir ese alimento en la lista de ingredientes.

Tome estos pasos para evitar una reacción alérgica.

- Revise las etiquetas en cada compra. Paquetes viejos pueden aún estar en los estantes, incluso después del FALCPA.

- Recuerde que algunos alimentos, incluyendo carne de res y de aves, vegetales, frutas y bebidas alcohólicas están exentas de las reglas del FALCPA.

- Cuando cene fuera, indíquele al mesero o a la persona que prepara la comida qué tan seria es su alergia. No deje que el personal impaciente haga caso omiso a sus preguntas acerca de los ingredientes de los alimentos.

- Bese con cuidado. Los estudios muestran que los alérgenos permanecen en la saliva de la gente que come cacahuates durante un buen tiempo, incluso si ellos se cepillan los dientes o mascan chicle. Si usted es alérgico a los cacahuates, besar a aquellas personas lo expone a usted a los cacahuates. Pídale a su querido o querida que se mantenga alejado de los alimentos a los que usted es alérgico, o espere unas pocas horas antes de acercársele.

Los investigadores están trabajando en vacunas que puedan hacerlo menos sensible a los problemas alimenticios.

Semillas de girasol

■■■■■■■■■■■■■■■■

Granos sabrosos no sólo para los pájaros

Al pintor Vincent van Gogh le gustaba pintar girasoles y a la gente de Kansas, el estado del girasol, le gusta cultivarlos. Los poetas le llaman a estas flores felices "inquietas" y "girasoles encantados de la luz", pensando que ellos giran sus caras para seguir al sol. Ellos no lo hacen, aunque su nombre lo sugiere.

Hace tiempo, la gente cultivaba plantas de girasol alrededor de sus casas para mantener alejadas a las enfermedades. Ese truco probablemente no va a funcionar, pero comer las semillas puede traerle buena salud. Las semillas de girasol tienen montones de vitamina E, mucha fibra y minerales como fósforo y cobre. Ellas también contienen fitoesteroles que reducen su colesterol. Como alimento de bocadillo, las semillas de girasol son una elección inteligente.

Proteja su corazón con la vitamina E. Las semillas de girasol tienen varios ingredientes saludables para el corazón, incluyendo fitoesteroles y grasas no saturadas. Y una onza de semillas de girasol tostadas en seco le da más de un tercio de la vitamina E que usted necesita cada día.

¿Qué hay tan bueno en la vitamina E? Es un antioxidante, por lo que ayuda a proteger sus células del daño causado por los radicales libres. Muchos estudios han sido hechos para descubrir si

Nutrientes estrellas

Vitamina E	37%
Fósforo	32%
Cobre	26%
Fibra	12%
Fitoesteroles	★

El tamaño de porción es 1 onza
Porcentajes son del Valor Diario

la vitamina E puede ayudar a su corazón. Algunos muestran que ésta puede prevenir ataques al corazón y evitar que las enfermedades del corazón empeoren. Otra investigación sugiere que tomar suplementos de vitamina E podría no ayudar e incluso podría elevar su riesgo de falla cardiaca y muerte.

Para estar seguro, tome su vitamina E de alimentos en lugar de suplementos. Algunos expertos creen que el tipo de vitamina E en las semillas de girasol y aceite de oliva, alfa-tocoferol, es más seguro que el tipo encontrado en maíz y soja, gama-tocoferol.

■ ■ ■ ■ ■ **Aumente los beneficios** ■ ■ ■ ■ ■

Usted puede comprar semillas de girasol crudas o tostadas, en su cáscara o sin ella y con o sin sal. Las semillas tostadas a menudo tienen grasa añadida y preservativos, así que prepare una tanda en casa. Ponga semillas crudas en una lámina de horneado y tuéstelas en el horno durante aproximadamente 10 minutos a 200 grados Fahrenheit, moviéndolas a menudo. Para un sabor salado, rocíelas con un poco de aceite y sazónelas con sal.

Envíe a la fiebre del heno a freír espárragos. Las semillas de girasol son un viejo remedio de la gente para la calvicie, dolores de cabeza, insolación, dolencias de los pulmones y otras enfermedades. Aquellos usos pueden ser dudosos, pero el generoso abastecimiento de vitamina E en esas pequeñas semillas puede hacerlas un buen tónico para sus estornudos y dificultad para respirar en temporada de alergias.

Algunas personas saben que la primavera está en el aire cuando sus ojos comienzan a humedecerse y sus narices gotean. Eso es por respirar ciertos tipos de polen. La vitamina E es un antioxidante, así que ayuda a combatir la inflamación. Investigadores en Alemania querían descubrir si los alimentos que la gente come tienen un efecto en la fiebre del heno. Ellos registraron los hábitos alimenticios de más de 1,500 personas, algunas con fiebre del heno, otras sin ella. La gente que tendió a comer más vitamina E en sus dietas tuvo menos fiebre del heno.

Otros investigadores probaron los suplementos de vitamina E para los síntomas de la fiebre del heno. La mitad de las personas en el estudio tomó 800 miligramos de suplementos de vitamina E cada día, mientras que la otra mitad tomó un placebo, o píldora de azúcar. Todos ellos continuaron tomando sus medicamentos anti-alergias durante el estudio. La gente en el grupo de la vitamina E reportó menos problemas con la nariz goteante pero no tuvo mejoría en sus ojos húmedos y con picazón.

Es mejor tomar la vitamina E de alimentos que de suplementos. Una razón es que cerca de la mitad de las sustancias en las píldoras de vitamina E no son activas. Por lo tanto usted necesitaría duplicar la cantidad para tener los mismos efectos que si tomara la vitamina E de alimentos. Junto con las semillas de girasol, las buenas fuentes de vitamina E incluyen cacahuates, almendras, aceite de oliva y aguacates.

■ ■ ■ ■ *Rincón del cocinero* ■ ■ ■ ■

Agregue más beneficios de las semillas de girasol a su dieta con el aceite de girasol. Éste está hecho de diferentes tipos de semillas que las que usted come, pero es aún alto en vitamina E. El aceite de girasol tiene muchas grasas no saturadas buenas para usted, y usted puede usarlo para cocinar o como aderezo de ensaladas. Éste también permanece fresco por más tiempo que algunos otros aceites vegetales.

Nueces comunes (fruto del nogal)

Escoja nueces para proteger su corazón y mente

La leyenda romana decía que las nueces traían buena salud y fertilidad, mientras que alejaban las enfermedades. La medicina popular usaba las nueces para tratar el dolor de oído y de dientes, verrugas, tiña, hiedra venenosa, furúnculos, artritis y estreñimiento.

Muchas de esas afirmaciones pueden ser sólo una leyenda, pero las nueces realmente son un gusto para su corazón. Éstas son aproximadamente 60% grasa, la mayor parte de ellas son saludables grasas monoinsaturadas. Este tipo de grasa le ayuda a mantener su colesterol y presión sanguínea bajos y sus arterias limpias. Estas pequeñas pepitas de nutrición también son altas en proteínas, minerales como cobre y manganeso y antioxidantes como la glutationa. Sus grasas saludables las hacen un buen alimento para su cerebro, ayudando a proteger su memoria hasta una edad mayor.

Así que aunque las nueces, especialmente las negras, pueden ser difíciles de romper, no las deje fuera de su dieta alimenticia. Agréguelas sobre una ensalada Waldorf, hornéelas en un pastel de frutas, mézclelas con crema de helado, o cómalas directamente de su cáscara: las nueces son un centro energético nutricional.

Coma su camino hacia un corazón saludable. Todas las nueces son buenas para su corazón y las nueces comunes lideran el

Nutrientes estrellas

Manganeso	48%
Cobre	22%
Proteína	9%
Glutationa	★
Grasa monoinsaturada	★
Ácido alfa-linolénico	★

*El tamaño de porción es
1 onza de nueces inglesas
Porcentajes son del Valor Diario*

grupo. Las grasas saludables de las nueces comunes las hacen benéficas para el corazón de varias formas.

- Reduzca el colesterol LDL. Los investigadores probaron una "dieta de nueces comunes" en gente con colesterol alto. La mitad de la gente en el estudio comió una dieta típica mediterránea, con aceite de oliva como la principal fuente de grasa. La otra mitad comió una dieta similar pero reemplazó la mayor parte del aceite de oliva con grasa de nueces comunes. Ellos comieron entre ocho y once nueces por día. Aquellos en esta dieta redujeron su colesterol LDL en más de un 11% después de seis semanas, dos veces el mejoramiento de aquellos con la dieta mediterránea. Los investigadores creen que la grasa de las nueces comunes es el factor que explica este resultado.

- Termine su presión arterial alta. Comer alimentos altos en ácidos grasos omega-3, como el pescado, puede reducir su presión arterial. Si a usted no le gusta el pescado, obtenga su omega-3 con nueces, linaza, aceite de canola o de soja. Estos alimentos contienen ácido alfa-linolénico, otro tipo de omega-3. Las investigaciones muestran que la gente que come más alimentos ricos en omega-3 tienden a tener menor presión arterial que la gente que no los come.

- Dígale "alto" a los ataques al corazón. Un estudio grande de más de 43 mil personas encontró que aquellos que comieron alimentos altos en ácido alfa-linolénico redujeron su riesgo de ataques al corazón en un 60%. Otra investigación ha mostrado resultados similares.

■ ■ ■ ■ ■ Aumente los beneficios ■ ■ ■ ■ ■

Las nueces inglesas y las negras son los tipos más comunes de esta nuez. Las nueces inglesas, o persas, son las más cultivadas en California y las más vendidas para comer. Las inglesas tienen cáscara más delgada y más contenido en cada nuez, pero la variedad negra podría ser una mejor elección para una buena nutrición. Éstas tienen menos grasa y más proteína, fibra y hierro por taza.

Junto con las grasas buenas, las nueces comunes también le dan glutationa. Su cuerpo usa este antioxidante para elevar la inmunidad y detener el daño celular, posiblemente reduciendo su riesgo de enfermedades del corazón y otros problemas cardiacos. Los expertos sugieren que usted coma alrededor de un cuarto a un tercio de taza de nueces comunes cada día, pero que evite las nueces saladas o tostadas con miel.

Aplique mano dura contra la pérdida de la memoria. La mayoría de las personas cree que la mala memoria es un signo natural de envejecimiento. Pero algunos expertos creen que usted puede mantener su cerebro funcionando bien a medida que envejece al comer ciertas grasas, incluyendo el tipo de grasas en las nueces comunes.

Los investigadores probaron esta teoría al estudiar a la gente mayor en Italia. Los científicos revisaron las dietas de estas personas saludables, de edades entre 65 y 84 años. Ellos también les hicieron pruebas para ver qué tan bien podían recordar y concentrarse en tareas mentales. La gente que comió más grasas monoinsaturadas, como la grasa de las nueces comunes, tuvo mejores resultados en las pruebas.

Los científicos también están buscando un vínculo entre las nueces comunes y la enfermedad de Alzheimer. Un estudio de laboratorio mostró que el extracto de nueces comunes detuvo los cambios proteínicos que ocurren en los cerebros de la gente con la enfermedad de Alzheimer. Ellos no están seguros exactamente de qué parte del extracto detuvo estos cambios, pero ellos creen que es un fitoquímico, o compuesto químico vegetal, en dichas nueces. Investigación adicional puede revelar cómo las nueces le ayudan a mantener su agudeza mental.

▪ ▪ ▪ *Rincón del cocinero* ▪ ▪ ▪

Si compra nueces de Castilla en su cáscara, usted tiene el trabajo de romperlas para sacar el contenido. Pruebe este truco para romperlas más fácilmente. Cubra las nueces con agua en una cacerola y hasta que empiecen a hervir. Retírelas del calor y déjelas reposar durante 15 minutos. Una vez se enfríen las nueces, su trabajo será más fácil.

Las nueces contienen mucha grasa, así que almacénelas cuidadosamente para evitar que se enrancien.

- Almacene las nueces enteras en un sitio fresco y ellas se mantendrán en buen estado durante meses.

- Mantenga las nueces peladas en una bolsa plástica en su congelador.

Poder anti-envejecimiento desde el mar

Cangrejo (o jaiva)

Parta en dos un caparazón lleno de beneficios

La carne de cangrejo debería ser la joya preciosa de su comida favorita. El versátil cangrejo puede ser cocinado de muchas formas y usado en una variedad de platos. De hecho, el escritor H.L. Mencken citó de las tradiciones de Baltimore que "el cangrejo puede ser preparado en 50 formas y todas ellas son buenas".

Abra su cáscara, y esta fea criatura del mar lo recompensará con algunos preciosos nutrientes. Éste está cargado con vitamina B12 e importantes minerales como selenio, cobre y zinc. El cangrejo es también una buena opción si usted está evitando la carne roja. Coma un par de cangrejos Dungeness y usted tendrá todas las proteínas necesarias para un día. Sólo no dependa de los cangrejos u otros mariscos para obtener ácidos grasos omega-3. A estos, usted los puede encontrar en pescados mar como el salmón y la trucha.

Recorte su riesgo de cáncer de colon. Un delicioso plato de cangrejo puede ser su boleto para evitar el cáncer de colon. Eso es porque los cangrejos tienen bastante del importante mineral selenio. Éste ayuda a su cuerpo a formar enzimas para combatir los radicales libres, pequeños terrores que dañan las células. El selenio también parece elevar su inmunidad de forma que usted permanezca saludable.

Muchas investigaciones han encontrado que el selenio puede ayudar a evitar el crecimiento de tumores en animales, incluyendo a los seres humanos. De hecho, algunos estudios muestran que las regiones en donde la gente puede consumir más selenio de sus alimentos también tienen las tasas

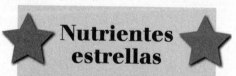

Nutrientes estrellas

Vitamina B12	220%
Selenio	86%
Proteína	57%
Cobre	47%
Zinc	46%

El tamaño de porción es 1 cangrejo dungeness

Porcentajes son del Valor Diario

más bajas de cáncer. Un estudio revisó qué tanto selenio había en la sangre de las personas que se hicieron colonoscopías. Los investigadores encontraron que las personas con más selenio tuvieron el menor número de pólipos de colon, que son crecimientos que algunas veces se vuelven cancerosos.

Vigile su sal y su colesterol

Los problemas del corazón y de presión arterial alta pueden forzarlo a recortar el sodio y colesterol de su dieta. Coma cangrejo y camarones con precaución. Sólo un cangrejo Dungeness tiene 97 miligramos (mg) de colesterol y 480 mg de sodio. Eso es una tercera parte del colesterol y un quinto del sodio que usted debería comer en un día completo.

Aparte de las nueces del Brasil, la carne de cangrejo es uno de las mejores fuentes alimenticias de selenio. Comer sólo un cangrejo Dungeness le da cerca del 86% del selenio que usted necesita en un día. Con sólo 140 calorías y más de la mitad de la proteína que usted debería obtener, éste es una ganga para combatir el cáncer.

Elimine la neumonía con el zinc. Los mariscos, incluyendo el cangrejo y las ostras, junto con la carne roja, son grandes fuentes de zinc. Este importante mineral le ayuda al sistema inmune de su cuerpo a rechazar a las enfermedades, pero muchas personas mayores no obtienen suficiente.

■ ■ ■ ■ ■ Aumente los beneficios ■ ■ ■ ■ ■

Aligere los pasteles de cangrejo tradicionales. Recorte la grasa al usar claras de huevos en lugar de mayonesa para mantener los pasteles juntos. Usted puede también sofreírlos con sólo un poco de aceite en lugar de sumergirlos completamente en aceite. Para aumentar los saludables ácidos grasos omega-3, cocine los pasteles de cangrejo en aceite de canola.

Un estudio reciente de personas mayores en casas de reposo probó si los suplementos de zinc pueden evitar la neumonía. Durante un año, los residentes tomaron suplementos de varias vitaminas y minerales, incluyendo el zinc. Luego los investigadores midieron los niveles de zinc en la sangre de todos en el estudio. La gente con niveles normales tuvo menos casos de neumonía y tomó menos antibióticos que aquellos que estaban bajos en zinc. Los residentes con suficiente zinc también tuvieron menos riesgo de morir durante este estudio.

Una investigación en niños y el zinc ha mostrado similares resultados. Así que ayude a esquivar la neumonía al agregar algunos cangrejos a su plato. Use cangrejo real, sin embargo, ya que la imitación de cangrejo no es una gran fuente de zinc.

■ ■ ■ ■ *Rincón del cocinero* ■ ■ ■ ■

La carne de cangrejo es sabrosa y está llena de vitaminas y minerales, pero comprarlo fresco puede ser costoso. Como sustituto económico, usted puede usar imitación de carne de cangrejo en ensaladas, pasteles de cangrejo y otras recetas. Una marca de imitación de cangrejo popular cuesta cerca de 50 centavos la onza comparado con más de un dólar la onza en el caso de la carne de cangrejo real.

Ya que la imitación de carne de cangrejo está hecha de surimi, un tipo de pescado procesado, ésta no tiene los beneficios nutricionales del cangrejo real. Con la imitación de cangrejo, usted obtendrá menos colesterol pero también mucho menos proteína, vitaminas, minerales y grasas omega-3. Además ésta tiene más de dos veces el sodio del cangrejo real.

Los beneficios de comer pescado son mayores que los riesgos

Usted probablemente ha oído de los peligros de comer pescado y otros alimentos del mar contaminados por mercurio o bifenilos policlorados (PCB, por sus siglas en inglés). El mercurio puede causar daño en nervios y problemas del corazón, mientras que los altos niveles de PCB se cree que causan cáncer.

Por otra parte, nuevas guías recomiendan que todos los americanos coman pescado dos veces a la semana. Los ácidos grasos omega-3 en pescado con grasa—como salmón, sardinas, atún y trucha—pueden ayudarle a vivir una vida más larga y saludable. Las investigaciones muestran que comer pescado regularmente puede mantener a su corazón saludable, evitar algunas formas de cáncer, proteger su visión y mantener su cerebro activo. ¿Qué debe hacer usted?

Coma pescado, pero sea selectivo acerca de qué tipo elige. Las mujeres que están embarazadas o lactando, y los niños, deben elegir cuidadosamente para evitar peligros para los cuerpos en desarrollo. La tabla de abajo resume cuáles pescados son más seguros para comer más a menudo. Revise la calculadora de mercurio en *www.gotmercury.org* para ver qué tan seguros son sus hábitos de consumo de comida de mar. Los expertos indican que evitar esta gran fuente de saludables ácidos grasos omega-3 es más perjudicial que consumirla.

Seguro; más de una vez por semana	Relativamente seguro; una vez por semana	Riesgoso; una vez al mes
salmón (de cultivo o salvaje)	Atún enlatado	Filete de atún
ostras	cangrejo	pargo colorado
camarón	bacalao	pez emperador
bagre de canal (cultivado)	dorado	abadejo de Alaska
trucha arcoiris (cultivada)	abadejo	halibut
platija	pescado blanco	langosta del norte
perca	arenque	aguja
tilapia	langosta marina	lubina
almeja		trucha salvaje
ostión		mero

Salmón

■■■■■■■■■■

Métase en el nado del comer saludable

El río Salmón en Idaho es conocido como "el río sin retorno". Ese es un nombre raro, ya que el salmón regresa a su lugar de nacimiento para desovar. Si usted está buscando regresar a una alimentación saludable, el salmón es una gran elección.

El salmón, junto con otros peces con grasa, como la trucha y la caballa, contiene saludables ácidos grasos omega-3. Ellos pueden ayudar a su corazón, proteger a su cerebro a medida que usted envejece, evitar ciertos tipos de cáncer y mantener su vista aguda. El salmón también tiene mucho selenio y vitaminas como niacina, vitamina B12 y vitamina B6. Está lleno de proteínas, por lo que es un buen sustituto de la carne roja. El salmón es una mejor opción que algunas otras comidas de mar, incluyendo tiburón, pez espada y azulejo, para evitar contaminantes como el mercurio.

Usted puede comprar salmón fresco, congelado, ahumado, seco o enlatado. Éste es muy bueno en filetes, sándwiches y ensaladas—servido ya sea caliente o frío. Cámbiese al salmón y obtenga muchos beneficios saludables.

Atrape una tanda de salud para el corazón. Algunas personas toman cápsulas de aceite de pescado para proteger sus corazones, pero usted puede lograr efectos similares al comer peces con grasa como el salmón. Los saludables ácidos grasos omega-3 en los peces incluyen ácido eicosapentaenoico (EPA, por sus siglas en inglés) y ácido docosahexanoico (DHA, por sus siglas en inglés). Ellos cubren sus arterias como un aerosol anti-adherente para mantener a su sangre fluyendo suavemente.

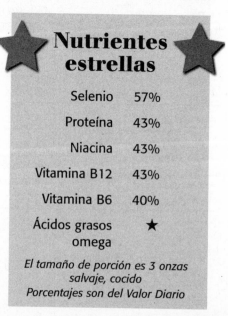

Nutrientes estrellas

Selenio	57%
Proteína	43%
Niacina	43%
Vitamina B12	43%
Vitamina B6	40%
Ácidos grasos omega	★

El tamaño de porción es 3 onzas salvaje, cocido
Porcentajes son del Valor Diario

■ ■ ■ ■ ■ **Aumente los beneficios** ■ ■ ■ ■ ■

El salmón cultivado puede ser más económico que el salvaje, pero éste pierde cuando se trata de beneficios nutricionales. De acuerdo con el Departamento de Agricultura de los Estados Unidos, el salmón cultivado en granjas tiene menos ácidos grasos omega-3 que el salmón salvaje. Los expertos también han encontrado niveles mayores de contaminantes peligrosos como bifenilos policlorados (PCB, por sus siglas en inglés) en peces cultivados en granjas. Los contaminantes provienen del alimento que el salmón come en cautividad. En niveles altos, los PCBs y otros venenos pueden causar cáncer y problemas con su cerebro y su sistema inmune. Si usted desea los beneficios de este alimento, escoja las variedades salvajes.

Hay mucha evidencia de que estas grasas saludables son buenas para su corazón. Aquí tiene una prueba.

■ Un estudio en Japón de gente con alto colesterol probó los efectos de tomar suplementos de EPA junto con estatinas. Después de cuatro a seis años, la gente que tomó aceite de pescado tuvo menos problemas del corazón, incluyendo ataques cardíacos, anginas y operaciones de bypass, que aquellos que sólo tomaron estatinas. Los ácidos grasos omega-3 también ayudan a mantener su colesterol en equilibrio.

■ Los ácidos grasos omega-3 pueden protegerlo en contra de las enfermedades del corazón. Un estudio encontró que la gente con enfermedades del corazón tenía menos omega-3 en sus cuerpos que la gente sin tales enfermedades. Esto puede ser debido a la habilidad de algunas grasas omega-3 para reducir la inflamación, la que puede contribuir a las enfermedades del corazón.

■ La gente que consume más ácidos grasos omega-3 en sus dietas tiende a tener menor presión sanguínea. Los investigadores encontraron esta relación al observar cerca de 5 mil hombres y mujeres de mediana edad en los Estados Unidos, Gran Bretaña, China y Japón.

■ Otros estudios han encontrado relaciones entre grasas de pescado y menores riesgos de derrames cerebrales y problemas de ritmo cardiaco.

Para lograr estos beneficios, la Asociación Americana del Corazón anima a todos a comer pescado con grasa como el salmón al menos dos veces por semana.

Pesque una próstata más saludable. El EPA y el DHA del salmón, los ácidos grasos omega-3 que le ayudan al corazón, pueden también ofrecer protección en contra del cáncer de próstata.

Los científicos han notado por mucho tiempo que grupos de personas que han comido mucho pescado, como los japoneses y esquimales, tienden a tener menos casos de cáncer de próstata. Así que ellos han estado observando a hombres que comen dietas tradicionales occidentales para ver cómo comer pescado podría ayudar.

Un estudio de cerca de 48 mil hombres encontró que aquellos que comieron pescado con grasa más de tres veces por semana tuvieron menos riesgo de cáncer de próstata en doce años. Comer mariscos o tomar suplementos de aceite de pescado no pareció ayudar. En otro estudio, hombres en Suecia que comieron pescado con grasa como el salmón, al menos una vez por semana, tuvieron menos casos de cáncer de próstata que aquellos que nunca comieron pescado.

Los investigadores creen que las grasas omega-3 bloquean los compuestos químicos naturales del cuerpo que ayudan a las células cancerígenas a crecer. Pero otras cosas podrían estar ocurriendo. El salmón y sus peces primos ofrecen muchas otras vitaminas y minerales que podrían ayudar. El salmón, por ejemplo, tiene mucho selenio, el cual se cree que combate tumores. Un estudio encontró que hombres que tomaron suplementos de selenio tuvieron menos casos de cáncer de próstata. O quizá simplemente reemplazar la carne roja con pescado es lo más importante.

■ ■ ■ ■ *Rincón del cocinero* ■ ■ ■ ■

¿Le gusta el salmón? Aquí hay unas pocas cosas que usted podría no saber de este pescado popular.

■ Lox es una forma de salmón rebanado delgadamente que ha sido ahumado. Algunas personas lo disfrutan con queso crema sobre un panecillo. Pero el lox tiene mucho sodio, por lo tanto podría no ser bueno incluirlo en su dieta si usted está controlando su sal.

■ Usted podría encontrar algo llamado "caviar rojo" en la tienda de abarrotes. Son huevos o hueva de salmón, considerado un manjar por algunos. Pero no es caviar real, lo cual por definición es hueva del esturión.

- La carne del salmón salvaje es naturalmente rosada. El salmón cultivado en granja tiene carne gris ya que ellos no comen lo mismo que sus primos salvajes. Pero la gente espera que el salmón sea rosado, por lo que los granjeros añaden tintes a la comida del salmón para cambiar el color del pez.

Sardinas

Abra una lata empacada con nutrición

¿Ha escuchado de algo que está siendo "empacado como sardinas"? Eso es porque estas delicias a menudo están alineadas hombro a hombro en latas pequeñas. De hecho, "sardinas" es el mismo nombre de un juego de niños que involucra acomodar a los jugadores en espacios pequeños. Si usted quiere mucha nutrición empacada en un paquete pequeño, las sardinas son el camino a seguir.

Las sardinas son un favorito de picnic porque son fáciles de almacenar y llevar, y están listas para comer al sacarlas de la lata. Las sardinas en lata pueden ser realmente pequeños arengues o pescados similares, pero todos ellos son de la misma familia. Una lata de sardinas le da una porción robusta de vitaminas B12 y D, junto con minerales

Nutrientes estrellas

Vitamina B12	137%
Selenio	69%
Vitamina D	63%
Proteína	45%
Fósforo	45%
Calcio	35%
Ácidos grasos omega-3	★

El tamaño de porción es 1 lata
Porcentajes son del Valor Diario

299

como selenio, fósforo y calcio. Ellas también están sobrecargadas con una fuerte porción de proteína y una buena ayuda de saludables ácidos grasos omega-3. Entre los pescados con grasa, ellas son relativamente seguras con respecto a contaminantes. Las sardinas son una comida muy conveniente, vienen listas para consumir y son nutritivas.

■ ■ ■ ■ ■ Aumente los beneficios ■ ■ ■ ■ ■

Las sardinas enlatadas vienen en muchos sabores y variedades, empacadas en aceite o agua, con sabor a salsa de mostaza o chile picante, con o sin sal. Su elección puede depender del precio, sabor y sus necesidades de salud.

Elija sardinas enlatadas en agua o salsa de tomate si usted está vigilando su peso. Éstas son más bajas en calorías que aquellas en aceite. Y no crea que usted está obteniendo los beneficios de los ácidos grasos omega-3 adicionales de las sardinas empacadas en aceite. Muchos usan aceite de soja o de oliva en lugar de aceite de pescado. Finalmente, si usted está en una dieta baja en sodio, revise en la etiqueta que las sardinas no tengan sal añadida.

Aplaste la osteoporosis con pescado fortalecedor de huesos. Elija sardinas enlatadas con los huesos incluidos, y usted obtendrá una dosis doble de protección de huesos. La osteoporosis, la pérdida gradual de masa y fortaleza ósea a medida que se envejece, puede ser reducida o prevenida al tomar más calcio y vitamina D en su dieta.

Los productos diarios como la leche y el yogur son las fuentes favoritas de calcio y vitamina D para mucha gente. Pero el calcio marino (huesos o cartílago de pescado en polvo) es otra gran fuente. Los investigadores compararon el calcio marino con el calcio de la leche para ver cuál de los dos su cuerpo absorbe mejor. Ellos encontraron que el calcio marino es tan bueno como el calcio de la leche.

No se preocupe si usted no está encantado con la idea de comer huesos de pescado en polvo. Usted puede obtener el mismo beneficio a partir del producto real. Una lata de sardinas con huesos le da más de la tercera parte del calcio y cerca de dos terceras partes de la vitamina D que usted necesita cada día. Sin huesos, el contenido de calcio en las sardinas cae a 10 por ciento o menos.

▪ ▪ ▪ ▪ *Rincón del cocinero* ▪ ▪ ▪ ▪

Las sardinas frescas no son fáciles de encontrar porque ellas se descomponen rápidamente. Si usted tiene suerte y encuentra algunas, áselas a la parrilla sin agregar mucha grasa. Usted también puede comprarlas saladas, ahumadas o enlatadas. Las sardinas duran cerca de dos días frescas y seis meses congeladas. Las sardinas enlatadas pueden durar hasta un año o más a una temperatura de 65 grados Fahrenheit o menor. Deles vuelta a las latas ocasionalmente para mantener al pescado húmedo.

Camarón
▪ ▪ ▪ ▪ ▪ ▪ ▪ ▪ ▪ ▪ ▪ ▪ ▪ ▪

Unos crustáceos diminutos entregan una gran nutrición

El compañero del ejército de Forrest Gump estaba en lo correcto cuando dijo: "El camarón es la fruta del mar". El camarón se presenta en una serie de tipos diferentes, tanto de agua salada como dulce. El camarón en su plato de cena puede haber sido recogido del mar o cultivado en una piscifactoría. No sólo es sabroso y está lleno de nutrición, sino que además éste puede ser preparado en muchos platos, desde sopa de quingombó hasta sándwiches y todo lo que esté en medio.

■ ■ ■ ■ ■ Aumente los beneficios ■ ■ ■ ■ ■

El camarón no tiene mucha grasa, pero tiene mucho colesterol. Una porción de tres onzas tiene 166 miligramos. Eso es más de la mitad de lo que usted debería consumir en un día.

Un nuevo tipo de camarón podría permitirle disfrutar sus platos de camarón favoritos mientras usted vigila su colesterol. EcoFish ha desarrollado un camarón blanco completamente natural que tiene 30% menos colesterol que el camarón tradicional. Éste está disponible congelado, tanto cocido como crudo. Busque EcoFish en la sección de comida de mar congelada en su tienda de abarrotes.

Mucha gente piensa que el camarón es un manjar especial, pero éste también es bueno para usted. El camarón es bajo en grasa, alto en proteínas y tiene un impresionante grupo de nutrientes. Usted puede contar con obtener importantes minerales, como el selenio y hierro, junto con vitaminas como la E y la B12. El camarón obtiene su color rosa de la astaxantina, un antioxidante de la misma familia del beta caroteno. Éste también es una fuente de saludables ácidos grasos omega-3, aunque el camarón no tiene tanto como los pescados ricos en omega-3—el salmón y la trucha.

Algunas personas son alérgicas al camarón y otros mariscos. Otros necesitan vigilar su colesterol, el cual es alto en el camarón. Pero si usted no tiene aquellos problemas, siéntase libre de visitar el bufet de camarón tan a menudo como sea posible.

Forma fácil de encender sus músculos. Es común que sus músculos se debiliten a medida que

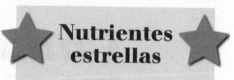

Nutrientes estrellas

Selenio	48%
Proteína	36%
Vitamina B12	21%
Hierro	15%
Vitamina E	6%
Astaxantina	★
Ácidos grasos omega-3	★

*El tamaño de porción es
3 onzas, cocido
Porcentajes son del Valor Diario*

usted envejece. Eso es parcialmente porque usted los usa menos para levantar cosas pesadas y otros trabajos duros. También puede ser que usted no esté obteniendo suficiente del importante mineral selenio en su dieta. Comer camarón es una forma fácil y deliciosa para ayudar a resolver ese problema.

El selenio le ayuda a fabricar ciertas enzimas: compuestos químicos naturales que le ayudan a su cuerpo a funcionar. Una de estas enzimas, llamada selenoproteína W, se cree que ayuda a los músculos a hacer su trabajo. Una investigación en cerca de 900 hombres y mujeres mayores en Italia encontró una conexión entre el selenio de la sangre y la fortaleza muscular. La gente con menos selenio también tuvo los menores puntajes de agarre de mano y fortaleza de rodillas y cadera.

Una porción pequeña de 3 onzas de camarón tiene cerca de la mitad del selenio que usted necesita en un día. El camarón es también una buena fuente de astaxantina, un antioxidante natural que se cree protege a los músculos de daño después de ejercicio extenuante. La vitamina E del camarón, la cual aumenta la resistencia muscular, es una triple defensa en contra de la debilidad muscular.

▪ ▪ ▪ ▪ *Rincón del cocinero* ▪ ▪ ▪ ▪

Toma mucho trabajo preparar camarón fresco. Usted tiene que lavar los pequeños bichos, quitarles las colas e intestinos, y remover las cáscaras. Si eso es más de la incomodidad que usted quiere, compre camarón enlatado o congelado en su lugar. Gran parte del camarón vendido como "fresco" realmente ha sido congelado en algún momento de todas formas.

Una libra de camarón entero y crudo se reducirá a ocho onzas de carne cocinada. Eso es porque el camarón pierde cerca del 25% de su peso en su limpieza, y otro 25% en el proceso de cocción.

Las alergias a los mariscos afectan a todas las edades

Los mariscos (cangrejo, langosta, camarón y langostino) encabezan la lista de los alimentos que más causan alergias. Los niños pueden superar alergias a la leche o a los huevos. Pero justo lo opuesto puede ser cierto para las alergias a la comida de mar y nueces; éstas pueden surgir en adultos que nunca han tenido que lidiar con las alergias.

Los expertos creen que su cuerpo puede confundirse por un nuevo alimento u otra sustancia, tratándola como algo a lo que usted ha tenido reacciones en contra. En otros casos, la gente se muda a una nueva área del país y está expuesta a nuevas plantas u otros alérgenos—sustancias que causan reacciones.

Las reacciones alérgicas a la comida de mar u otros alimentos pueden ser algo serio, posiblemente incluyendo shock anafiláctico. Usted puede tener una reacción cutánea, hinchazón, problemas intestinales o de corazón, problemas para respirar e incluso muerte repentina.

No tome a la ligera las alergias a alimentos. Tome estas precauciones si usted tiene una alergia severa a los mariscos u otros causantes.

- Dígale a su familia y amigos acerca de su alergia, y cómo ayudarle si usted tiene una reacción.

- Si su doctor le ha recetado epinefrina en forma auto-inyectable, como EpiPen o Twinject, siempre llévela con usted.

- Practique usando su epinefrina y enséñele a su familia y amigos cómo usarla.

- Lleve un antihistamínico como Benadryl. Éstos son algunas veces usados junto con la epinefrina.

- Porte un brazalete o collar con información acerca de su alergia.

- Llame al 911 o vaya a un hospital si usted tiene una reacción. No maneje usted mismo un vehículo.

Trucha

■ ■ ■ ■ ■ ■ ■ ■ ■ ■

El favorito de los pescadores a mosca ofrece filetes saludables

Usted puede pensar que las truchas viven en corrientes y lagos cristalinos, pero la que está en su plato probablemente fue cultivada en una granja. La trucha fue el primer pez en ser cultivado en granjas para prevenir su extinción. Algunos tipos de trucha viven en los océanos como adultos y regresan corriente arriba para desovar—precisamente como su primo el salmón.

También como el salmón, las truchas plateadas y arcoíris son buenas fuentes de ácidos grasos omega-3. La trucha le da proteínas, vitaminas como la niacina y la vitamina B12 y minerales incluyendo fósforo y selenio.

Los beneficios saludables de la trucha pueden extenderse más allá de pescarla sólo para comerla. De hecho, un grupo sin ánimo de lucro llamado *Casting for Recovery* ofrece eventos de pesca a mosca para mujeres que han tenido cáncer de seno. Esta actividad les permite a las sobrevivientes disfrutar la naturaleza, conocer otras mujeres y hacer ejercicio ligero a través de la pesca a mosca. Ah, y comer la pesca sabrosa y saludable es una gran gratificación para todas.

Recorte su riesgo de falla de memoria a la mitad. Comer pescado con grasa como la trucha plateada o arcoíris puede ayudar más que sólo su corazón. Esto también puede ayudar a proteger a su cerebro de la pérdida de memoria causada por la edad. Sus células cerebrales necesitan DHA, uno de los ácidos grasos omega-3 en el pescado. Los expertos creen que podría haber una conexión entre la pérdida de DHA y la enfermedad de Alzheimer.

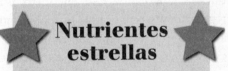

Nutrientes estrellas

Vitamina B12	59%
Proteína	34%
Niacina	31%
Fósforo	19%
Selenio	15%
Ácidos grasos omega-3	★

El tamaño de porción es 1 filete
Porcentajes son del Valor Diario

Investigadores han estudiado si la gente que come más pescado mantiene su memoria más aguda a medida que envejece. Un estudio hecho con cerca de 900 hombres y mujeres mayores, durante un promedio de nueve años, registró sus niveles de DHA en su sangre y qué tan agudas sus mentes permanecían. Tanto la enfermedad de Alzheimer y otras demencias relacionadas con la edad fueron registradas. La gente que comió la mayor cantidad de pescado tuvo cerca de la mitad del riesgo de demencia en comparación con aquellos que comieron menos pescado. Aquellos que comieron pescado cerca de tres veces a la semana estuvieron mejor que aquellos que lo comieron una vez a la semana.

▪ ▪ ▪ ▪ ▪ Aumente los beneficios ▪ ▪ ▪ ▪ ▪

La trucha fácil y rápida de preparar. Ésta tiene escamas diminutas y piel delgada que no necesitan ser removidas. La trucha tradicionalmente es servida frita, pero pruebe otro método como una opción más saludable. Ésta puede ser asada a la parrilla, escalfada (cocida a fuego lento), horneada o cocida al vapor, para lograr una comida con menos grasa añadida.

Otro estudio observó más de 200 hombres mayores en los Países Bajos durante cinco años. Éste encontró que los hombres que comieron pescado regularmente tenían más probabilidad de mantener una mente aguda que aquellos que no comieron pescado. El estudio concluyó que una porción de pescado con grasa a la semana era suficiente para reducir la pérdida de memoria.

Mantenga su visión más aguda, durante más tiempo. Es común sentir que sus ojos se están debilitando a medida que usted envejece. Las personas que sufren de retinitis pigmentaria (RP) saben que sus ojos ciertamente son más débiles. Al comienzo, esta condición hereditaria hace difícil ver en la noche, luego lastima su visión lateral y finalmente puede causar ceguera.

Comer trucha, u otro pescado aceitoso como el salmón, atún o sardinas, puede ayudar a reducir la pérdida de visión en gente con RP. La trucha tiene mucho de los ácidos grasos omega-3 DHA, del cual ciertas células de sus ojos necesitan para funcionar bien. Estas células foto-receptoras capturan la luz, la convierten en imágenes y las envían a su cerebro. Estudios muestran que la gente con RP que comieron pescado con grasa dos veces a la semana mantuvo su visión por más tiempo que aquellos que no lo hicieron. Eso podría significar más años de visión suficientemente buena para poder leer, conducir y disfrutar su pasatiempo favorito.

Agregue un acompañante de espárragos a su cena de trucha para lograr una protección doble. Los espárragos proporcionan una buena porción de vitamina A, a la que se le atribuye la reducción de la pérdida de visión en RP. Y tanto el DHA como la vitamina A pueden protegerlo de otras causas de pérdida de la visión, como la degeneración macular.

■ ■ ■ *Rincón del cocinero* ■ ■ ■

La trucha tiene un sabor delicado que fácilmente puede perderse si no se tiene cuidado. Mantenga su método de cocción simple de forma que usted pueda apreciar su sabor natural. La trucha, como otros pescados y carnes, debe estar completamente cocinada para eliminar cualquier bacteria que pudiera enfermarlo. No confíe en sus ojos de que la trucha está lista. En lugar de eso, use un termómetro de carnes para asegurarse de que el interior del pescado ha llegado a los 145 grados Fahrenheit. Un termómetro de carnes de lectura instantánea le da la temperatura correcta en segundos.

Equilibre la protección contra el cáncer con la seguridad al comer atún

Usted puede ser capaz de disminuir su riesgo de cáncer comiendo atún u otro pescado grasiento. Los expertos piensan que los ácidos grasos omega-3 en los pescados pueden bloquear compuestos químicos naturales en el cuerpo que ayudan el crecimiento de las células en los tumores.

Investigadores siguieron cerca de 48,000 hombres por 12 años, registrando cuánto pescado comieron y cuántos desarrollaron cáncer a la próstata. Los hombres que comieron pescado grasiento más de tres veces por semana tenían menor riesgo de cáncer a la próstata. Comer mariscos o tomar suplementos de aceite de pescado no pareció ayudar. En otro estudio, hombres en Suecia que comieron pescado grasiento al menos una vez a la semana tuvieron menos casos de cáncer a la próstata que aquellos que no comieron nunca pescado.

El atún y algunos otros pescados también tienen bastante selenio. Se cree que este importante mineral combate los tumores.

Pero no pierda el control comiendo atún enlatado. Pruebas realizadas por la Administración de Alimentos y Drogas de los EE.UU. han confirmado que algunos pueden estar contaminados con mercurio. Siga las siguientes reglas para mantenerse seguro.

- **Lea la etiqueta.** Los expertos están de acuerdo en que el atún liviano en trozo tiene menos probabilidad de estar contaminado con mercurio que el atún liviano sólido. Ambos son más seguros que el atún albacora, el que viene de peces más grandes.

- **Evite el daño a cuerpos en desarrollo.** Las mujeres en edad fértil o que están embarazadas o amamantando deben evitar el atún enlatado y escoger otros tipos de pescados. Lo mismo para niños que pesan menos de 45 libras.

- **Disfrute del atún pero limite su consumo.** Los hombres y las mujeres mayores pueden comer atún en forma segura hasta tres latas por semana. Si usted prefiere atún sólido o atún albacora, limite el consumo a una lata por semana.

Mejore su dieta con productos lácteos bajos en grasa

Huevos

■ ■ ■ ■ ■ ■ ■ ■ ■ ■

Obtenga una abundancia de buena salud

Los huevos han adquirido una mala reputación últimamente, pero en su mayoría no está justificada. Los huevos son baratos, es fácil prepararlos, y están repletos de nutrientes. Para comenzar, son una excelente fuente de proteína completa, de alta calidad y de fácil digestión, así como de las vitaminas B biotina, riboflavina y B12, el mineral selenio, el nutriente esencial colina, y los dos fitoquímicos colina y luteína, que son cruciales para su visión.

Los huevos tienen un alto contenido de colesterol, pero no permita que esto le intimide. El consumo de huevos no parece incrementar el riesgo de enfermedad cardiaca. El colesterol de los alimentos no causa un aumento en el colesterol sanguíneo en un 70 por ciento de las personas. Aquellos que son sensibles al colesterol, es decir el otro 30 por ciento, verá un aumento de ambos niveles de HDL y de LDL. Sin embargo, son las partículas de mayor tamaño de colesterol LDL las que aumentan, que son las más seguras. Las partículas de menor tamaño de colesterol LDL, que es el tipo asociado a la enfermedad cardiaca, no aumenta.

Esto no significa que usted pueda comer un omelet de tres huevos todas las mañanas. Disfrutar de los huevos ocasionalmente no es perjudicial para la mayoría de las personas y puede en realidad ayudarle a obtener los nutrientes que necesita a medida que envejece.

Proteja sus ojos de DMAE. La degeneración macular asociada a la edad (DMAE o AMD por sus siglas en inglés) es la causa principal de ceguera en personas mayores de 60 años. Ésta ataca la mácula del ojo, que es la parte usada para una visión central nítida. Afortunadamente, lo

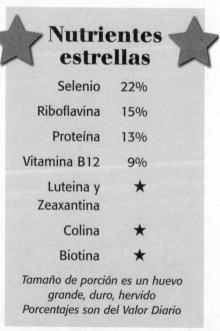

Nutrientes estrellas

Selenio	22%
Riboflavina	15%
Proteína	13%
Vitamina B12	9%
Luteina y Zeaxantina	★
Colina	★
Biotina	★

Tamaño de porción es un huevo grande, duro, hervido Porcentajes son del Valor Diario

que usted come puede tener un gran impacto en su probabilidad de tener esta enfermedad.

■ ■ ■ ■ ■ **Aumente los beneficios** ■ ■ ■ ■ ■

Un huevo es simplemente un huevo—o solía serlo. Ahora usted puede comprarlos enriquecidos con todo tipo de nutrientes, incluyendo omega-3, luteína y vitamina E. Estos huevos especiales cuestan más y si usted come una dieta equilibrada, problemente no necesita los nutrientes añadidos. Sin embargo, no le dañarán si es que usted prefiere comerlos enriquecidos.

Los huevos pasterizados, por otro lado, proveen otra capa de protección contra el envenenamiento por salmonella. Se dice que el proceso de pasterización mata prácticamente al 100 por ciento de la salmonella contenida en la cáscara del huevo. Tenga presente que su riesgo de enfermarse es reducido de partida, pero si usted tiene una edad avanzada o un sistema inmunológico debilitado, los huevos pasterizados pueden valer el costo adicional.

Una manera completamente segura de obtener huevos más saludables es cocinar una omelet con vegetales buenos para usted, como champiñones, queso rallado bajo en grasa o salsa.

Dos carotenoides provenientes de plantas, luteína y zeaxantina, parecen disminuir su riesgo de DMAE protegiendo los cristalinos de sus ojos y absorbiendo la dañina luz ultravioleta que entra a sus ojos. Afortunadamente, las yemas de los huevos son una excelente fuente tanto de luteína como de zeaxantina, y la luteína en los huevos es tres veces más absorbible que la luteína de la espinaca.

Estudios muestran que comer alimentos ricos en estos dos carotenoides puede aumentar sus niveles dentro de la macula. Efectivamente, las personas mayores que consumían un huevo diario por cinco semanas aumentaron sus niveles de luteína en un 26 por ciento y de zeaxantina en un 38 por ciento. Mejor aún, comer un huevo diario no aumentó significativamente su colesterol.

Disminuya su riesgo de cáncer al hígado. Los huevos pueden ser el último alimento que usted esperaría que combata el cáncer, pero un estudio mostró que personas que comen huevos disminuyeron su riesgo de cáncer hepático en alrededor de un 70 por ciento. Tres nutrientes combatientes contra el cáncer en los huevos pueden tener algo que ver.

- En estudios de ratas, deficiencias de colina provocaron el desarrollo de cáncer hepático e hicieron a las ratas más vulnerables a compuestos causantes de cáncer. En personas, una deficiencia produce hígados grasientos porque la colina ayuda remover triglicéridos de su hígado.

- Niveles bajos de selenio están asociados a mayores tasas de cáncer hepático, especialmente en gente con hepatitis B o C. Los expertos sospechan que este mineral también mejora su sistema inmunológico, impide el crecimiento de tumores y afecta cómo su cuerpo procesa compuestos causantes de cáncer.

- Muy poca vitamina B12 en su dieta impide que su cuerpo absorba folato de la comida. Una deficiencia de folato, a su vez, resulta en hebras de ADN más débiles dentro de sus células. El ADN más débil es más propenso a sufrir daño y este daño es un factor mayor en el riesgo de cáncer.

Cura única para uñas frágiles. Lo que es bueno para un caballo también podría ser bueno para los humanos. La vitamina B biotina es un tratamiento efectivo para los problemas de las pezuñas en los caballos y varios estudios muestran que puede fortalecer uñas frágiles. En uno de estos estudios, mujeres que tuvieron más biotina notaron menos fisuras en sus uñas y éstas se hicieron un 25 más gruesas. Junto al hígado, los huevos son uno de los alimentos más ricos en biotina. La leche, el pescado, las nueces y los cereales de grano entero también entregan una dosis saludable.

▪ ▪ ▪ ▪ *Rincón del cocinero* ▪ ▪ ▪ ▪

Almacene los huevos con la punta hacia abajo, para impedir que el aire en su interior desplace a la yema. No los ponga en la puerta del refrigerador—no permanecerán suficientemente fríos. También, evite lavar los huevos antes de almacenarlos. Esto remueve una capa protectora de la cáscara, haciendo más fácil que gérmenes entren. En cambio, limpie cáscaras sucias de los huevos con una toallita seca.

Usted encontrará que es más fácil pelar huevos hervidos si agrega dos cucharaditas de vinagre al agua en que los cocina. Inmediatamente después de hervirlos, enjuague los huevos duros con agua fría para prevenir que se forme un anillo verde y gris alrededor de la yema.

Escoja los tipos correctos de queso

Desde el intenso queso feta hasta el suave queso mozzarella, los quesos vienen en todos los posibles sabores, texturas y variedades. Su contenido nutricional puede ser tan distinto como su sabor o su color, especialmente si usted escoge quesos bajos en grasa. Vea cómo sus rebanadas favoritas le aportan calorías, grasas y varios otros nutrientes importantes.

Queso (1 onza)	Cal.	Grasas sat. (g)	Calcio (mg)	Sodio (mg)	Proteína (g)	B12 (mcg)
Queso cheddar (bajo en grasa)	113 (48)	6 (1)	202 (116)	174 (171)	7.0 (6.8)	0.2 (0.1)
Requesón (grasa reducida) (1%)	29 (20)	1 (0)	16.8 (17.1)	113 (114)	3.5 (3.5)	0.2 (0.2)
Queso crema (grasa reducida)	98 (65)	6 (3)	22.4 (31.4)	82.9 (82.9)	2.1 (3.0)	0.1 (0.2)
Feta	74	4	138	312	4.0	0.5
Monterey (grasa reducida)	104 (88)	5 (4)	209 (197)	150 (158)	6.9 (7.9)	0.2 (0.2)
Mozzarella (descremada)	84 (71)	4 (3)	141 (219)	176 (173)	6.2 (6.8)	0.6 (0.2)
Parmesano	121	5	311	428	10.8	0.6
Provolone (grasa reducida)	98 (77)	5 (3)	212 (212)	245 (245)	7.2 (6.9)	0.4 (0.4)
Ricotta (descremada)	48 (39)	2 (1)	58 (76.2)	23.5 (35)	3.2 (3.2)	0.1 (0.1)
Suizo (grasa reducida)	106 (50)	5 (1)	221 (269)	54 (73)	7.5 (8.0)	0.9 (0.5)
Velveeta (grasa reducida)	85 (62)	4 (2)	130 (161)	420 (444)	4.6 (5.5)	~ (-)

Fuente: NutritionData.com

Leche

■■■■■■■■■

Agarre un vaso frío de bondad

Los humanos ciertamente hemos aprendido a aprovechar la leche al máximo. Estos días, la mayoría de la leche es de vaca, pero usted también puede tenerla de cabra, de oveja, de burra, de yegua, de búfala e incluso de reno.

Una buena cosa: Ésta provee muchos de los nutrientes claves que usted necesita para vivir. La leche contiene proteína completa, de alta calidad, así como una variedad de vitaminas B, incluyendo B12, y los minerales calcio, magnesio, fósforo, zinc, yodo y selenio. En los EEUU, se añade vitamina D a la leche para mejorar la absorción y el uso del calcio en el cuerpo. La leche baja en grasa y aquella sin grasa también pueden ser enriquecidas con vitamina A. Lactosa, un azúcar que se encuentra únicamente en la leche, le ayuda a absorber calcio y fósforo y puede promover el crecimiento de bacterias amistosas en su tracto digestivo.

Ese es sólo el comienzo. Desde su corazón a sus huesos, la leche tiene los nutrientes para ayudar a su cuerpo a mantenerse fuerte.

Una manera simple de aumentar su fortaleza y perder grasa. Engullir un vaso de leche sin grasa después del ejercicio puede ayudarle a desarrollar más músculo y mantener el que ya tiene. Hombres que bebieron un vaso de leche sin grasa inmediatamente después de levantar pesas y otro una hora más tarde, lograron mayor desarrollo muscular y perdieron más grasa que aquellos que tomaron una bebida alta en proteínas de soja o una bebida rica en carbohidratos.

Su cuerpo parece absorber y poner en uso una mayor parte de la proteína en la leche. El tiempo es importante también. Obtener

Nutrientes estrellas

Vitamina D	32%
Calcio	29%
Riboflavina	27%
Vitamina B12	18%
Proteína	16%

Tamaño de porción es una taza de leche con 1% de grasa
Porcentajes son del Valor Diario

la proteína inmediatamente después del ejercicio maximiza la cantidad de músculo que usted desarrolla.

Disminuya el auge de la hipertensión arterial. Coma más productos lácteos para reducir su presión sanguínea. Tomar leche puede hacer una diferencia, particularmente si usted es sensible a la sal.

- Un estudio encontró que holandeses mayores que comían la mayor cantidad de productos lácteos tienden a tener una presión arterial menor. Los investigadores dicen que tener más productos lácteos diariamente podría ayudar a personas con hipertensión o que tengan riesgo de hipertensión.

- Un estudio de Harvard confirma que consumir más productos lácteos, particularmente leche, puede reducir su presión arterial. En este estudio, mientras más productos lácteos la gente consumía, menor era su presión arterial. La disminución más grande resultó del consumo de muchos productos lácteos, pero limitando las grasas saturadas a no más de 11% de sus calorías diarias.

El calcio de la leche y un tipo especial de grasa llamada ácido alfa-linolénico (ALA por sus iniciales en inglés) puede mantener la presión arterial baja. Esta bebida deliciosa también le da potasio y magnesio, conocidos por combatir la hipertensión.

Solamente los productos lácteos bajos en grasa, no aquellos de alto contenido graso, ayudan a su salud. La grasa saturada parece cancelar algunos de los beneficios de la leche, por lo tanto siempre que sea posible escoja leche reducida en grasa (1%) o libre de grasa.

Emplee una lucha triple en contra del cáncer. Desarrolle un gusto por los productos lácteos, especialmente leche, y usted podría disminuir su riesgo de algunos tipos de cánceres. Para comenzar, dos estudios recientes asocian la vitamina D y el calcio con la protección contra el cáncer al colon. Un estudio coreano encontró que un suministro adecuado de calcio disminuye el riesgo de cáncer en seres humanos en un 27 por ciento, mientras que la vitamina D lo disminuye en hasta un 33 por ciento. Un estudio semejante de Hawái, mostró resultados parecidos: reducción en el riesgo de cáncer para hombres en un 30 y 28 por ciento respectivamente asociados a calcio y vitamina D; las mujeres redujeron su riesgo en un 36 por ciento con un suministro adecuado de calcio.

Obtener más calcio de su comida disminuyó el riesgo de cáncer mamario en un 50 por ciento en un grupo de 3,600 mujeres, particularmente otorgando protección a mujeres postmenopáusicas. Otro estudio en un grupo de 30,000 mujeres asoció tanto el calcio como la vitamina D obtenidos de la comida, a menores tasas de cáncer mamario, pero solamente en mujeres premenopáusicas. Otro estudio aun mostró que la leche y el yogur están asociados a menores tasas de cáncer hepático.

La vitamina B12 que se encuentra en la leche también ayuda en la guerra en contra del cáncer. Este nutriente juega un importante rol en la prevención del cáncer, particularmente el cáncer mamario. Su cuerpo necesita B12 para liberar a otra vitamina, el folato, de la comida. Sus células usan a continuación el folato para construir ADN sano, que es donde se encuentra el diseño genético de su cuerpo. Al haber muy poca B12, el folato queda atrapado en los alimentos y el cuerpo no lo puede usar. Esta escasez de folato, a su vez, hace que su cuerpo produzca ADN más débil, el que es más susceptible a cambios causantes de cáncer. Por lo tanto, piense que la leche es una forma triple de luchar contra el cáncer, ya que ésta es rica en calcio y en vitaminas D y B12.

■ ■ ■ ■ ■ Aumente los beneficios ■ ■ ■ ■ ■

Usted puede comprar leche enriquecida con muchos nutrientes. Considere que los siguientes nutrientes le darán el mayor aporte a esta bebida.

- vitamina D, obviamente buena para su salud ósea.

- calcio extra, más allá del que viene naturalmente con la leche, el cual puede ayudar a aumentar la densidad ósea, según muestran algunos estudios.

- omega-3, ácido fólico y ácido oleico, cuya combinación puede combatir el colesterol alto, los triglicéridos, la glucemia elevada y la homocisteína.

Usted puede obtener todos los beneficios sin los inconvenientes si es que evita la leche entera, así como aquella con 2% de grasa, y únicamente consume leche sin grasa, o sólo con 1% de grasa. La grasa saturada que se encuentra naturalmente en los productos lácteos contribuye a la enfermedad cardiaca, la obesidad y algunos cánceres. La leche sin grasa, aquella de grasa reducida y el suero de leche contienen la menor cantidad de grasa, mientras la leche con 1% de grasa viene en segundo lugar, pero todavía es saludable.

Fortalezca sus huesos y prevenga caídas. La leche provee bastante calcio y el calcio proveniente de los alimentos construye huesos más fuertes que el calcio de los suplementos. La leche fortificada también le provee vitamina D. Investigaciones recientes sugieren que para su densidad ósea, satisfacer sus requerimientos de vitamina D puede ser, en realidad, más importante que satisfacer sus requerimientos de calcio. Nueva evidencia muestra que las proteínas de la leche también tienen un rol importante en la construcción de huesos. Esto es especialmente importante para mujeres mayores de 50 años, las cuales tienen un mayor riesgo de tener huesos frágiles que se fracturan fácilmente.

La combinación de calcio y vitamina D en la leche puede ayudar a proteger sus huesos de otra forma también. Un estudio reciente encontró que la leche reducía el riesgo de caídas en mujeres mayores en un 46 por ciento. Las mujeres menos activas se beneficiaron aún más, con una disminución de 65 por ciento en el riesgo de caídas. Los expertos explican que las deficiencias de vitamina D contribuyen a la debilidad muscular, que es un factor de riesgo mayor en las caídas. Además, sus músculos pierden su habilidad para utilizar la vitamina D con la edad. Todo esto significa que usted necesita más vitamina D a medida que envejece para mantener sus músculos trabajando bien.

Rincón del cocinero

■ Prolongue la vida de su leche refrigerándola a 40 grados Fahrenheit o menos. Agregar una pizca de sal o un cucharadita de bicarbonato de soda a la leche cuando está cercana a su fecha de expiración puede ayudarle a obtener unos pocos días adicionales. Nunca devuelva leche que no usó al envase con el resto de la leche.

■ Si usted prefiere leche en lata, asegúrese de voltear la lata, poniéndola al revés, cada dos meses y refrigérela en un envase no transparente después de abrirla.

■ Usar leche cuando cocina no tiene porque ser difícil. Cuando la caliente en la estufa, esparza una capa delgada de mantequilla sin sal en el fondo de la sartén para prevenir que la leche se pegue. No es necesario escaldar la leche ya que la leche pasterizada ya ha sido escaldada.

Queso mozzarella

■ ■ ■ ■ ■ ■ ■ ■ ■ ■ ■ ■ ■ ■ ■ ■

El queso ayuda a su corazón

¿Ha probado usted quesos envejecidos? Imagínese, los arqueólogos dicen que la producción de queso comenzó hace alrededor de 10,000 años atrás. Los romanos eran realmente los conocedores del queso y ellos exportaron su afección por el queso alrededor del mundo. Cuando el imperio romano cayó, los monasterios de las iglesias mantuvieron vivo el conocimiento de cómo producir queso durante la edad media. Ahora usted puede disfrutar de más de 1,000 diferentes variedades de queso de alrededor del mundo, con más de 350 provenientes de Francia.

El mozzarella es un queso no madurado, que se hace estirando la cuajada. No sigue el mismo proceso de envejecimiento y maduración que otras variedades como el chedar, el brie o el muenster. En cambio, la cuajada de la leche se deja en agua hasta que alcanza la consistencia gomosa apropiada, luego se estira y se amasa para darle forma.

Como la mayoría de otros productos lácteos, el queso mozzarella es una gran fuente de calcio para huesos fuertes, así como de proteínas y fósforo. Aprenda a cocinar con mozzarella. Usted llegará a sentir afección por el mozzarella y éste le corresponderá, queriéndolo de vuelta.

Detenga el exceso de azúcar en la sangre. Buenas noticias para personas con diabetes— usted ya no tiene que abandonar todas sus comidas favoritas que tienen un alto índice glucémico. Agregarle queso a algunas comidas puede disminuir su índice glucémico a niveles seguros.

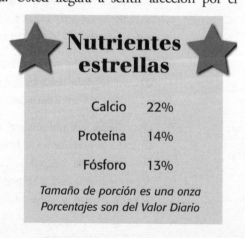

Nutrientes estrellas

Calcio	22%
Proteína	14%
Fósforo	13%

Tamaño de porción es una onza
Porcentajes son del Valor Diario

Las patatas se consideran un alimento con un alto índice glucémico (IG), mientras que para la pasta éste es mediano y para una tostada, es bajo. Salpicar alrededor de una taza de queso chedar rallado en cada una de estas comidas redujo significativamente su valor de IG, haciendo que todas ellas, incluso las patatas, quedaran en el rango bajo.

■ ■ ■ ■ ■ **Aumente los beneficios** ■ ■ ■ ■ ■

Generalmente toma alrededor de 11 libras de leche para producir tan solo una libra de queso. No es ninguna sorpresa entonces que esta delicia pueda ser una fuente tan concentrada de grasas saturadas. Pero no desespere. Es fácil disfrutar del queso y al mismo tiempo disminuir la ingesta de grasas.

■ Use queso sin grasa o de grasa reducida para añadir sabor a sus ensaladas en vez de agregar aderezos grasientos. Basta con un poco de queso duro de sabor fuerte, como el sapsago o el romano, para agregar bastante sabor.

■ Deje el mozzarella fresco para ocasiones especiales y use el queso de grasa reducido o sin grasa para la cocina del día a día. El mozzarella fresco se hace a partir de leche entera, por lo que contiene mucha más grasa saturada.

Los investigadores dicen que agregar un poco de grasa a su comida disminuye la respuesta glucémica de su cuerpo. Esto se explica porque la grasa en su comida hace que su estómago se vacíe mucho más lentamente hacia su intestino delgado. Esto, a su vez, hace que su cuerpo absorba carbohidratos más lentamente en su torrente sanguíneo, lo que conduce a un aumento menor y más gradual del azúcar en su sangre después de comer. Ya que cuidar el nivel de azúcar en la sangre es uno de los mayores desafíos de la diabetes, de seguro usted deseará celebrar al usar queso en su cocina.

Una manera deliciosa de combatir la boca seca. Comer queso con bacterias beneficiosas añadidas puede hacer que su boca se sienta muy feliz. La gente mayor que comió alrededor de media taza de queso chedar rallado al día, producido con cultivos bacterianos vivos y amigables, llamados probióticos, redujeron la cantidad de levadura cándida que crece en sus bocas y disminuyeron su riesgo de una boca seca. Aquellos que comieron sólo queso regular, sin las bacterias beneficiosas añadidas, vieron un aumento en la cantidad de levaduras no amigables que viven en sus bocas. Algunas compañías ahora ofrecen queso probiótico junto a sus quesos tradicionales. Pruébelo y vea si le gusta.

Causa oculta de migrañas

Las personas que padecen de migrañas probablemente querrán evitar el mozzarella. Éste contiene tiramina, un compuesto que puede provocar migrañas en algunas personas. Usualmente, mientras más se envejece el queso, éste contiene más tiramina, sin embargo, el mozzarella es la excepción. El queso azul, el brie, el chedar, el feta, el gorgonzola, el muenster, el parmesano y el suizo son todos abundantes en este compuesto también.

■ ■ ■ ■ *Rincón del cocinero* ■ ■ ■ ■

- El queso de grasa reducida puede ser mejor para usted, pero es notoriamente más difícil de derretir. Un arreglo fácil es remojar las rebanadas en agua o en caldo por dos minutos y luego derretirlas. Seva a desparramar igual que el queso con toda su grasa.

- El queso tendrá más sabor si usted lo deja entibiarse hasta que esté a temperatura ambiente antes de servirlo. Sin embargo, si lo va a rallar, hágalo mientras está frío. Póngalo en la hielera por 10 minutos a enfriar, si es necesario.

- Use el mozzarella luego de comprarlo. Este queso se pone malo más rápido que casi todas las otras variedades, ya que es blando y contiene más humedad.

Yogur

■■■■■■■■■

Delicia cremosa que aumenta la salud de todo el cuerpo

Uno de los productos lácteos más saludables y más versátiles fue probablemente descubierto por accidente hace 4,000 años, cuando algunos nómades se toparon con una nueva forma de preservar la leche. Asia, el Medio Oriente y países mediterráneos han disfrutado del yogur por años. Ahora, finalmente Estados Unidos está adquiriendo el gusto por este alimento.

Se agregan bacterias amigables, usualmente *Streptococcus thermophilus* o *Lactobacillus bulgaricus*, a la leche pasterizada; luego ésta se calienta y después se deja enfriar. Las bacterias transforman parte de la lactosa, o azúcar láctea, en ácido láctico, que es el secreto detrás del sabor fuerte del yogur. Mientras más tipos de bacterias estén presentes, más fuerte el sabor que se obtiene.

Este alimento cremoso y delicioso fortifica el sistema inmunológico, refuerza los huesos, ayuda en la pérdida de peso, previene trastornos digestivos e incluso combate el mal aliento, gracias a su sorprendente combinación de calcio, proteína y bacterias amistosas. Al igual que la leche, es además una excelente fuente de fósforo, potasio y vitaminas B. Descubra este súper alimento hoy día.

Endulce su aliento con postre cremoso. Deshacerse de su mal aliento puede ser tan sencillo como comer media taza de yogur. Investigadores japoneses tomaron 24 personas con halitosis, o mal aliento, y les dieron cada día alrededor de tres onzas y media de yogur sin sabor, sin azúcar y con cultivos bacterianos.

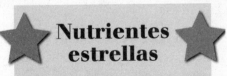

Nutrientes estrellas

Calcio	45%
Fósforo	35%
Riboflavina	31%
Proteína	26%
Vitamina B12	23%
Bacterias beneficiosas	★

Tamaño de porción es 8 onzas, reducido en grasas
Porcentajes son del Valor Diario

Después de seis semanas, 80 por ciento de las personas tuvieron una disminución del maloliente compuesto ácido sulfhídrico, que es uno de los causantes principales del mal aliento. Ellos también tuvieron menor cantidad de bacterias dañinas en sus lenguas, menos placa y encías más saludables. El yogur que ellos comieron contenía bacterias vivas, así es que elija yogur sin azúcar y con "cultivos vivos y activos".

■ ■ ■ ■ ■ **Aumente los beneficios** ■ ■ ■ ■ ■

Compre yogur con la fecha de expiración más tarde y asegúrese de comprar las variedades sin grasa y de grasa reducida, para obtener todos los beneficios sin la grasa saturada. También evite yogur con sabor que contenga cantidades excesivas de azúcar añadida. En cambio, compre yogur sin sabor ni azúcar y agréguele su propia miel o frutas para hacerlo dulce en forma natural.

Busque las etiquetas que digan cultivos "vivos", "activos" o "viables". Esto significa que el yogur contiene bacterias vivas, el único tipo que beneficia su sistema digestivo. Usted puede cocinar con yogur, pero el calor matará a estas buenas bacterias.

Deshágase de la molestia de la diarrea. Si sufre de diarrea, a lo mejor debería comer más yogur. Comer yogur regularmente puede ayudar a tratar la diarrea causada por microbios en el estómago y puede prevenir aquella causada por antibióticos

Una revisión de investigaciones médicas en niños mostró que *Lactobacillus*, una bacteria buena presente en el yogur, alivia la diarrea causada por infecciones bacterianas. Los antibióticos, por otro lado, provocan diarrea al romper el equilibrio entre bacterias buenas y malas en su intestino, lo que lleva a un crecimiento excesivo de las bacterias malas. Otra revisión mostró que comer yogur hecho con las amigables *Lactobacilli* o *Bifidobacteria* ayudó a prevenir ataques de diarrea inducida por antibióticos, en dos de un total de cuatro estudios. Esto condujo a los investigadores a concluir que los probióticos pueden proveer algún beneficio. Nuevamente, busque las variedades de yogur con cultivos bacterianos "vivos y activos" para probar este remedio.

Inmunícese en contra de infecciones. Aunque usted no lo crea, las bacterias que se encuentran naturalmente en su intestino tienen un rol crucial en mantener su sistema inmunológico saludable. El yogur puede ayudar a mantener el equilibrio entre los microbios en su intestino, dándole una inmunidad más fuerte en contra de infecciones como la neumonía.

Eliminar todos los alimentos fermentados de su dieta en realidad debilita su sistema inmune, pero investigaciones muestran que consumir yogur puede hacer que éste vuelva a su nivel normal. Los expertos piensan que el yogur que contiene bacterias vivas puede fortalecer su sistema inmune y ayudarlo a combatir las enfermedades. En un grupo de personas mayores, aquellos que comieron yogur con la bacteria *Lactobacillus casei* se recuperaron de enfermedades un 20 por ciento más rápido. En animales, el yogur ayuda a sus sistemas inmunes a recuperarse de deficiencias nutricionales, recuperar la fortaleza de sus sistemas inmunes y a combatir infecciones respiratorias como la neumonía.

¿Le parece extraño? Su cuerpo tiene células inmunes que producen un compuesto para combatir las enfermedades llamado inmunoglobulina. Estos increíbles resultados tienen sentido si usted piensa que el 80 por ciento de estas células viven en su intestino delgado. Comer yogur con bacterias vivas provoca que su cuerpo produzca más de estas células inmunes y las induce a producir más inmunoglobulina. Además, el yogur estimula a otras células inmunes, llamadas células-T, para que éstas produzcan sustancias llamadas citocinas.

Gane en contra del sobrepeso con una delicia llena de calcio. No es una píldora mágica, pero agregar exquisita y cremosa delicia a su dieta puede ayudarle a perder más libras y quemar más grasa que si simplemente restringe las calorías.

Los científicos dicen que el calcio en el yogur puede evitar que su cuerpo absorba la grasa de las comidas. Más aún, el calcio de los alimentos parece ayudarle a perder más peso y grasa que el calcio de los suplementos. Un grupo de personas con sobrepeso que estaban a dieta perdió un 61 por ciento más de grasa corporal y un 22 por ciento más libras simplemente restringiendo sus calorías y comiendo seis onzas de yogur tres veces al día.

El yogur es un gran bocadillo para tener entre comidas. Tanto la variedad gruesa que usted come con una cuchara como el yogur líquido le harán sentirse más lleno que un jugo de fruta u otras bebidas lácteas. Puede no ayudarle a comer menos en su próxima comida, pero puede ayudarle a sentirse mejor entre comidas y a evitar otros bocadillos menos saludables.

Además, incluir al yogur en sus planes para perder peso le proveerá el calcio que usted necesita para mantener sus huesos fuertes. Las mujeres tienden a perder densidad ósea cuando pierden peso, tal vez porque disminuyen su ingesta de productos lácteos en su esfuerzo de reducir su ingesta de calorías. Desafortunadamente, disminuir las calorías de su dieta también parece limitar la cantidad de calcio que usted puede absorber.

La solución es incluir al yogur en su dieta, pero escoja las variedades bajas en grasa y libres de grasa. Las mujeres que obtuvieron entre 1,000 y 1,800 mg de calcio diario mientras estaban a dieta no perdieron masa ósea, comparadas con otras mujeres a dieta. Ocho onzas de yogur bajo en grasa le provee con 118 mg de calcio, que es casi la mitad del mínimo que usted necesita.

■ ■ ■ ■ *Rincón del cocinero* ■ ■ ■ ■

El yogur mejora casi cualquier plato. Use yogur con sabor añadido, como vainilla, para acompañar frutas y vegetales, agréguelo al stroganoff o al guacamole o úselo para coronar papas al horno y cereales fríos. Además, es una saludable alternativa en vez de la leche para los batidos. Use yogur sin sabor, bajo en grasa o sin grasa en lugar de la mayonesa, cremas, o crema agria en sus recetas, o disfrute del yogur como un bocadillo por sí solo, agregándole miel, frutas o granola.

El yogur cuaja fácilmente cuando se cocina. Usted puede disminuir el cuajado si deja que el yogur se entibie hasta temperatura ambiente y luego lo cocina a fuego lento. Si lo usa en vez de crema en un plato caliente, espolvoree un poco de maicena para evitar que se separe. Agregue una cucharadita de maicena por cada taza de yogur.

Guía rápida: nutrición para cada condición

Piel envejecida

■ ■

En caso que no lo haya notado, su piel cambia con la edad, desarrollando lo que algunos pueden llamar "carácter", pero generalmente se conoce como arrugas, marcas, manchas y sequedad. También se hace más delgada y pierde grasa, haciéndose menos rellena, menos suave y requiriendo posiblemente más tiempo para sanar.

La luz solar es uno de los principales culpables detrás del envejecimiento de la piel. Cuando los rayos solares llegan a su piel, comienzan una reacción química que crea radicales libres. Estas moléculas inestables dañan a las células de la piel y con el pasar del tiempo, el daño se muestra como desgaste asociado a la edad. También puede conducir a cáncer de la piel.

Afortunadamente, nunca es demasiado tarde para empezar a protegerse. Evite el sol cuando éste es más fuerte, use un bloqueador solar con un factor de protección solar (SPF por sus siglas en inglés) de por lo menos 15, use ropa protectora y evite lámparas solares y camas solares a toda costa. Muchos productos afirman revitalizar la piel envejecida o reducir las arrugas, pero la Administración de Alimentos y Drogas ha aprobado sólo unos pocos para la piel dañada por el sol o envejecida. Varios tratamientos alivian la sequedad de la piel y reducen la aparición de manchas relacionadas a la edad.

Algunos estudios indican que la dieta que usted mantiene a lo largo de su vida puede afectar cómo su piel envejece. Un estudio concluyó que la gente que tiene dietas ricas en frutas, verduras, legumbres, huevos, granos enteros, nueces, agua y té mostró menor daño causado por el sol, que la que comía principalmente carnes rojas, leche entera, mantequilla, papas y azúcar. Comience a cuidar de su piel con los siguientes nutrientes.

Nutriente	Qué hace	Fuentes
Ácidos grasos mono-insaturados (MUFAs por sus siglas en inglés)	reducen el daño solar por radicales libres mediante sus propiedades antioxidantes	aceite de oliva, almendras, aguacates
vitamina C	reduce el daño solar por radicales libres mediante sus propiedades antioxidantes	pimientos, brócoli, alcachofas
vitamina E	reduce el daño solar por radicales libres mediante sus propiedades antioxidantes	almendras, kiwi, espinaca, semillas de girasol
agua	aumenta el volumen de las células de la piel reduciendo la aparición de líneas	

Enfermedad de Alzheimer

■ ■

La enfermedad de Alzheimer (EA) es un trastorno cerebral que usualmente comienza después de los 60 años. Conduce a una pérdida severa de capacidad mental que interfiere con sus actividades del día a día.

La EA comienza lentamente. Si usted padece de la EA, las primeras áreas de su cerebro en ser afectadas son aquellas que controlan el pensamiento, la memoria y el lenguaje. Esto significa que usted puede tener dificultad recordando cosas que ocurrieron recientemente o nombres de personas que conoce. Con el tiempo, los síntomas se empeoran. Puede que usted no reconozca a sus familiares o que tenga dificultad al hablar, leer o escribir. Incluso puede olvidar cómo cepillar sus dientes o peinar su pelo. En las etapas posteriores de la EA, las personas pueden ponerse ansiosas o agresivas, o pueden irse de sus casas y perderse. Eventualmente, ellos requieren un cuidado total.

Pese a que ninguno de los tratamientos o medicinas actuales puede detener el alzheimer, algunos medicamentos pueden ayudar a detener el avance de los síntomas por algún tiempo. Los investigadores continúan buscando formas de curar o prevenir la EA. Un estudio encontró que tomar una hierba tradicional china, ba wei di huang wan (BDW), puede ayudar a reducir los síntomas de demencia e incluso mejorar el estado de ánimo. Mientras tanto, usted puede cuidar su nutrición, lo que seguramente ayudará.

Nutriente	Qué hace	Fuentes
folato	ayuda al cuerpo a fabricar ciertos aminoácidos, los bloques constituyentes de las proteínas	aguacates, melones honey dew, frijoles negros, espinaca
ácidos grasos omega-3	reducen la inflamación en los vasos sanguíneos del cerebro	salmón, atún, linaza
tiamina	necesaria para la conducción de señales nerviosas desde el cerebro a otras partes del cuerpo	brócoli, semillas de girasol, frijoles, espárragos
vitamina B12	ayuda en la producción de neurotransmisores para conducir señales nerviosas	jaiba o cangrejo, salmón, atún, productos lácteos

Asma

■ ■ ■ ■ ■ ■ ■ ■ ■

Si usted padece de asma, simplemente respirar puede ser una lucha. Esta enfermedad crónica afecta sus vías aéreas, los tubos que llevan el aire para que éste entre y salga de los pulmones. Las paredes interiores de sus vías aéreas se ponen delicadas e hinchadas, lo que las hace sensitivas. Estas vías aéreas sensitivas pueden reaccionar fuertemente a cosas que le producen alergia o irritación, como humo de cigarrillos, aire frío, moho y polvo. El ejercicio y ciertas comidas, como huevos, cacahuates, leche, trigo, soja y frutas cítricas también pueden provocar una reacción.

Y cuando sus vías aéreas reaccionan, tenga cuidado. Ellas se angostan, de forma que sus pulmones obtienen menos aire. Esto puede provocar respiración sibilante, tos, opresión en el pecho y dificultad al respirar, especialmente temprano en la mañana o en la noche. Un ataque de asma ocurre cuando los síntomas se empeoran. En un ataque severo de asma, sus vías aéreas pueden cerrarse tanto, que sus órganos vitales no obtienen suficiente oxígeno. Puede llegar a matarlo.

Medicamentos, tomados usualmente a través de inhaladores, pueden ayudar a tratar los ataques de asma y a mantener los síntomas bajo control. Afortunadamente, algunos nutrientes que se encuentran en comidas comunes también le pueden ayudar a respirar con más facilidad.

Nutriente	Qué hace	Fuentes
beta caroteno	mejora la capacidad pulmonar	zanahorias, espinaca
cafeína	relaja los tubos bronquiales para que las vías aéreas permanezcan abiertas	café, té negro y verde colas, chocolate
licopeno	junto a la vitamina E, tiene un efecto antioxidante que previene los ataques de asma inducidos por ejercicio	tomatesm jugo de tomates, sandía, guayaba
quercitina	funciona como antioxidante para reducir la inflamación de los pulmones	manzanas, cerezas arándanos agrios, cebolletas
vitamina C	actúa como una antihistamina, antiinflamatorio y antioxidante natural	kiwi, alcachofas arándanos, pimientos dulces

Hiperplasia benigna prostática

La hiperplasia benigna prostática (HBP) es un problema en la próstata. Sólo los hombres tienen esta glándula. Se encuentra debajo de su vejiga y alrededor de su uretra, que es el pasaje que la orina sigue para abandonar su cuerpo.

Cuando usted es un hombre joven, su próstata tiene aproximadamente el tamaño de una nuez. A medida que envejece, ésta crece lentamente. Si la próstata crece demasiado, puede causar problemas urinarios.

La hiperplasia benigna prostática (HBP) es muy común en hombres mayores. La próstata está agrandada pero no hay cáncer. Con el tiempo, una próstata agrandada puede presionar la uretra, dificultando el orinar. Puede causar goteo después de orinar o la necesidad de orinar frecuentemente, especialmente en la noche.

Existen varios tipos diferentes de problemas en la próstata que pueden causar estos síntomas, los que incluyen HBP, infecciones o cáncer a la próstata. Pero sólo un doctor puede distinguir entre éstas. Su doctor le hará un examen rectal, para chequear si tiene HBP. También puede requerir rayos X especiales o scans para revisar su uretra, próstata y vejiga.

Los tratamientos para HBP incluyen chequeos regulares por su doctor, medicamentos, como bloqueadores alfa y finasterida, y cirugía. A continuación vea algunos nutrientes que también le pueden ayudar.

Nutriente	Qué hace	Fuentes
isoflavonas	compuestos químicos naturales en las plantas que bloquean la conversión de testosterona a DHT, la cual causa el crecimiento de la próstata	porotos de soja leche de soja tofu
lignanos	funcionan como hormonas, bloqueando la conversión de testosterona a DHT, la cual causa el crecimiento de la próstata	semillas de lino bayas granos enteros
selenio	retrasa el crecimiento de las células de la próstata	hongos atún
zinc	puede ayudar a encoger una próstata agrandada o a reducir la inflamación	hojas de amaranto cangrejo hongos

Cáncer a la mama

El cáncer mamario afecta a una de cada ocho mujeres a lo largo de sus vidas. De hecho, éste mata más mujeres en los Estados Unidos que cualquier otro cáncer, excepto el cáncer pulmonar. Nadie sabe exactamente por qué algunas mujeres padecen de cáncer mamario, pero los expertos creen que los siguientes factores elevan su riesgo.

- *Edad.* Su probabilidad de tener cáncer mamario aumenta a medida que usted envejece.

- *Herencia.* Dos genes, BRCA1 y BRCA2, aumentan enormemente su riesgo. Las mujeres que tienen familiares con cáncer de mama o de ovario pueden querer tomar un examen para determinar si tienen estos genes.

- *Menstruación.* Comenzar sus periodos menstruales antes de los 12 años o tener la menopausia después de los 55 años aumenta su probabilidad de desarrollar cáncer mamario.

Otros factores de riesgo incluyen el sobrepeso, el uso de terapia de reemplazo hormonal, el uso de píldoras anticonceptivas, el consumo de alcohol, no tener hijos o tener su primer hijo después de los 35 años y el tener pechos densos. Los hombres también pueden tener cáncer a la mama, pero el número de casos es pequeño.

Los científicos están estudiando ávidamente ciertas comidas y nutrientes por su potencial para combatir esta enfermedad mortal. A continuación se encuentran algunos candidatos prometedores.

Nutriente	Qué hace	Fuentes
fibra	cambia los niveles hormonales premenopáusicos, reduciendo el crecimiento de tumores	salvado de trigo, pan integral
isotiocianatos	estimulan enzimas en el cuerpo, las que bloquean hormonas esteroidales que causan tumores	repollo, brócoli, coles de Bruselas
ácidos grasos omega-3	compiten con los ácidos grasos omega-6 por enzimas, bloqueando el crecimiento de tumores y fabricando productos derivados anticancerígenos	salmón, trucha sardinas, atún light, semillas de lino
fitoestrógenos	funcionan como las hormonas humanas, suprimiendo el crecimiento de los tumores	porotos de soja, leche de soja, tofu

Cataratas

■ ■ ■ ■ ■ ■ ■ ■ ■ ■ ■ ■ ■ ■ ■ ■

Al igual que un cielo oscuro y nublado puede significar problemas, lo mismo ocurre cuando se nubla el cristalino de sus ojos. Eso es lo que pasa cuando usted tiene cataratas, una condición muy común en gente mayor. De hecho, a los 80 años, más de la mitad de toda la gente en los Estados Unidos padece de cataratas o ha tenido cirugía de cataratas.

Los síntomas comunes de cataratas incluyen:

- visión borrosa
- colores que parecen desteñidos
- brillos
- visión nocturna pobre
- visión doble
- cambios frecuentes en la prescripción de sus anteojos

Las cataratas usualmente se desarrollan lentamente, con cambios graduales en su visión. Nuevos anteojos, iluminación más brillante, anteojos anti-brillo o lentes de aumento pueden ayudar al comienzo. Usted también puede requerir cirugía, la que involucra remover el cristalino nublado y reemplazarlo con un lente artificial. Si se dejan sin tratamiento, las cataratas pueden conducir a la ceguera.

Usar lentes de sol y un sombrero con ala para bloquear los rayos ultravioleta en la luz solar puede ayudar a retrasar las cataratas. Usted puede darle más protección a sus ojos si deja de fumar, limita su consumo de alcohol y come más de los siguientes nutrientes.

Nutriente	Qué hace	Fuentes
antioxidantes (luteína, vitaminas A, C, E)	combaten el daño que los radicales libres producen en los ojos, por la luz solar	kiwi, coliflor melón honey dew, brócoli
vitaminas del complejo B (niacina, tiamina, riboflavina)	deficiencias están asociadas a cataratas en el centro de los cristalinos de los ojos	espelta, atún nectarinas, pan de harina integral
proteína	deficiencias están asociadas a cataratas en el centro de los cristalinos de los ojos	huevos, queso, salmón, camarones

Resfríos y gripe

■ ■

¿Está estornudando, tosiendo, tiene una garganta raspada y la nariz congestionada? Entonces tiene un resfrío. Cada año, la gente en Estados Unidos sufre de un billón (es decir, mil millones) de resfríos.

Toque una superficie cubierta con gérmenes del resfrío y luego toque sus ojos o su nariz; así de fácil puede resfriarse. Usted también puede inhalar los gérmenes. Los síntomas empiezan en dos o tres días y pueden durar entre dos días y dos semanas. Lavarse las manos y mantenerse alejado de personas que están resfriadas le ayudará a evitar esta enfermedad.

Los síntomas de la gripe son distintos. Ellos aparecen súbitamente y son peores que aquellos del resfrío común. Puede incluir dolores articulares o musculares, escalofríos, tos, fiebre, dolor de cabeza y dolor de garganta.

La gripe (o influenza) es una infección respiratoria causada por varios tipos distintos de virus. Estos pasan a través del aire y entran a su cuerpo por su nariz o su boca. Puede ser seria e incluso mortal para personas de edad avanzada, bebés recién nacidos y aquellos con algunas enfermedades crónicas.

A veces es difícil distinguir entre un resfrío y una gripe. Recuerde esto: los resfríos rara vez causan fiebre o dolor de cabeza, mientras que la gripe casi nunca causa problemas estomacales. Ahora revise los siguientes nutrientes para combatir estas enfermedades en forma natural.

Nutriente	Qué hace	Fuentes
alicina	actúa como un antibiótico natural, matando microbios	ajo
selenio	aumenta la inmunidad para combatir infecciones	hongos, avena, cangrejo
vitamina C	puede acortar la duración de los síntomas del resfrío	pimientos dulces, kiwi, limas
agua	previene la deshidratación	
zinc	aumenta la inmunidad para prevenir infecciones	cangrejo, salvado de trigo, hojas de amaranto

Cáncer del colon

El cáncer del colon o del recto también se llama cáncer colorrectal. Aunque es el cuarto tipo más común de cáncer en los Estados Unidos, el cáncer colorrectal es frecuentemente curable si se detecta suficientemente temprano.

Usted tiene más probabilidad de desarrollar cáncer colorrectal si tiene más de 50 años y el riesgo aumenta con la edad. También es más probable que le dé si usted tiene:

- pólipos, que son crecimientos dentro del colon y el recto, los que se pueden tornar cancerosos.

- una dieta rica en grasas

- una historia familiar o personal de cáncer colorrectal.

- colitis ulcerosa o enfermedad de Crohn.

Los síntomas incluyen sangre en la deposición, deposición más angosta, cambios en los hábitos intestinales y un malestar estomacal general. Sin embargo, puede que usted no desarrolle síntomas en forma inmediata, por lo que los exámenes preventivos son importantes. Todas las personas de 50 años de edad o mayores deberían ser examinados regularmente. Los tratamientos incluyen cirugía, quimioterapia y radiación.

Comidas y nutrientes como los siguientes pueden ayudarle a evitar el cáncer del colon.

Nutriente	Qué hace	Fuentes
antocianinas	bloquean el crecimiento de células cancerosas	arándanos, cerezas
calcio	se une a los ácidos biliares en el colon, previniendo la formación de pólipos	leche, col china, brócoli
fibra	arrastra agentes cancerígenos en el sistema digestivo y los saca del cuerpo	granos enteros, arroz integral, frijoles negros, brócoli
folato	previene daño en el ADN, previniendo así que las células se tornen malignas	espinaca, espárragos coliflor, alcachofas
luteína	funciona como un antioxidante bloqueando la formación de tumores	espinaca, tomates, nectarinas, brócoli

Estreñimiento

■■■■■■■■■■■■■■■■■■■

Todos tienen un ataque de estreñimiento de vez en cuando. Evacuaciones intestinales infrecuentes, menos de tres veces a la semana, y dificultad al defecar son indicaciones de estreñimiento. En la mayoría de los casos, sólo dura un tiempo corto y no es seria. Pero el estreñimiento puede ser un efecto secundario de un medicamento o un síntoma de una condición más seria. También se hace más común con la edad.

El estreñimiento puede conducir a otros problemas. El esfuerzo requerido al defecar puede causar hemorroides y las heces duras pueden causar fisuras anales o daño en la piel cercana al ano.

Los laxantes pueden ser una solución de corto plazo, pero usted no quiere desarrollar una dependencia de ellos. Bastan unos pocos cambios en su estilo de vida para prevenir el estreñimiento.

- Coma más frutas, verduras y granos, los que son ricos en fibra, como los que se enumeran más abajo.

- Tome bastante agua y otros líquidos

- Haga una cantidad suficiente de ejercicios

- Hágase el tiempo de ir al baño cuando necesita.

No sienta que usted tiene que deponer todos los días. La frecuencia normal de deposición varía entre distintas personas y se encuentra entre tres veces al día y tres veces por semana. Sin embargo, si usted tiene un cambio súbito en su frecuencia, hable con su doctor.

Nutriente	Qué hace	Fuentes
fibra insoluble	ablanda y agrega volumen a las heces para facilitar el movimiento intestinal	granos enteros, cereal higos, brócoli
fibra soluble	forma un gel en el intestino, el que acelera las heces	avena, frijoles negros, aguacates
agua	mantiene las heces blandas, previniendo el bloqueo intestinal	

Depresión

■■■■■■■■■■■■■■■

La depresión es más que simplemente sentirse un poco triste o abatido por unos pocos días. Es una condición médica seria que afecta su cerebro.

Si usted es una de las más de 20 millones de personas que sufre depresión en los Estados Unidos, los sentimientos de tristeza no se van. En cambio, se quedan e interfieren con su vida. Los síntomas de la depresión pueden incluir pérdida de interés o de placer en actividades que usted solía disfrutar, tristeza, cambios en su peso, problemas para dormir, exceso de sueño, pérdida de energía, sentimientos de falta de valor o pensamientos de muerte o de suicidio.

La depresión puede ser más común en algunas familias, pero es mucho más frecuente en mujeres que en hombres. Pero las buenas noticias es que existen tratamientos efectivos para la depresión, incluyendo antidepresivos y terapia. La mayoría de la gente se beneficia más usando ambos. A continuación se encuentran algunos alimentos que también le pueden ayudar.

Nutriente	Qué hace	Fuentes
cafeína	mejora el estado de ánimo	café, té
folato	necesario para producir neurotransmisores, los que llevan señales nerviosas; ayuda a que los medicamentos contra la depresión funcionen mejor	lechuga, espárragos alcachofas, coliflor melón honey dew, espinaca
ácidos grasos omega-3	ayudan a los neurotransmisores a llevar mensajes entre las células nerviosas; aumentan los niveles de serotonina para mejorar el estado de ánimo	salmón, sardinas, trucha, atún, semillas de lino
triptofano	necesario para producir serotonina, la que mejora el estado de ánimo	espinaca,camarones, cangrejo
vitamina B12	ayuda al folato a producir neurotransmisores.	cangrejo, salmón

Diabetes

■ ■ ■ ■ ■ ■ ■ ■ ■ ■ ■ ■ ■ ■

La diabetes es una enfermedad en la que el azúcar en su sangre (glucosa) tiene niveles demasiado altos. El azúcar de su sangre proviene de los alimentos que usted come, pero una hormona llamada insulina usualmente ayuda a convertir el azúcar en su sangre en energía para sus células.

Sin embargo, con la diabetes de tipo 1, su cuerpo no produce insulina. Y en la diabetes de tipo 2, que es más común, su cuerpo no usa la insulina bien y eventualmente pierde la habilidad de producirla. Sin suficiente insulina, el azúcar en su sangre permanece ahí.

Con el tiempo, niveles demasiado altos de azúcar en su sangre pueden dañar sus ojos, riñones y nervios. La diabetes también puede causar enfermedad cardiaca, apoplejía e incluso la necesidad de amputar una extremidad.

Los síntomas de la diabetes de tipo 2 pueden incluir fatiga, sed, pérdida de peso, visión borrosa y orinar frecuentemente. Pero algunas personas no tienen ningún síntoma y deben tomarse un examen de sangre para determinar si tienen diabetes. El ejercicio, el controlar el peso y el seguir sus planes de alimentación son maneras importantes de controlar su diabetes. Los siguientes nutrientes pueden ayudar. Usted también debería controlar los niveles de azúcar en su sangre y tomar los medicamentos que su doctor le haya prescrito.

Nutriente	Qué hace	Fuentes
biotina	ayuda a digerir las grasas y carbohidratos, regula el azúcar en la sangre	huevos, leche, mantequilla de maní
cromo	ayuda a la insulina a mover la glucosa desde su sangre al interior de las células	lechuga romana, leche, hongos
fibra	retrasa la conversión de carbohidratos en glucosa para evitar aumentos súbitos en la glucemia	avena, arroz integral, pan integral de trigo, frijoles negros
magnesio	ayuda a prevenir la resistencia a la insulina	aguacates, salvado de trigo, frijoles negros
ácidos grasos omega-3	previenen la resistencia a la insulina	salmón, semillas de lino

Diarrea

■ ■ ■ ■ ■ ■ ■ ■ ■ ■ ■ ■ ■

Si usted tiene deposiciones sueltas, sin consistencia y acuosas más de tres veces en un día, probablemente usted tiene diarrea. También puede sufrir de espasmos o retorcijones, hinchazón, nausea y una necesidad urgente de evacuar.

La diarrea puede ser causada por muchas cosas, incluyendo bacterias, virus o parásitos; medicamentos; intolerancias a algunos alimentos; y un pequeño grupo de enfermedades que afecta el estómago, el intestino delgado o el colon. Pero en algunas ocasiones no se puede encontrar ninguna causa.

Aunque usualmente no es dañina, la diarrea puede tornarse peligrosa o ser una señal de un problema más serio. Por ejemplo, la diarrea severa puede conducir a la deshidratación, una condición en la que su cuerpo pierde demasiados fluidos y electrolitos que sus células necesitan para trabajar adecuadamente. Los síntomas de la deshidratación incluyen mareo, labios y boca secos, un aumento en la frecuencia de los latidos cardiacos, respiración más rápida, confusión, orina oscurecida y a veces sed.

Los nutrientes y alimentos a continuación pueden ayudarle a combatir los episodios de diarrea. Pero si usted tiene dolor estomacal severo, fiebre de más de 101 grados Fahrenheit (38.3 grados Celsius), sangre en su deposición o en su vómito, diarrea por más de tres días o síntomas de deshidratación, llame a su doctor inmediatamente.

Nutriente	Qué hace	Fuentes
antocianosidas	mata a la bacteria *E. coli*	arándanos deshidratados, bayas deshidratadas
pectina	fibra soluble que absorbe el exceso de agua en los intestinos para hacer las heces más firmes	plátanos, manzanas, toronjas, zanahorias
potasio	ayuda a regular el equilibrio entre agua y electrolitos en las células y tejidos.	plátanos, aguacates, cerezas, repollo
bacterias probióticas	los cultivos vivos y activos tales como acidophilus restablecen un equilibrio adecuado en los intestinos	yogur, leche fermentada
agua	reemplaza fluidos perdidos por diarrea y previene la deshidratación	

Enfermedad diverticular

■ ■ ■ ■ ■ ■ ■ ■ ■ ■ ■ ■ ■ ■ ■ ■ ■ ■

Cuando usted se esfuerza mucho por el estreñimiento, pone demasiada presión en sus intestinos, lo cual debilita la pared intestinal. A lo largo del tiempo, las áreas más débiles comienzan a ceder, formando pequeñas bolsitas, o divertículos. Esta condición, llamada diverticulosis, se hace más común con la edad. Alrededor de la mitad de las personas entre 60 y 80 años tienen diverticulosis, y mayores de 80, casi todos la padecen.

Una vez que usted tiene divertículos, éstos no se van. Pese a que usualmente no son peligrosos, comida sin digerir y bacterias pueden quedar atrapadas en estas bolsitas y endurecerse, causando una infección o inflamación. Esta condición, llamada diverticulitis, puede conducir a serias complicaciones. Los divertículos inflamados se pueden romper, esparciendo la inflamación a otros órganos. Afortunadamente, sólo un 10 a 25 por ciento de las personas con diverticulosis desarrollan diverticulitis en toda su vida.

La diverticulosis usualmente no causa síntomas. En algunos casos, sin embargo, las personas sufren de hinchazón y gas, estreñimiento, dolor en la región inferior izquierda del abdomen. La diverticulitis, a su vez, puede causar fiebre, escalofríos, vómitos, diarrea, estreñimiento, pérdida de apetito y dolor en la región inferior izquierda del abdomen.

Las bolsitas pueden sangrar tanto en la diverticulosis como en la diverticulitis, dejando sangre en su deposición. Si usted encuentra sangre en sus heces, vea a su doctor. Usualmente la hemorragia se detiene sola, pero si persiste, usted puede requerir tratamiento médico.

Asegúrese de obtener suficiente de estos dos nutrientes para ayudarle a evitar las complicaciones de la enfermedad diverticular.

Nutriente	Qué hace	Fuentes
fibra	le da volumen y ablanda sus heces, ayudándolas a pasar más fácilmente por sus intestinos	pan integral de trigo, salvado de trigo, higos coliflor, brócoli
agua	ablanda las heces, previniendo los bloqueos, ayuda a que la fibra elimine partículas de las bolsitas intestinales	

Fatiga

■ ■ ■ ■ ■ ■ ■ ■ ■

Todos sienten ganas de dormir a veces, pero la fatiga es más que eso. La fatiga es un sentimiento de agotamiento, cansancio o una falta de energía y motivación. Usted también puede llamarla agotamiento.

La fatiga puede ser una respuesta normal e importante a un esfuerzo físico intenso, al estrés emocional, al aburrimiento o a la falta de sueño. Sin embargo, también puede ser un signo de un problema psicológico o físico más serio. Causas comunes incluyen:

- anemia
- problemas del sueño
- dolor persistente
- una alergia
- una tiroides menos activa que lo normal
- uso de alcohol o drogas ilegales
- depresión o tristeza

La fatiga también puede ser un efecto secundario de una condición como la mononucleosis infecciosa, insuficiencia cardiaca congestiva, diabetes, trastornos de la alimentación o cáncer. Obtener suficientes nutrientes de la lista siguiente puede ayudar a su cuerpo a combatir la fatiga. Si la buena nutrición, sueño o un ambiente de bajo estrés no alivian o curan su fatiga, vea a su doctor.

Nutriente	Qué hace	Fuentes
yodo	usado por la tiroides para producir tiroxina, necesaria para el metabolismo	sal yodada, mariscos leche, zanahorias
hierro	lleva el oxígeno en las células rojas hacia los tejidos	puerros, espinaca, quinua
magnesio	necesario para la función muscular, asiste en la producción de melatonina en el cerebro para poder dormir bien	aguacates, frijoles negros, espinaca, amaranto, salvado de trigo

Cálculos biliares

■■■■■■■■■■■■■■■■■■■■■■■■■■■■■■

Los cálculos biliares se forman del colesterol y otros ingredientes en la bilis, un líquido para digerir las grasas que se produce en su hígado y se almacena en su vesícula biliar.

Cuando usted necesita bilis para descomponer las grasas que come, ésta viaja a los intestinos. Si cálculos se han formado en la bilis, ellos se pueden alojar en los ductos que llevan la bilis desde el hígado al intestino delgado. Si usted tiene fiebre, piel u ojos con un tinte amarillento o dolor persistente en su abdomen superior, llame a su doctor. Usted puede tener una infección u otro problema serio.

Los cálculos biliares son más probables cuando los ingredientes de la bilis tienen más tiempo para estancarse y acumularse en su vesícula biliar. Los dos tipos de cálculos biliares son cálculos de colesterol y de pigmentos. Los cálculos de colesterol son el tipo más común, pero pequeños cálculos de pigmentos, hechos de bilirrubina también se pueden formar. Los cálculos biliares pueden ser tan pequeños como un grano de arena o tan grandes como una pelota de golf. La vesícula biliar puede desarrollar sólo un cálculo grande o cientos de pequeños cálculos, o casi cualquier combinación.

Muchos cálculos biliares no causan ningún síntoma, pero los doctores pueden remover la vesicular biliar si los cambios en el estilo de vida y en la dieta no son suficientes para detener casos repetidos de dolorosos cálculos biliares. Estos nutrientes pueden ayudar.

Nutriente	Qué hace	Fuentes
cafeína	previene los síntomas de los cálculos biliares	café, té, chocolate
fibra	mueve comida por el tracto digestivo rápidamente, disminuyendo la producción de ácido biliar	pan integral, frijoles negros, avena, higos
vitamina C	descompone el colesterol, previniendo que se torne en cálculos biliares	hinojo, pimientos dulces, kiwi, arándanos

Gota

■ ■ ■ ■ ■ ■ ■ ■

La gota es una condición dolorosa que ocurre cuando su organismo deposita ácido úrico, un producto de desecho, en sus coyunturas y tejidos suaves, en vez de eliminarlo del cuerpo. Se cristaliza en sus coyunturas provocando episodios de dolor, inflamación, hinchazón, enrojecimiento y rigidez. Si no es tratada, los ataques de gota pueden hacerse crónicos, incapacitando sus coyunturas y limitando su movimiento.

En muchas personas, la gota primero ataca el dedo gordo del pie, una condición llamada podagra. Pero usted puede tenerla en otras coyunturas y tejidos también, incluyendo sus dedos, muñecas, codos, rodillas, tobillos y los empeines y talones de sus pies. El ácido úrico puede incluso formar bultos bajo la piel rodeando sus coyunturas y el borde de sus orejas, o puede reunirse en sus riñones y causar cálculos renales.

Tiende a ser más común en algunas familias y los hombres sufren un riesgo mayor de padecerla que las mujeres. La hipertensión arterial, la obesidad, el abuso del alcohol y la resistencia a la insulina son todos factores que aumentan su riesgo de gota.

La gota es una enfermedad que generalmente acompaña a una dieta rica; por esto se le ha llamado la "enfermedad de los reyes". Esto significa que usted puede controlar su riesgo de padecer de gota eligiendo sus comidas sabiamente. Usted necesitará disminuir su consumo de alimentos grasos; comer más frutas, verduras y granos enteros; evitar el alcohol y ejercitar regularmente.

Nutriente	Qué hace	Fuentes
antocianinas	detienen la formación de prostaglandinas en el cuerpo, las que causan inflamación	cerezas, cerezas secas, arándanos, frambuesas, uvas rojas
proteínas lácteas	controlan el nivel de ácido úrico en la sangre	leche, queso, yogur
agua	elimina el ácido úrico de los tejidos	

Fiebre del heno (Rinitis)

■ ■

La fiebre del heno, o rinitis, es una alergia al polen y afecta a alrededor de 35 millones de americanos, haciéndola una de las formas más comunes de alergia. Los árboles, el césped y las hierbas producen polen y liberan este material como polvo al aire que usted respira durante la primavera, el verano y el otoño. Usted puede tener diferentes síntomas en diferentes ocasiones a lo largo del año. Depende del tipo de plantas que crecen donde usted vive y de las alergias que usted padece.

Los síntomas de rinitis incluyen estornudos, tos y flujo nasal transparente y acuoso o congestión nasal. Usted también puede tener picor en los ojos, en la nariz y en la garganta, y ojos acuosos, rojos o hinchados.

Nadie sabe con seguridad qué causa las alergias, pero usted tiene una probabilidad mayor de desarrollar fiebre del heno si sus padres la tienen. Su doctor puede ayudarle a decidir cómo tratar su fiebre del heno. Usted puede evitar las cosas que le causan síntomas, usar medicamentos para tratar sus síntomas o usar inyecciones contra la alergia.

Algunas personas creen que comer diariamente una cucharada de miel producida localmente ayuda. La idea es que usted se acostumbrará al polen usado para fabricar la miel y este es el mismo polen que causa la reacción alérgica en la fiebre del heno. Usted también debería incluir los siguientes nutrientes en su dieta.

Nutriente	Qué hace	Fuentes
ácidos grasos omega-3	reducen la inflamación	semillas de lino, nueces
quercitina	regula las membranas para controlar la producción de histaminas	cerezas, arándanos agrios, cebolletas
vitamina C	previene que su cuerpo produzca demasiadas histaminas	kiwi, pimientos dulces, melón honey dew
vitamina E	disminuye la inflamación, protege las membranas celulares	semillas de girasol, aceite de oliva, aguacates

Acidez estomacal

■■■■■■■■■■■■■■■■■■■■■■■■■■■

La acidez estomacal es una sensación dolorosa de quemazón en su esófago o su garganta. Esto sucede cuando el ácido estomacal y otros jugos digestivos se regurgitan a su esófago, que es el tubo que lleva alimentos desde su boca a su estómago.

Casi todos sufren de acidez estomacal algunas veces. Pero si usted sufre de acidez estomacal más de dos veces a la semana, puede que padezca de la enfermedad por reflujo gastroesofágico (ERGE o GERD por sus siglas en inglés). Esto es lo que necesita saber.

Una pequeña válvula que se encuentra exactamente sobre su estómago tiene la función de proteger su esófago. De hecho, esta válvula, llamada esfínter esofágico inferior (EEI o LES por sus siglas en inglés), normalmente permanece bien cerrada excepto cuando la comida necesita entrar a su estómago. Pero si usted padece de ERGE, el EEI no se cierra lo suficiente para mantener los jugos digestivos en su estómago. Esto permite que contenidos del estómago invadan su esófago y lo irriten. Los doctores le llaman reflujo.

Algunos medicamentos, ciertas comidas y el alcohol pueden producir acidez estomacal. Ingerir comidas ricas en grasas, especialmente comidas fritas puede empeorar la acidez estomacal. El café, el té y la leche entera también pueden causar problemas. Trate de comer más de las comidas nutritivas mencionadas más abajo. El exceso de peso presionará su estómago y su EEI haciendo más probable que sufra de acidez estomacal. Esta es la razón porque los doctores sugieren que baje de peso.

El tratamiento de la acidez estomacal es importante porque con el tiempo, el reflujo puede dañar su esófago; en ocasiones, este daño puede ser tan grave, que puede conducir a cáncer. Afortunadamente, cambios en su estilo de vida pueden ayudarle y su doctor puede darle consejos y tratamiento. Si su acidez estomacal viene acompañada de otros síntomas, como un dolor torácico y una sensación de presión intensa, usted puede estar sufriendo de un ataque cardiaco. Obtenga ayuda inmediatamente.

Nutriente	Qué hace	Fuentes
fibra	previene el estreñimiento, el que puede empeorar la acidez estomacal	pan integral de trigo, higos, nectarinas, salvado de trigo
ácidos grasos omega-3	reemplazan las grasas saturadas, las que pueden empeorar los síntomas	trucha, semillas de lino, nueces, salmón
agua	enjuaga los ácidos digestivos del esófago	

Hipertensión arterial

■■■■■■■■■■■■■■■■■■■

Si usted ha tratado alguna vez de usar una manguera que está endurecida por los años o bloqueada por impurezas del agua, ya sabe lo difícil que es lograr un buen flujo de agua. El flujo sanguíneo a través de sus arterias funciona de la misma forma. Arterias rígidas o bloqueadas pueden hacer que su corazón tenga que esforzarse demasiado para empujar la sangre a través de todos sus vasos sanguíneos. El resultado es la hipertensión arterial, la cual daña tanto su corazón como sus vasos sanguíneos.

Una medición de su presión arterial puede decirle si tiene hipertensión arterial. La medición usa dos números, que son la presión sistólica y la diastólica, escritos uno sobre o antes del otro. Una medición de:

- 120/80 o menor es normal.

- 140/90 o mayor es hipertensión arterial.

- Entre 120 y 139 para el número mayor, o entre 80 and 89 para el menor, es prehipertensión.

La hipertensión generalmente no tiene ningún síntoma, pero puede causar serios problemas, como apoplejía, falla cardiaca, ataque cardiaco y falla renal. Usted puede controlar su hipertensión adoptando hábitos más saludables y tomando medicamentos. Asegúrese de incluir los siguientes nutrientes en su dieta también.

Nutriente	Qué hace	Fuentes
calcio	ayuda a remover el sodio	leche, queso
ácidos grasos omega-3	expanden los vasos sanguíneos, evitan que la sangre se aglutine	salmón, atún, sardinas, aceite de lino
potasio	equilibra el sodio, dilata los vasos sanguíneos, ayuda al sistema nervioso simpático	bananas, aguacates, frijoles, cerezas, hinojo
magnesio	relaja los vasos sanguíneos, equilibra el potasio y el sodio	cereal integral de trigo, brócoli, amaranto frijoles negros
vitamina C	mantiene las paredes de los vasos sanguíneos flexibles	aguacates, nectarinas

Colesterol alto

■ ■

El colesterol es una substancia cerosa y grasa que se encuentra en algunas comidas. Su cuerpo necesita algo de colesterol para construir paredes celulares y hacer hormonas. Pero si usted tiene demasiado en su sangre, se puede pegar a las paredes arteriales como placa, bloqueando sus arterias. Moléculas llamadas lipoproteínas llevan al colesterol a través de su torrente sanguíneo. Las lipoproteínas de baja densidad (LDL por sus siglas en inglés) son consideradas "malas", ya que llevan al colesterol hacia sus paredes arteriales, donde causa daño. Las lipoproteínas de alta densidad (HDL por sus siglas en inglés) son "buenas" ya que llevan el colesterol a su hígado, donde éste es eliminado fuera de su cuerpo.

Además del colesterol, usted tiene otro tipo de grasa dañina en su cuerpo, llamada triglicéridos. Ellos pueden causar estragos por sí solos, disminuyendo los niveles de HDL y conduciendo a coágulos sanguíneos e inflamación. El colesterol y los triglicéridos se miden en miligramos por decilitro de sangre, o mg/dL. Sus metas para estos dos números dependen su riesgo de enfermedad cardiaca; mientras mayor sea su riesgo, usted deseará un menor nivel de LDL.

Colesterol total. Menos de 200 mg/dL es lo mejor. Entre 200 y 239 está el límite y sobre 240 es alto.

LDL. Menos de 100 mg/dL es ideal. Si usted tiene un riesgo muy alto, debería intentar un nivel menor aún, de 70 mg/dL. Sobre 160 es alto y niveles sobre 190 son muy altos y requieren medicamentos.

HDL. Sobre 40 mg/dL es deseable, mientras que niveles sobre 60 mg/dL son óptimos.

Triglicéridos. Bajo 150 mg/dL es normal, entre 150 y 199 es el límite alto y entre 200 y 499 es alto. Sobre 500 es muy alto.

Su edad e historia familiar afectan su riesgo. Si bien es cierto que usted no puede cambiar estos factores, sí puede tomar medidas para contrarrestar otros factores de riesgo. Haga ejercicios regularmente, baje de peso, deje de fumar y escoja comidas con los siguientes nutrientes.

Nutriente	Qué hace	Fuentes
beta glucano	retrasa la digestión, permitiendo que el HDL remueva el colesterol	avena, salvado de avena cebada
lignanos	reduce el nivel de colesterol	semillas de lino
luteína	previene la formación de placa en las arterias	kiwi, brócoli, espinaca
fitoesteroles	previene la absorción del colesterol en el intestino	pistachos, semillas de girasol, amaranto

Insomnio

■ ■ ■ ■ ■ ■ ■ ■ ■ ■ ■ ■

Algunas personas con insomnio pueden quedarse dormidas con facilidad pero despertarse demasiado pronto. Otras simplemente no pueden quedarse dormidas, o bien tienen dificultad tanto al quedarse dormidas como permaneciendo dormidas. El resultado es un sueño de baja calidad que no le permite sentirse refrescado cuando se levanta. Frecuentemente, su insomnio es el efecto secundario de algún otro problema, como uno de los siguientes.

■ enfermedades, tales como aquellas que afectan el corazón o el pulmón

■ dolor, ansiedad o depresión

■ medicamentos que demoran o interrumpen el sueño

■ cafeína, tabaco, alcohol y otras substancias que afectan el sueño

■ un ambiente pobre para dormir o cambios en su rutina de sueño

Si usted puede encontrar la causa de este tipo de insomnio, sus síntomas deberían mejorar. Pero algunas personas pueden tener insomnio que no es un efecto secundario de medicamentos o de un problema médico. En este caso, se le llama insomnio primario y generalmente dura al menos un mes.

Intente modificar sus hábitos de alimentación y de vida para vencer su insomnio. En seguida encontrará algunas de las comidas que le pueden ayudar. El ejercicio y una rutina de relajación en la noche también pueden ayudar a promover un mejor sueño. Si éstos no funcionan dentro de unas pocas semanas, pida ayuda a su doctor.

Nutriente	Qué hace	Fuentes
melatonina	regula el ciclo del sueño	avena, cerezas
triptofano	se transforma en melatonina, la cual regula el ciclo del sueño	espinaca, huevos, cangrejo
niacina	ayuda a la glándula pineal a producir melatonina	hongos, nectarinas, atún
vitamina B6	ayuda a la glándula pineal a producir melatonina	aguacates, zanahorias, bananas

Síndrome del intestino irritable

El síndrome del intestino irritable (SII o IBS por sus siglas en inglés) ciertamente puede irritarlo. Este trastorno digestivo común, que afecta el intestino grueso, puede causar retorcijones abdominales, hinchazón y una alteración en sus hábitos de evacuación de las heces. Algunas personas con SII sufren de estreñimiento, mientras otras padecen de diarrea. Otras se alternan entre estreñimiento y diarrea. Aunque el SII puede causar una cantidad considerable de molestias y trastornar su vida, no daña su intestino.

Nadie conoce la causa exacta del SII, el que afecta a más mujeres que hombres, y no existe un examen específico para detectarlo. Sin embargo, su doctor puede tomarle exámenes para asegurarse que usted no padece de otros problemas más serios. Estas pruebas incluyen el examen de las heces, exámenes sanguíneos y rayos X. Su doctor también puede realizar una colonoscopia o una prueba llamada sigmoidoscopia, la cual examina su recto y colon inferior.

La mayoría de las personas diagnosticadas con SII pueden controlar sus síntomas con dieta, técnicas para control del estrés y medicamentos. Algunas personas creen que comer alimentos con azúcares procesadas y carbohidratos simples—leche, harina refinada, jarabe de maíz—empeora el SII. Estas personas ni siquiera se acercan a estos alimentos. Lleve un diario de los alimentos que come y los síntomas que tiene para encontrar cuáles son las comidas más peligrosas para su intestino.

Nutriente	Qué hace	Fuentes
Fibra	absorbe agua en el intestino, previniendo la diarrea	pan integral de trigo, arroz integral, avena
bacterias probióticas	cultivos vivos y activos, tales como acidophilus restablecen el equilibrio bacteriano en el intestino	yogur, leche fermentada
agua	ayuda a que la fibra pase suavemente por el tracto digestivo	

Cálculos renales

▪ ▪

Algunas veces algo pequeño puede causar un dolor grande. Un cálculo renal, que es una pequeña bolita de material que se forma en su riñón a partir de sustancias en su orina, puede ser tan pequeño como un grano de arena o tan grande como una perla. También se puede sentir como una roca.

La mayoría de los cálculos renales son eliminados del cuerpo sin la ayuda de un doctor, pero a veces un cálculo simplemente no se va. Puede quedar atrapado en el tracto urinario, bloqueando el flujo de la orina y causar un dolor terrible. Si usted sufre cualquiera de los siguientes síntomas, puede que necesite ver a un doctor.

- dolor extremo en su espalda o en su costado que no se va

- sangre en su orina

- fiebre y escalofríos

- vómitos

- orina maloliente o nublada

- una sensación de quemazón al orinar

Existen exámenes que le pueden ayudar a determinar si tiene un cálculo renal y descartar otros problemas. Usted puede requerir analgésicos o incluso cirugía no invasiva como tratamiento de su cálculo renal. Lo que usted come y bebe influye la formación de cálculos renales. Beba muchos líquidos, pero reduzca la sal y las proteínas. Usted también debería intentar obtener más de los siguientes beneficiosos nutrientes en su dieta.

Nutriente	Qué hace	Fuentes
calcio	bloquea la absorción de oxalatos en su dieta, los que pueden formar cálculos	leche, yogur, queso, sardinas
magnesio	ayuda a su cuerpo a reciclar deshechos, evitando que éstos formen cálculos	avena, salvado de trigo, espinaca, frijoles negros
potasio	aumenta el nivel de citrato en la orina	bananas, tomates, cerezas
agua	diluye la orina, enjuaga y elimina sustancias químicas antes que éstas puedan formar cálculos	

Degeneración macular

■ ■ ■ ■ ■ ■ ■ ■ ■ ■ ■ ■ ■ ■ ■ ■ ■ ■

La degeneración macular, o degeneración macular asociada a la edad (DMAE o AMD por sus siglas en inglés), destruye su visión aguda central, que es la que usted usa para ver objetos claramente y llevar a cabo funciones como leer y conducir un vehículo. La DMAE mata las células en la mácula, la parte de su ojo que le permite percibir detalles finos y pequeños.

En algunos casos, esta enfermedad avanza tan lentamente, que usted puede no percatarse del deterioro de su visión. En otras personas, la enfermedad progresa rápidamente y puede resultar en pérdida de visión en ambos ojos. De hecho, es una de las principales causas de pérdida de visión en personas mayores de 60 años.

Exámenes oculares completos pueden detectar la DMAE antes que cause pérdida de visión. Con tratamientos se puede retrasar el daño, pero no se puede restablecer la visión.

Trate de comer muchos de los siguientes nutrientes para disminuir su riesgo y reducir el daño de la DMAE.

Nutriente	Qué hace	Fuentes
luteína	funciona con la zeaxantina, filtrando la luz UV, detiene el daño oxidante	espinaca, kiwi, aguacates, brócoli, melón honey dew
vitamina C	retrasa la DMAE al detener el daño oxidante	frutas cítricas, pimientos dulces, brócoli
zeaxantina	antioxidante que trabaja junto a la luteína	yemas de huevo, pimentones naranjos
zinc	se encuentra en la retina del ojo, donde ayuda a las reacciones químicas	carne de res, cangrejo, salvado de trigo, espinaca, frijoles negros

Amnesia o pérdida de memoria

■ ■

Algunas personas se ponen más olvidadizas con la edad. Puede tomarles más tiempo para aprender cosas nuevas, recordar nombres y palabras familiares o para encontrar sus gafas.

Estos normalmente son signos amnesia leve y no son motivo de preocupación. Olvidos más serios pueden afectar su habilidad para llevar a cabo actividades cotidianas como conducir su vehículo, ir de compras o manejar su dinero. Algunos signos de problemas serios de memoria incluyen:

- preguntar las mismas preguntas una y otra vez.

- perderse en lugares que usted conoce bien.

- no ser capaz de seguir instrucciones

- confundirse mucho acerca del tiempo, personas y lugares

- no cuidarse, como por ejemplo no alimentarse adecuadamente, no bañarse o asearse, o no cuidar su seguridad personal.

Vea a un doctor si usted está preocupado acerca de sus problemas de memoria o los de alguno de sus seres queridos. También hay muchas cosas que usted puede hacer para prolongar su memoria en buen estado, y comer adecuadamente con comidas como las siguientes puede ayudarle a mantener su mente aguda.

Nutriente	Qué hace	Fuentes
vitaminas antioxidantes (vitaminas C y E, beta caroteno)	reduce el daño oxidante en las células del cerebro	arándanos, coles de Bruselas, kiwi
carbohidratos	proveen energía para las funciones cerebrales	avena, salvado de trigo, arroz integral
epicatequina	flavonoide que mejora el flujo de sangre en el cerebro	uvas, arándanos, chocolate
hierro	ayuda en la formación de neurotransmisores, los que llevan mensajes en el cerebro	quinua, puerro, frijoles, cereales
ácidos grasos monoin-saturados (MUFAs por sus siglas en inglés)	ayuda a formar membranas en el cerebro	almendras, aguacates, nueces

Migrañas

■ ■ ■ ■ ■ ■ ■ ■ ■ ■ ■ ■ ■ ■ ■

Una migraña, o jaqueca, es un dolor de cabeza muy intenso. Si usted padece de una migraña, tendrá una sensación pulsante de dolor en una parte de su cabeza. También venir acompañado de nausea, vómitos, mareos y una sensibilidad alta a la luz y al sonido.

Algunas personas incluso saben cuando están por sufrir de una migraña porque ven luces o líneas en forma de zigzag, o pierden su visión por un tiempo. Otras personas pueden sospechar cuando viene una migraña después de encontrar uno de los factores que comúnmente les provoca una migraña. Muchas cosas pueden causar una migraña, incluyendo:

- ansiedad

- estrés

- falta de comida o de sueño

- exposición a la luz

- cambios hormonales en las mujeres

Los doctores solían pensar que las migrañas estaban asociadas a vasos sanguíneos del cerebro haciéndose más anchos o más angostos. Ahora, piensan que la química cerebral y otros factores pueden tener un rol mayor.

Los medicamentos pueden prevenir episodios de migrañas o aliviar los síntomas cuando una migraña ocurre. Cambios en el estilo de vida y en la nutrición pueden ayudar a prevenir migrañas futuras.

Nutriente	Qué hace	Fuentes
magnesio	su deficiencia puede causar migrañas	avena, batatas
melatonina	regula el ciclo del sueño, previniendo el comienzo de una migraña	avena, cerezas, choclo dulce
ácidos grasos omega-3	reducen el número y la intensidad de las migrañas	semillas de lino, salmón, arenque
riboflavina	reduce el número y la severidad de las migrañas	espelta, leche, huevos

Osteoartritis o artrosis

■ ■ ■ ■ ■ ■ ■ ■ ■ ■ ■ ■ ■ ■ ■ ■ ■ ■ ■ ■

Envejecer es doloroso—especialmente cuando usted padece de osteoartritis. La osteoartritis, la forma más común de artritis, frecuentemente ataca a las personas mayores. También puede hacer que su vida se vuelva miserable.

La osteoartritis algunas veces se llama enfermedad degenerativa articular y principalmente afecta los cartílagos, que son el tejido duro pero resbaloso que cubre las extremidades de los huesos, donde se juntan para formar una articulación. El cartílago saludable le permite a los huesos deslizarse uno sobre el otro. También absorbe energía del choque producido por el movimiento físico.

En la osteoartritis, la capa superficial del cartílago se desgasta y se desvanece. Esto permite que los huesos bajo el cartílago se froten uno al otro, causando dolor, hinchazón y pérdida de movimiento en la articulación. Con el tiempo, la articulación puede perder su forma normal. Su espalda, caderas rodillas, dedos gordos de los pies, dedos de las manos y la base de su pulgar son los lugares más frecuentes donde la osteoartritis ataca, pero ésta puede afectar cualquier articulación.

Una combinación de analgésicos, terapia física y pérdida de peso para disminuir el estrés en aquellas articulaciones que sostienen su peso pueden ayudar a tratar la osteoartritis. En casos serios, la cirugía puede ser una opción.

Controlar su peso puede disminuir su riesgo de osteoartritis. Si usted es obeso, perder tan solo 11 libras puede reducir su riesgo a la mitad. Además, los siguientes nutrientes le pueden proteger.

Nutriente	Qué hace	Fuentes
boro	regula el uso de calcio y magnesio, además ayuda en el uso de la vitamina D	tomates, pasas, cerezas, jugo de uvas, almendras
vitamina C	ayuda a su cuerpo a fabricar colágeno, una proteína clave en los tejidos conectivos, los cartílagos y los tendones	pimientos dulces, brócoli, kiwi, cerezas, limas, nectarinas
vitamina D	necesaria para cartílagos saludables	hongos, sardinas

Osteoporosis

■ ■

Antes la gente pensaba que una postura encogida y encorvada era parte natural de envejecer, pero el culpable real es usualmente la osteoporosis.

Su esqueleto constantemente está reconstruyéndose. Primero, las células llamadas osteoclastos degradan y reabsorben entre el 10 y el 30 por ciento de los huesos viejos cada año. Luego, células llamadas osteoblastos forman nuevos huesos. Ellas lo hacen a partir del colágeno producido por su cuerpo y el fósforo y calcio que usted obtiene de sus comidas.

A medida que usted envejece, la pérdida de hueso se hace más rápida que la generación de nuevo hueso. Su densidad ósea sufre en consecuencia, lo que significa que sus huesos se tornan más débiles y menos sólidos. Esto, a su vez, hace que las quebraduras o fracturas sean más probables. Las mujeres pierden la mayor cantidad de hueso en los primeros años después de la menopausia, pero la pérdida ósea también afecta a los hombres.

La osteoporosis es la primera causa de fracturas en mujeres postmenopáusicas y en adultos mayores, y se desarrolla silenciosamente. Usted puede descubrir que padece de osteoporosis sólo cuando se fractura su cadera o su muñeca como resultado de un golpe o caída menor. Pequeñas fracturas en su espina dorsal pueden reducir gradualmente su estatura y hacer que su postura se haga encorvada.

Usted puede prevenir esta enfermedad así como retrasar su desarrollo si adquiere algunos hábitos como caminar, jardinear u otros ejercicios en los que tenga que levantar un peso, lo cual ayuda a preservar sus huesos. Combine los ejercicios con las comidas adecuadas para lograr los resultados más sorprendentes.

Nutriente	Qué hace	Fuentes
calcio	construye el esqueleto, manteniendo huesos fuertes	leche, yogur, sardinas
potasio	ayuda a prevenir la pérdida de calcio	bananas, melón
vitamina C	ayuda a construir colágeno, que es un importante tejido conectivo	pimientos rojos, toronjas, arándanos, brócoli
vitamina D	ayuda a los huesos a almacenar calcio, necesaria para el crecimiento de los huesos	salmón, sardinas, hongos
vitamina K	permite la coagulación sanguínea, en la forma de vitamina K2, previene fracturas	coles de Bruselas, repollo aguacates, lechuga

Cáncer a la próstata

Aunque este cáncer es raro en hombres menores de 40 años de edad, el cáncer a la próstata es la tercera causa más común de muerte por cáncer en hombres de todas las edades. Como usted puede recordar, la próstata es una glándula debajo de la vejiga de los hombres la que se envuelve alrededor de la uretra, que es el pasaje que guía a la orina fuera de su cuerpo.

Los síntomas de cáncer a la próstata pueden incluir:

- problemas orinando, tales como dolor, dificultad comenzando o deteniendo el flujo, o goteo
- orina frecuente
- dolor en la espalda lumbar
- dolor al eyacular

El nivel de una substancia llamada antígeno prostático específico (PSA por sus siglas en inglés) es frecuentemente alto en hombres con cáncer a la próstata, así es que los doctores chequean el nivel de PSA como una forma de detectar cáncer a la próstata. Ya que el examen de PSA se ha realiza comúnmente, la mayoría de los cánceres de la próstata se detectan antes que puedan causar síntomas. Pero sepa que el PSA también puede ser alto en otros problemas prostáticos.

La nutrición y el estilo de vida pueden ayudarle a prevenir el cáncer a la próstata. Sin embargo, el tratamiento correcto para un cáncer a la próstata depende de cuánto ha avanzado el cáncer. El tratamiento puede incluir cirugía, radioterapia, quimioterapia y control de las hormonas que afectan al cáncer.

Nutriente	Qué hace	Fuentes
fibra	atrapa a las hormonas sexuales para removerlas del cuerpo	pan integral de trigo, salvado de trigo, semillas de lino
licopeno	funciona como un poderoso antioxidante en contra de los radicales libres	tomates, sandía, pimientos dulces rojos, toronja
ácidos grasos omega-3 (DHA y EPA de pescado)	pueden disminuir su riesgo de cáncer de próstata	salmón, sardinas, trucha
selenio	aumenta la inmunidad, disminuye los niveles de testosterona, puede matar células cancerosas	Nueces de Brasil, hongos, camarones, salmón, avena
vitamina E	trabaja con el selenio para aumentar la inmunidad	espinaca, almendras, espárragos

Artritis reumatoide

La artritis reumatoide (RA por sus siglas en inglés) es una enfermedad inflamatoria que usted desarrolla cuando su sistema inmunológico ataca a sus articulaciones. Los expertos no entienden por qué esto sucede, pero si conocen las consecuencias.

Moléculas dañinas causan que el cartílago que actúa como amortiguación se deteriore, lo que resulta en articulaciones hinchadas, tiesas, tibias y dolorosas. Con el tiempo, llega a dañar incluso a sus huesos. La RA es más común en mujeres y tiene varias características que la hacen diferente a otros tipos de artritis. Por ejemplo, la RA generalmente ataca a ambos lados de una misma articulación, como ambas manos o ambas rodillas. Las personas con RA pueden sentirse cansadas, tener fiebre ocasionalmente y generalmente no sentirse bien. Y a diferencia de la osteoartritis, la rigidez de las mañanas usualmente dura más de una hora.

La RA afecta a distintas personas en formas diferentes. Para algunos, ésta dura tan solo unos pocos meses o un par de años y luego se va sin causar demasiado daño. Las personas con formas ligeras o moderadas de la enfermedad pasan por periodos en los cuales los síntomas se empeoran, llamados ataques, y periodos en los cuales se sienten mejor, llamados remisiones. Sin embargo, otros padecen de una forma que está activa la mayoría del tiempo, dura por años y conduce a un serio daño de las articulaciones e incapacidad.

Nutriente	Qué hace	Fuentes
antocianinas	bloquean las enzimas en el cuerpo que causan inflamación y dolor	cerezas, arándanos, uvas rojas, arándanos agrios
cobre	actúa como antiinflamatorio, reduciendo los síntomas	quinua, cangrejo, hongos, espinaca
ácidos grasos omega-3	reducen la inflamación, aliviando el dolor	salmón, semillas de lino
vitamina E	funciona como antioxidante, aumentando la inmunidad	semillas de girasol, almendras, aguacates

Sinusitis

▪ ▪ ▪ ▪ ▪ ▪ ▪ ▪ ▪ ▪ ▪ ▪ ▪

Si usted está cansado del dolor e hinchazón en su frente y los síntomas de resfrío o fiebre del heno parecen estar durando por mucho más tiempo que lo normal, usted puede tener sinusitis.

Sus senos paranasales son cavidades llenas de aire en el interior de los huesos rodeando su nariz. Éstos producen un fluido mucoso que llega a la nariz. Desafortunadamente, si su nariz está hinchada, sus senos paranasales pueden bloquearse, lo que puede causar dolor e infección. Cuando sus senos se infectan o se inflaman, usted tiene sinusitis.

La sinusitis puede ser aguda o crónica. La versión aguda dura menos de cuatro semanas mientras que la sinusitis crónica dura más. La sinusitis aguda frecuentemente empieza como un resfriado o una rinitis (fiebre del heno), pero luego se torna en una infección. Las alergias, contaminantes, problemas nasales y ciertas enfermedades también pueden causar sinusitis.

Los síntomas de sinusitis pueden incluir fiebre, debilidad, fatiga, tos y congestión. Usted también puede tener goteo postnasal; esto significa que el fluido mucoso llega a la parte posterior de su garganta. Los tratamientos para la sinusitis incluyen antibióticos, descongestionantes y analgésicos. Aerosoles nasales salinos, vaporizadores y la aplicación de almohadillas calientes en el área inflamada también pueden ayudar.

Nutriente	Qué hace	Fuentes
antioxidantes (vitamina A, vitamina C, beta caroteno, glutationa)	neutralizan los radicales libres, fortaleciendo el sistema inmunológico y previniendo infecciones	espárragos, aguacates, melones honey dew, batatas, zanahorias
bromelaína	suelta la mucosidad y suprime la tos	piña fresca
bacterias probióticas	cultivos vivos activos, tales como Lactobacillus GG, restablecen el equilibrio apropiado en sus senos	bebidas de yogur
agua	humedece las membranas mucosas para que los senos se puedan drenar apropiadamente	

Cáncer de piel

■ ■

El cáncer de piel es la forma más común de cáncer en los Estados Unidos. Los dos tipos más comunes son el carcinoma baso celular y el carcinoma de las células escamosas. Estos usualmente se forman en la cabeza, la cara, el cuello, las manos o los brazos. Otro tipo de cáncer de piel, el melanoma maligno, es más peligroso pero menos común.

Cualquiera puede tener cáncer de piel, pero es más común en gente que:

- pasa mucho tiempo al sol o ha sufrido de quemaduras solares
- tiene piel, pelo y ojos de color claro.
- tiene un familiar con cáncer de piel.
- es mayor de 50 años.

Debido a que los rayos ultravioleta del sol (UVA y UVB) promueven cambios cancerígenos en su piel, seguir medidas de protección del sol es una forma de cuidarse. Otra forma es conocer cuáles son los signos del cáncer de piel. Un lunar de forma irregular, de coloración extraña o inusualmente grande puede ser un signo de cáncer de piel, especialmente si crece. Esta es la razón por la cual usted debe chequear su piel regularmente. Usted también debería hacer que su doctor revise cualquier marca sospechosa en su piel y cualquier cambio en la forma en que su piel se ve. Estos pasos le pueden ayudar a detectar el cáncer temprano, que es cuando es más probable que pueda ser tratado exitosamente. La detección temprana del cáncer también puede prevenir que ciertos tipos de células cancerosas invadan otras partes de su cuerpo.

Nutriente	Qué hace	Fuentes
astaxantina	destruye los radicales libres, previniendo el daño celular por la luz UV	salmón, camarones
catequinas	funcionan como antioxidantes, previniendo el daño solar	té verde
d-limoneno	encoge los tumores, puede prevenir el cáncer de las células escamosas	toronja (especialmente la cáscara), limones, naranjas
ácidos grasos mono-insaturados (MUFAs por sus siglas en inglés)	previenen el daño oxidante del sol	almendras, aguacates, nueces

Estrés

■■■■■■■■■■

Todas las personas sufren de estrés de vez en cuando. El tener que hablar en público, tomar un examen importante o la primera vez que usted sale con alguien que le interesa románticamente son todos factores que pueden provocar estrés. También puede ser causado por su trabajo, sus cuentas y su familia. Lo que le causa estrés a usted puede no ser estresante para otras personas. Pero cuando el estrés golpea, usted lo sabe. Su adrenalina comienza a bombear y su cuerpo se acelera para manejar la crisis. Su corazón puede latir fuertemente, sus manos pueden traspirar o su boca se puede sentir seca.

Algunas veces el estrés puede ayudarle a lograr un objetivo a tiempo o a completar una tarea. Pero el estrés de largo plazo puede producir efectos graves en su salud. Con el tiempo, el estrés que mantiene a su cuerpo en estado de alerta, puede conducir a un desgaste. El estrés crónico puede debilitar su sistema inmunológico y aumentar su riesgo de problemas de salud. Investigaciones han asociado al estrés con la diabetes de tipo 2, el síndrome del intestino irritable, el cáncer, la hipertensión, la enfermedad cardiaca y la depresión.

Si usted sufre de estrés crónico, la mejor forma de enfrentar el problema es encargarse del problema subyacente. Hablar con un psicólogo u otro consejero profesional puede ayudarle a encontrar formas de relajarse y tranquilizarse. Algunas estrategias para deshacerse del estrés incluyen tener un masaje, tomar vacaciones, jardinear o escuchar música. Hay medicamentos que también pueden ayudar. Incluso comer el tipo correcto de alimentos puede ayudarle a relajar su mente.

Nutriente	Qué hace	Fuentes
carbohidratos complejos	estimulan la producción de serotonina en el cerebro. Esta sustancia produce una sensación de bienestar	avena, pan integral, arroz integral, espelta
folato	ayuda a que el cerebro procese dopamina y serotonina, lo que le permite la relajación	frijoles negros, espinaca, espárragos, repollo
triptofano	calma la ansiedad al ayudar a la formación de serotonina en el cerebro	cangrejo, huevos, leche, camarones
vitamina B12	ayudan a producir neurotransmisores para llevar mensajes en el cerebro	cangrejo, salmón, atún, pavo
vitamina C	necesaria para hacer serotonina en el cerebro	pimientos dulces, kiwi, alcachofas

Úlceras

■ ■ ■ ■ ■ ■ ■ ■ ■ ■ ■

Una úlcera péptica, también llamada úlcera gástrica o úlcera duodenal, es una herida en el revestimiento de su estómago o su duodeno, que es la primera parte de su intestino delgado.

Antes la gente pensaba que las úlceras pépticas se causaban por estrés o por comidas picantes. Sorprendentemente, el culpable real es la bacteria llamada *Helicobacter pylori (H. pylori)*.

Su estómago e intestino delgado están protegidos de los jugos digestivos ácidos por un revestimiento especial. El las personas infectadas con *H. pylori*, esta bacteria debilita esta capa protectora y permite que los jugos digestivos ataquen la pared de su estómago o intestino delgado, creando una dolorosa úlcera. La buena noticia es que estas úlceras pueden ser tratadas con antibióticos y, en la mayoría de los casos, curadas.

Las úlceras pépticas también pueden ser el resultado del uso de largo plazo de drogas antiinflamatorias no esteroideo (AINEs o NSAISs por sus siglas en inglés), como la aspirina e ibuprofeno. Ya que bloquean a enzimas que protegen el revestimiento de su estómago e intestino, los AINEs cuadruplican su riesgo de tener una úlcera, especialmente una úlcera estomacal.

Mantenerse alejado del tabaco y del alcohol puede ayudarle a evitar que una úlcera se agrave. Ciertos compuesto en las comidas también pueden ayudar a combatir las infecciones de *H. pylori*, lo que ayuda a tratar y a prevenir úlceras pépticas.

Nutriente	Qué hace	Fuentes
alicina	mata a la H. pylori	ajo (picado o majado)
glutamina	ayuda a curar las úlceras	repollo, cangrejo
proantocianidinas	evita que las bacterias ataquen el revestimiento del estómago	arándanos agrios, arándanos, uvas
sulforafano	mata a la H. pylori	brócoli, brotes de brócoli

Infecciones del tracto urinario

■ ■

Las infecciones del tracto urinario (ITU o UTI por sus siglas en inglés) son el segundo tipo más común de infección. Usted puede tener una ITU si nota:

- dolor o sensación de quemazón cuando usa el baño.

- fiebre, cansancio o temblor.

- urgencia de usar el baño frecuentemente.

- presión en su abdomen inferior.

- orina maloliente o que se ve nublada o algo roja.

Las bacterias son las culpables detrás de una ITU. De hecho, bacterias dañinas de sus heces a veces pueden entrar a su uretra, que es el conducto por donde la orina sale de su cuerpo. Desde la uretra, pueden propagarse hasta su vejiga. Orinar ayuda a eliminar a estas bacterias fuera de su cuerpo, por lo que cualquier cosa que le hace orinar menos aumenta su probabilidad de una ITU.

Si usted piensa que tiene una ITU, vea a su doctor. Él le podrá confirmar si tiene una ITU con un examen de orina. Un tratamiento con medicamentos para matar la infección generalmente le permitirá sanarse en uno o dos días. Los siguientes nutrientes le ayudan bastante a evitar una infección.

Nutriente	Qué hace	Fuentes
proantocianidinas	evitan que las bacterias se peguen al revestimiento del tracto urinario	arándanos agrios, jugo de arándanos agrios, arándanos, uvas, bayas
bacterias probióticas	cultivos vivos activos previenen el crecimiento de bacterias patógenas, mantienen un ambiente ácido	leche fermentada, yogur
vitamina C	hace a la orina más ácida, dificultando el crecimiento de bacterias	toronja, kiwi, cerezas, pimientos dulces
agua	enjuaga y elimina las bacterias del tracto urinario	

Aumento de peso

■ ■

Si usted tiene sobrepeso, no es el único. En los Estados Unidos, el 66 por ciento de los adultos tiene sobrepeso o es obeso. Afortunadamente, alcanzar un peso saludable puede ayudarle a controlar su colesterol, hipertensión arterial y azúcar en la sangre. También le puede ayudar a evitar enfermedades relacionadas al exceso de peso, como la enfermedad cardiaca, la artritis y algunos cánceres.

Comer demasiado o no hacer suficiente ejercicio hace que mucha gente tenga sobrepeso. Para perder peso, usted debe usar más calorías que las que come. Pero ni si quiera trate las dietas rápidas o de hambre. Lo crea o no, éstas al final lo pueden hacer más gordo. Cuando usted tiene hambre, la respuesta natural de su cuerpo es compensar sobrealimentándose (comer en exceso). Entonces, las libras vuelven rápidamente. En vez, gradualmente adopte hábitos saludables.

- Una estrategia práctica para controlar su peso puede incluir pasos como los siguientes
- Escoja comidas bajas en grasa y en calorías.
- Coma porciones más pequeñas.
- Beba agua en vez de bebidas azucaradas.
- Manténgase físicamente activo.
- No se salte el desayuno

Agregue más volumen a su dieta en la forma de fibra. Usted puede disminuir el tamaño de su cintura cambiando el pan blanco, que tiene un alto índice glucémico, por el sabroso pan integral. A continuación encontrará más comidas que le pueden ayudar a mantener un peso saludable.

Nutriente	Qué hace	Fuentes
calcio	hace que su cuerpo queme la grasa en vez de almacenarla	leche baja en grasa, yogur, col rizada
catequinas	retrasan la digestión de carbohidratos al bloquear las enzimas digestivas	té verde
fibra	agrega volumen a la comida haciendo que se sienta satisfecho más rápido y por más tiempo; estabiliza el azúcar en su sangre	salvado de trigo, avena, frijoles negros, higos, hinojo, pan integral de trigo
narangina	bloquea las enzimas digestivas en el intestino delgado	toronja
agua	le llena; puede acelerar su metabolismo, lo que le hace quemar más calorías	

Candidiasis

■ ■ ■ ■ ■ ■ ■ ■ ■ ■ ■ ■ ■ ■ ■ ■ ■ ■ ■ ■

No se asuste si su doctor le dice que tiene candidiasis o moniliasis. Solamente le está diciendo que tiene una infección de levadura.

Cándida es el nombre científico de la levadura. Es un hongo que vive prácticamente en todas partes, incluyendo su cuerpo. Usualmente su sistema inmunológico mantiene a la levadura bajo control. Pero si usted está enfermo o está tomando antibióticos, la levadura se puede multiplicar y causar una infección en una o más partes de su cuerpo. Algunas personas piensan que una dieta rica en azúcar puede facilitar las infecciones de levadura. De hecho, infecciones repetidas de levadura pueden ser incluso un signo de diabetes.

Las infecciones de levadura afectan distintas partes de su cuerpo en formas diferentes.

- El muguet es una infección por el hongo de levadura que produce placas blanquecinas en las mucosas bucal y faríngea. Algunas veces el muguet se puede esparcir a su esófago, que es el tubo que lleva la comida desde su boca a su estómago. En ese caso la infección se llama esofagitis, y puede hacer que el tragar se vuelva difícil o doloroso.

- Las mujeres pueden tener infecciones vaginales por levadura, lo que causa picor, dolor y flujo.

- Infecciones por levadura de la piel, las que causan picor y erupciones.

- Infecciones por levadura en su torrente sanguíneo, las que pueden resultar fatales.

Los medicamentos fungicidas eliminan las infecciones por levadura en la mayoría de las personas. Ciertos alimentos también pueden ayudar.

Nutriente	Qué hace	Fuentes
bacterias probióticas	cultivos vivos activos mantienen un equilibrio bacteriano apropiado para prevenir infecciones por levadura	yogur, leche fermentada
vitamina C	aumenta la acidez en la vagina, permitiendo que se defienda mejor de la levadura	brócoli, pimientos dulces, kiwi, melón honey dew

Índice

■ ■ ■ ■ ■ ■ ■ ■ ■